船舶动力工程技术应用创新与实践

于志民　著

哈尔滨工程大学出版社

Harbin Engineering University Press

内 容 简 介

新时代职业教育必将实现新发展,因此要认真研究、思考船舶动力工程技术"职教强国"的发展与创新。全书分为四章,第一章新时代职业教育与创新方法研究,第二章船舶动力工程技术专业建设研究实践,第三章船舶动力工程创新与教学模式创新融合研究,第四章基于 TRIZ 创新理论的船舶动力工程实践研究。

本书可作为学生参加全国职业院校技能竞赛"船舶主机安装"赛项的学习用书,也可为学生参加互联网+创新大赛提供参考,同时可供船舶动力工程技术人员参考。

图书在版编目(CIP)数据

船舶动力工程技术应用创新与实践/于志民著. —
哈尔滨:哈尔滨工程大学出版社,2022.4
ISBN 978-7-5661-3433-2

Ⅰ.①船… Ⅱ.①于… Ⅲ.①船舶机械-动力装置
Ⅳ.①U664.1

中国版本图书馆 CIP 数据核字(2022)第 052076 号

船舶动力工程技术应用创新与实践
CHUANBO DONGLI GONGCHENG JISHU YINGYONG CHUANGXIN YU SHIJIAN

选题策划 雷　霞
责任编辑 刘海霞
封面设计 李海波

出版发行	哈尔滨工程大学出版社
社　　址	哈尔滨市南岗区南通大街 145 号
邮政编码	150001
发行电话	0451-82519328
传　　真	0451-82519699
经　　销	新华书店
印　　刷	哈尔滨理想印刷有限公司
开　　本	787 mm×1 092 mm　1/16
印　　张	11.75
字　　数	305 千字
版　　次	2022 年 4 月第 1 版
印　　次	2022 年 4 月第 1 次印刷
定　　价	50.00 元

http://www.hrbeupress.com
E-mail:heupress@ hrbeu.edu.cn

前　言

　　笔者是一名学习轮机工程专业的人，1996年集美大学毕业后就职于河北远洋运输集团有限公司。如何与职业教育结下不解之缘，这个中的缘由，要回溯10年前。那是2010年天津海运职业学院公开招聘专职教师，笔者有幸，成为一名人民教师。或许是因为有航海教育的背景，或许是因为有船舶企业工作的经验，对船舶动力工程技术创新产生的浓厚兴趣，改变了笔者的一生。笔者放弃原来的船舶轮机长职业，全力从事船舶动力工程技术教育、工程实践创新研究，参加了天津市教育规划"十二五""十三五"研究课题，中国职业技术教育学会、天津市高等职业技术教育研究会资助课题，发表了多篇关于船舶动力工程技术学术论文，并多次与中国航海学会、中国造船工程学会的同行专家交流。近年来，船舶动力工程技术领域里的许多师长和朋友建议笔者撰写一本专著。在繁忙的教学、企业工程创新指导工作之余，笔者对教育教学、专业建设研究和已发表的论文、完成的课题、专利、工程案例等做了初步整理。在此，感谢天津海运职业学院领导、老师们的建议和指导。

　　全书分为四章，第一章新时代职业教育与创新方法研究，包括创新教育路径分析、创新理念发展、创新方法研究；第二章船舶动力工程技术专业建设研究实践，包括船舶动力工程技术实训设备设计、船舶动力工程技术专业教材建设、船舶动力工程技术劳动教育务实与创新、船舶动力工程技术课程教学改革实践研究、船舶动力工程技术课程思政建设与实践研究、新时代产教融合高职学生顶岗实习教学模式研究、船舶动力工程技术高职院校学生创新能力分析评价研究；第三章船舶动力工程创新与教学模式创新融合研究，包括船舶动力工程教学创新方法研究、船舶动力工程技术职业教学创新设计研究、船舶动力工程技术职业教学创新实践融合模式研究、现代学徒制探索与实践研究、新时代高职课程思政促进职业教育文化自信研究、数字经济赋能绿色低碳发展研究；第四章基于TRIZ创新理论的船舶动力工程实践研究，包括TRIZ创新理论、船舶工程创新-绿色造船评价研究、某工程船舶系统优化设计及实施方案、基于创新原理的船舶船壳外板修理工装研究、应急止漏检漏的船舶海水阀门结构创新研究、船用主机艉轴轴系调整支撑工装创新研究、船舶管路对焊施工辅助工装创新研究。

本书可作为学生参加全国职业院校技能竞赛"船舶主机安装"赛项的学习用书,也可为学生参加互联网+创新大赛提供参考,同时可供船舶动力工程技术人员参考。

笔者才疏学浅,孤陋寡闻,特别是写作的角度并不"经典"而是重在探索,所以错漏、缺点肯定不少,恳请读者不吝指教。

著　者

2022 年 1 月

目　　录

第一章
新时代职业教育与创新方法研究

新时代职业教育必将实现新发展,因此要认真研究、思考船舶动力工程技术"职教强国"的发展与创新。职业院校人才培养和应用研究应直面挑战,更应着眼于未来。

习近平新时代中国特色社会主义思想博大精深,涵盖政治、经济、社会、文化、教育、生态等多个方面,是引领中国"强起来"的思想武器。这些重要新思想、新理念、新目标、新思路、新要求是指导和引领高等船舶动力工程技术教育发展的强大思想武器,必将开启高等船舶动力工程技术教育的新时代。

党的十九大报告提出:建设教育强国是中华民族伟大复兴的基础工程,必须把教育事业放在优先位置;加快教育现代化,办好人民满意的教育;实现高等教育内涵式发展。这是我国教育发展的重大战略部署,是建设教育强国,增强国家核心竞争力的关键基础,为实现"两个一百年"奋斗目标和中华民族伟大复兴的中国梦提供有力支撑。

第18任教育部部长陈宝生在中华人民共和国成立一百周年时指出:

第一,中国教育将稳稳地立于世界教育的中心,引领世界教育发展的潮流。到那个时候,中国的标准将成为世界的标准。

第二,中国将成为世界上人们最向往的留学目的地国,各国愿意和中华文化实现交流融合,学习交流中国发展经验的老师、学生来中国交流,在交流过程中实现共同进步。

第三,世界教育发展的规则,中国有更大的发言权。中国将尽到自己的努力,提供中国方案、中国智慧。

第四,中国版的教材,汉语发音的教材,能够走向世界。有道路自信、理论自信、制度自信、文化自信,更要有教育自信,坚定社会主义办学方向,办人民满意的教育,坚守立德树人根本任务。

过去几十年,我国高等船舶动力工程技术教育借鉴西方的职业教育经验,引进了他们的理念、课程、教材、教学方式、研究方式、评价标准等,对我国教育事业的发展起到了一定的促进作用。但更主要的是,我国的教育事业,紧紧围绕我国的发展需要、现代化需要,进行人才培养、工程实践、社会服务和文化传承创新,走出了一条高等教育发展的中国道路,支撑了近40年的中国经济快速增长,创造了人类历史上人口大国经济发展的人间奇迹。我们要深刻把握中外教育发展历史规律,扎根中国、融通中外、立足时代、面向未来,继续走适合自己的高等船舶动力工程技术教育发展道路,通过建立健全的中国高等船舶动力工程技术教育模式、研究模式,为解决中国和人类的教育问题提供中国方案、中国价值。新矛盾孕育新机遇,教育是现代化的基础工程。

党的十九大报告指出"创新是引领发展的第一动力"。一个民族和国家在未来社会发展的竞争力如何,关键在于这个民族和国家的人才是否具有强劲的创新能力和可持续性。

但现实正如《国家中长期人才发展规划纲要（2010—2020年）》中指出的"当前我国人才发展的总体水平同世界先进国家相比仍存在较大差距，与我国经济社会发展需要相比还有许多不适应的地方，主要是：高层次创新型人才匮乏，人才创新能力不强，人才结构和布局不尽合理，人才发展体制机制障碍尚未消除，人才资源开发投入不足"等。人才兴则民族兴、人才强则国家强。创新型人才是赢得国际竞争主动的战略资源。因此，高职院校作为国家培养人才的重要阵地，在大学生中深入开展创新教育，培养出大批具有创新精神、担当民族复兴大任的时代新人，是摆在中国高等教育面前的一项重要课题。教育是国之大计、党之大计。培养创新型人才既是服务国家发展战略的需要，也是我国高等教育创新发展和办好人民满意的高等教育的需要。未来社会发展充满了诸多不确定性，面对瞬息万变的复杂形势和激烈的市场变化，人们只有迅速地研判形势，分析各类信息，形成创新性方案，在此过程中将专业知识和技能转化为执行能力，才能应对各类挑战。高职院校是为社会各个行业输送人才的"基地"，其人才培养模式在很大程度上决定了学生的创新能力以及实践操作能力。对于我国高职院校而言，为了适应未来社会发展的要求，培养具有创新能力的应用型人才至关重要。

新时代需要什么样的创新型人才？新时代创新型人才具有什么样的主要特征？《国家中长期人才发展规划纲要（2010—2020年）》中对人才的定义进行了阐释："人才是指具有一定的专业知识或专门技能，进行创造性劳动并对社会做出贡献的人，是人力资源中能力和素质较高的劳动者。人才是我国经济社会发展的第一资源。"《国家中长期人才发展规划纲要（2010—2020年）》中指出，创新型人才是具有较强创新意识、创新思维、创新精神和创新能力的人才，是能进行创新性劳动，在某个领域有所发明、有所创造，对社会做出更大贡献的人。

创新型人才必须具有创造性和杰出性两个必备条件。这里创造性是指人才创造社会价值的能力，包括创意、创新、创业和创造，体现的是0—1过程，或者说是无中生有。这里的杰出性一方面是指人才的创造能力杰出，另一方面又指人才的转化、实现、整合、执行能力杰出，而创造能力杰出则是创新型人才的最本质特征。由于创新型人才具备了知识能力结构优势，积累了雄厚的人力资本，因此创新型人才的劳动所产生的价值等于几何级倍加的简单劳动所产生的价值。在研究创新型人才的杰出性时，我们把具有创造性和杰出性的人称为创新型人才。创新、创业型人才的基本素质特征至少应包括：积极正确的人生价值取向和崇高的社会责任意识、以创新精神和创业意识为中心的自由发展个性、科学合理的知识结构和持续的迭代学习能力、以创新思维和创业能力为特征的智力和能力、有强烈的竞争意识和统筹整合资源磁力、强健的体魄和健康的心理、吃苦耐劳的品性和抗挫耐压的人格七个方面。

我国正处于"大众创业、万众创新"的重要发展阶段，而高职院校大学生有责任成为创新型人才群的主力军。与国外创新型人才培养教育相比，国内高等教育仍然没有脱离应试教育的影响。很多教育工作者受固有习惯的影响，满足于给学生灌输理论知识，但是却忽视了创新能力在学生未来发展过程中的重要性。教师的职责并不单单是将书本上的知识讲解给学生，而是要让学生在学习这些知识的过程中激发学生自身的思考，这样他们才可能达到学以致用的效果。近几年来，国家对高等教育的投入越来越大，这在为高职院校创新型人才培养提供发展机遇的同时也使高职院校之间面临着更大的竞争压力。

　　培养创新型人才是一项系统工程,仅仅依靠学校领导和教师的努力是不够的,因为学生是教育的主体,没有学生的参与,没有学生的积极性,所有的教育所产生的效果都会黯然失色,甚至会失去它的价值和作用。

　　有关研究表明,当代高职院校大学生中有很多人对他们当前的现状以及未来发展方向感到非常迷茫,相当一部分学生不知道自己想要的是什么,也不知道自己应该做出什么样的努力,随波逐流,混个文凭。这就显露出当前的高职院校教育存在一个很大的问题,那就是过于关注学生对知识的掌握情况,但是却忽视了对学生思想和心理的教育。应试教育对于提高学生考试成绩效果非常明显,但是这种教育方式会在无形之中扼杀掉学生的创新思想,甚至会打击学生的自信心。从当前企业招聘高职院校毕业生的过程可以看出,企业在筛选学生时关注的不再单单是他们获得的证书有多少、获奖情况有哪些,而是通过"笔试+层层面试"的方式考核毕业生,其中学生的创新能力、临场应变能力、个人素质等方面往往是面试的重点。教育要服务于社会发展,如果教育工作不能与社会发展实际需要相统一,那么不仅会造成教育资源的浪费,同时还会使学生面临更为严峻的就业形势。高职院校培养创新型人才一方面是社会对其提出的基本要求,另一方面是高职院校寻求发展的必然选择。从学生的角度来看,他们同样应该准确给自己定位,如果说他们想要成为同龄中的佼佼者,那么首先要保证的就是不能随波逐流,而是要大胆创新、勇于突破,将自己培养成一个具有创新能力的应用型人才。高职院校培养创新型人才是提高教育质量的重要选择,也是贯彻落实素质教育的重要体现。但是,培养创新型人才并不是一个一蹴而就的过程,不仅需要广大师生的积极参与,还要求他们有信心和恒心,将创新型人才培养体现在日常教学的各个环节,激发学生对提高自身创新能力的兴趣。

　　创新教育是高职院校培养创新型人才的重要途径之一。青年学生们心中蕴藏着巨大的创业冲动和潜力,高等教育的一个重要目标正是努力将学生的创业冲动和潜力转化为真实的能力。这样的转化过程离不开课堂教学、专业教育和必要的创业训练与实践。针对传统上创业教育与实践脱节,教学方式方法单一,针对性、实效性不强,实践平台短缺,指导帮扶不到位等不足,我们要大力加强创业实践环节,但不能过于急功近利。在为全体学生提供创业机会并为特定学生提供精准指导扶持的同时,还要着眼长远,完善健全人才培养体系,将创新教育融入人才培养全过程,更加重视精神培育、品德塑造、能力提升、意识普及等。因此,开展创新教育要高度重视理想信念教育,重视世界观、人生观、价值观的引导,重视学生创新精神、合作精神、社会责任和家国情怀等的培养。创新教育不能简单地以利诱人、以术导人,价值观的素养才是教育之本,才是决定学生能走多远、飞多高,能在多大的天地中施展抱负、建功立业的关键因素。

第一节　创新教育路径分析

一、创新教育师资团队建设

教育教学的关键是教师，创新型人才培养的关键是高职院校是否具有一支充满创新精神的师资队伍。目前创新教育师资是制约各高职院校创新推进改革的最大瓶颈之一。高职院校不仅应该加强对创新教育基础设施建设，还应该提高创新教育"软实力"，建设专业的创新教育师资队伍，给学生提供更专业、更及时的创新指导。专业教师是高职院校创新教育改革推进的生力军和原动力。学校要配齐、配强创新教育专职教师，聘请各行各业成功人士等担任兼职教师。学校要建立有效的专、兼职教师考核激励机制，充分调动专、兼职教师的积极性。只有保证创新教育师资队伍的质量，学生才能得到专业的指导，才能形成创新自信心，为迎接各种挑战做好准备。

二、创新教育全方位融入

为了培养学生创新意识，教师在日常教育教学工作中就应该融入创新教育思想，有意识地激发学生创新意识，使之成为创新型人才。创新教育也是专业教育本身就应肩负的天然使命。在专业人才培养方案中，任何课程的设置，都有其特定的功用和目的，都是为了培养学生发现问题、解决问题的能力，为了今后的就业或创业选择做准备。如果教师在组织教学内容时，将本学科最前沿和最新的发展动态引入教学过程中，将教学与科研紧密结合，将会大大激发学生的求知欲和学习热情，同时也将有益于提升学生的创新意识和创业技能。

三、营造创新教育"生态"

创新教育与每个学生息息相关，学校要加强对创新教育的宣传，营造创新教育的氛围与文化，提高学生对创新教育的认识，从而扩大双创教育在学生群体中的影响力。培养创新型人才应该从培养学生创新精神层面入手，培养学生创新精神和创业意识，这样才能带动学生整体素质的自主构建和协调发展。创新精神和创业意识的形成有一个由浅入深的过程，要使学生由被动创新逐渐向主动创新转变，提高创新教育有效性。学生创新意识的强度决定了他们对自身创新能力要求的大小，只有将学生的创新潜能激发出来，点燃他们的创新热情，学生才能朝着创新应用型人才的方向发展。

面对世界格局不确定性变化和社会经济科技的快速发展及国家发展战略的转型升级，我国对面向未来社会发展所需要的创新型人才的需求十分迫切。开展创新教育是深化高等教育教学改革，培养学生创新精神和实践能力的重要途径。创新教育是高层次的素质教育，是以培养具有创新精神和创新能力为基本价值取向的教育。实践是创新教育的最终落脚点。学生在实践中树立高尚的价值理念，增强责任意识，在实践中实现智与能的转化，更好地发现问题、解决问题，在实践过程中磨砺耐力和锻造品格。以创新教育为突破口推进高等教育教学的改革与创新，就能够促进高职院校创新型人才质量的提升。

第二节　创新理念发展

一、"创新"概念界定

创新是当今世界的一个高频词,在中国更是如此:政府官员、企业家、学者、教师以及其他普通社会成员都在谈论创新,但多数情况下人们并不知道什么是真正的创新,因而付诸行动的人更是少之又少。那么什么是创新呢？从事创新概念研究的学者普遍认为,"创新"这个词很难进行严格的界定。清华大学科学与社会研究所教授李正风认为,"创新"一词在我国有着两种理解方法,一种是从经济学角度来理解,另一种是根据日常含义来理解。目前,人们经常谈及的创新,简单来说就是"创造和发现新东西"。这里使用的实际上是"创新"的日常概念。从广义的概念上看,人类社会的每一次进步都离不开创新。创新的本质是进取,不做复制者;创新就是要淘汰旧观念、旧技术、旧体制,培育新观念、新技术、新体制。因此,创新实际上就是从观念、理论、制度到实际行动的创造、革新、进步和发展的过程。

创新的含义比创造发明宽泛。创造发明是指创造出前所未有的事物,而创新则还包括将已有的东西予以重新组合、开发,从而产生新的效益。具体来说,创新是指以现有的思维模式提出有别于常规或常人思路的见解为导向,利用现有的知识和物质,在特定的环境中,本着理想化需要或为满足社会需求,而改进或创造新的事物、方法、元素、路径、环境,并能获得一定有益效果的行为。创新是人类特有的认识能力和实践能力,是人类主观能动性的高级表现,是推动民族进步和社会发展的不竭动力。一个民族要想走在时代前列,就一刻也不能没有创新思维,一刻也不能停止创新。创新在经济、技术、社会学以及建筑学等领域的研究中举足轻重。

"创新"是创立或创造新的东西的意思。但现在更多的是引用国际上经济方面的创新理论。创新概念的起源可追溯到1912年美籍经济学家熊彼特的《经济发展概论》。熊彼特在其著作中提出:创新是指把一种新的生产要素和生产条件的"新结合"引入生产体系。它包括:研制或引进新产品、运用新技术、开辟新市场、采用新原料或原材料的新供给、建立新组织形式五种情况。熊彼特的创新概念包含的范围很广,如涉及技术性变化的创新及非技术性变化的组织创新。但主要是从技术与经济相结合的角度探讨技术创新在经济发展过程中的作用,以便把握经济发展的规律。

20世纪70~80年代,有关创新的研究进一步深入,开始形成系统的理论。厄特巴克在70年代的创新研究中独树一帜,他在1974年发表的《产业创新与技术扩散》中认为,"与发明或技术样品相区别,创新就是技术的实际采用或首次应用"。缪尔赛在80年代中期对技术创新概念做了系统的整理分析。在整理分析的基础上,他认为"技术创新是以其构思新颖性和成功实现为特征的有意义的非连续性事件。"著名学者弗里曼把创新对象基本上限定为规范化的重要创新。他从经济学的角度考虑创新,认为技术创新在经济学上的意义只是包括新产品、新过程、新系统和新装备等形式在内的技术向商业化实现的首次转化。他在1973年发表的《工业创新中的成功与失败研究》中提到,"技术创新是一个技术的、工艺的和商业化的全过程,其导致新产品的市场实现和新技术工艺与装备的商业化应用"。其后,他在1982年的《工业创新经济学》修订本中明确指出,技术创新就是指新产品、新过程、新系统和新服务的首次商业性转化。

中国自20世纪80年代以来开展了技术创新方面的研究,傅家骥先生对技术创新的定义是:"创新就是企业家抓住市场的潜在盈利机会,以获取商业利益为目标,重新组织生产条件和要素,建立起效能更强、效率更高和费用更低的生产经营方法,从而推出新的产品、新的生产(工艺)方法,开辟新的市场,获得新的原材料或半成品供给来源或建立企业新的组织,它包括科技、组织、商业和金融等一系列活动的综合过程。"此定义是从企业的角度给出的。彭玉冰、白国红也从企业的角度为技术创新下了定义:"企业技术创新是企业家对生产要素、生产条件、生产组织进行重新组合,以建立效能更好、效率更高的新生产体系,获得更大利润的过程。"进入21世纪,信息技术推动下知识社会的形成及其对技术创新的影响进一步被认识到,科学界进一步反思对创新的认识:技术创新是一个科技、经济一体化过程,是技术进步与应用创新"双螺旋结构"共同作用催生的产物。知识社会条件下以需求为导向、以人为本的创新2.0模式进一步得到关注。宋刚等在《复杂性科学视野下的科技创新》一文中,通过对科技创新复杂性分析以及应用创新园区(AIP)的案例剖析,指出了技术创新是各创新主体、创新要素交互复杂作用下的一种复杂涌现现象,是技术进步与应用创新的"双螺旋结构"共同演进的产物;信息通信技术的融合与发展推动了社会形态的创新,催生了知识社会,使得传统的实验室边界逐步"融化",进一步推动了科技创新模式的嬗变。要完善科技创新体系急需构建以用户为中心、以需求为驱动、以社会实践为舞台的共同创新、开放创新的应用创新平台,通过创新"双螺旋结构"的呼应与互动形成有利于创新涌现的创新生态,打造以人为本的创新2.0模式。

人类所做的一切事情都存在创新,创新遍布于人类生活的方方面面,如观念、知识、技术的创新,政治、经济、商业、艺术的创新,工作、生活、学习、娱乐、衣、食、住、行、通信领域的创新。何道谊认为事物创新——仿复模型具有普遍适用性,在这一模型下生产力由学习能力、创新能力和仿复能力决定。

生产力公式为:生产力=(学习能力+创新能力)×仿复能力。

仿复能力指仿照一定的模式进行复制、复做的能力创新。创新的内容见表1-1。

表1-1 创新的内容

内容	解释说明
创新的主体	具有创新能力并实际从事创新活动的人或社会组织。包含两层含义:个人;团体或组织
创新的客体	客观世界。包括自然科学、社会科学以及人类自身思维规律
创新的过程	不断拓展和改变对客观世界认知与行为的动态活动本身
创新的核心	创新思维,指人类思维不断向有益于人类发展方向的动态化的改变
创新的关键	向新的方向、有效的方面进行量和质的变化
创新的结果	其一是物质的,二是非物质的

创造性思维方式是培养创新能力、进行开创性工作的起点。常规思维是纵向、线性、收敛和刚性的思维方式,而创新思维是多向、发散性的,思维方式是辩证的。在中国古代,诸子百家中的孙子、孙膑与纵横家鬼谷子就很重视谋略思维。关于谋略的产生,人们通常认为,中、下略是常规思维的结果,上略是创造性思维的结果。因此,要以中略和下略作为设谋的起点。只有具备了创造性思维,才有可能进行开创性工作。根据马克思主义认识论的基本原理,创新能力的来源是社会实践。但具体来说,创新能力的来源包括:意料之外的事件;不协调的事件;产业机构或市场结构的改变;基于程序需要的创新;认知、情绪以及意义上的改变。

理念实际上就是我们对某种事物的观点、看法和信念。在很多情况下,理念和观念都是可以互用的。因此,这里的理念创新也就是指思想观念的创新和思维方法的创新——打破常规,突破现状,敢为人先,敢于挑战未来,谋求新境界的思维定式。理念的创新必须具备创新的意识——表现为对创新的重视、追求和开展创新活动的兴趣与欲望,以及创新的精神——综合运用已有的知识、信息、技能和方法,提出新方法、新观点的思维能力和进行发明创造、改革、革新的意志、信心、勇气和智慧等。

二、理论创新

理论上来讲,有了创新的意识和创新的精神,在此基础上形成了理念的创新,但如果想将这些理念转化为现实的行动还需要理论创新的系统支持。理论创新就是在扬弃原有的思想、学说和理论的基础上,通过创造性的思维活动,提出新思想、新学说、新理论的过程。通过理论创新推动制度创新、科技创新、文化创新以及其他各方面的创新,不断在实践中探索前进。理论创新的种类很多,但是根据创新的不同程度,我们往往把它区分为原始性创新和综合性创新。原始性创新,就是在深刻把握事物发展规律、有效探索社会实践新领域的基础上,独辟蹊径,创立新原理、新理论或新学说的过程。综合性创新,是指人们在社会实践活动中,根据实践的发展和要求,对前人的理论观点通过扬弃和修正进行丰富与发展;对不断出现的新情况、新问题做新的理性分析和理论解答;对认识对象或实践对象的本质、规律和发展变化的趋势做新的揭示与预见;对人类历史经验和现实经验做新的理性升华。

三、技术创新

对技术创新内涵的正确理解源于对技术的正确理解。狭义的技术主要是指工程学含义上的技术,是具有特定应用目标的手段、方法体系。技术并不等同于知识,任何技术都有目的,都服务于某个特定的应用目标,采用正确的技术手段、方法是技术创新成功的重要保证。美国技术哲学家米切姆对技术的分类的思想具有广泛影响,技术的内涵绝不仅限于知识层面的理解。通常意义上的知识总是与认识活动相关联的,而技术活动却与实践紧密相关,是介于科学活动、生产活动之间的具有生产、研究双重性的特殊社会活动;知识主要是以观念性形态存在的,而实体性技术却可作为直接的生产工具应用于生产;相对于技术突出的目的性来说,知识是相对零散的,不具有明显的应用性目的。因此,不宜将技术简单地归入知识的范畴,否则会抹杀其不同于知识的应用性特征。

四、创新团队

团队概念本身类似于组织的概念,是为了一个共同的目标而共同努力的人群。也就是说,团队是一个由少数成员组成的小组,小组成员具备相辅相成的技术或技能,有共同的目标、有共同的评估和做事的方法,他们共同承担并分享最终的结果和责任。然而,团队与普通的人群有着明显的不同。在简单组成的一群人中每个人本身是独立的,他们的目标各不相同,有着不同的活动。而一个团队的人是有共同目标的,他们互相依赖、互相支持,共同承担最后的结果:首先,团队成员之间为了完成任务,相互支持,相互依赖。而一群人是独立地完成任务的。其次,团队成员有共同的目标,有相同的衡量成功的标准。而一群人内部没有统一的衡量标准。最后,团队成员之间相互负责,共同承担最终的对产品或服务的责任。而一群人中没有最终的责任人。创新团队则是指具有创新精神的团队,也就是具有创新意识、创新思维和创新能力,从而能取得创新性成果、有所建树的团队,而其核心则是创造性新思维。

五、创新学习

创新学习是创新人才的首要能力。创新学习过程是接受、活化、内化和建构知识的过程。创新学习的实质是知识的增殖。因此,要想对创新能力进行开发,首先要重视创新学习能力的开发。创新学习能力是获取、继承、建构知识的能力,创新思维能力是标新立异、另辟蹊径的想象和思考能力,创新实践能力是把新的思想和设计变为现实产品的能力,这种产品包括文字产品、艺术作品、技术成果和工艺、工业产品等。

创新学习能力是进行创新思维和创新实践的基础,创新思维能力是进行创新学习和创新实践的纽带,创新实践能力是实现创新学习和创新思维的关键,三者共同作用形成人的创新能力。创新学习是与传统的学习方法相对的一种学习,是能够引起变化、更新、改组和形成一系列问题的学习。它的功能在于通过学习,提高学习者发现、吸收新信息以及提出新问题的能力。创新学习的基础是创造性教育。创造性教育在发展人的创造性思维、开发创造性潜力中起着主导作用。创新学习强调学习者的主体地位,学生之所以是创新学习活动的主体,在于学生是学习活动的主人。创新学习是学习者与某种学习经验、知识、文化相互融通、消化,进而不断验证各种解决问题的假设,获得新颖、独特的解决问题的活动。创新学习是一种全新的学习观。创新意识和创新能力是创新学习的关键。创新意识是创新能力的先导。只有掌握创新的基础知识、基本技能和一定的创造规律,了解科技发展、知识更新的动态,具有较强的学习能力和思维能力,才能萌生创新意识。只有具备较强的创新意识,不断培养创新能力,才能有效开展创新学习,成为创新型人才。

六、创新的原则

创新的原则就是开展创新活动所依据的法则和判断创新构思所凭借的标准。

1. 遵守科学原理原则

创新必须遵循科学原理原则,不得有违科学发展规律。因为任何违背科学原理原则的创新都是不能获得成功的。比如,近百年来,许多才思卓越的人耗费心思,力图发明一种既不消耗任何能量,又可源源不断地对外做功的"永动机"。但无论他们的构思如何巧妙,结果都逃不出失败的命运。其原因在于他们的创新违背了"能量守恒"的科学原理。

2. 社会评价原则

创新设想要获得最后的成果,必须经受走向社会的严峻考验。爱迪生曾说:"我不打算发明任何卖不出去的东西,因为不能卖出去的东西都没有达到成功的顶点。能销售出去就证明了它的实用性,而实用性就是成功。"这需要在进行社会评价时把握住评价事物使用性能最基本的几个方面,然后在此基础上做出结论,主要包括:

①解决问题的迫切程度。

②功能结构的优化程度。

③使用操作的可靠程度。

④维修保养的方便程度。

⑤美化生活的美学程度。

3. 相对较优原则

创新不可盲目地追求最优、最佳、最美、最先进。创新产物不可能十全十美。在创新过程中,利用创造原理和方法,获得许多创新设想,它们各有千秋,这时,就需要人们按相对较优原则,对设想进行判断选择。运用该原则应着重考虑如下几个方面:

①从创新技术先进性上进行比较选择。

②从创新经济合理性上进行比较选择。

③从创新整体效果上进行比较选择。

4. 机理简单原则

创新只要效果好,机理越简单越好。在科技竞争日趋激烈的今天,结构复杂、功能冗余、使用烦琐已成为技术不成熟的标志。因此,在创新的过程中,要始终贯彻机理简单原则。为使创新的设想或结果更符合机理简单原则,可进行如下检查:

①新事物所依据的原理是否重叠、超出应有范围。

②新事物所拥有的结构是否复杂、超出应有程度。

③新事物所具备的功能是否冗余、超出应有数量。

5. 构思独特原则

所谓"出奇",就是"思维超常"和"构思独特"。创新贵在独特,创新也需要独特。在创新活动中,关于创新对象的构思是否独特,可以从以下几个方面来考查:

①创新构思的新颖性。

②创新构思的开创性。

③创新构思的特色性。

6. 不轻易否定、不简单比较原则

不轻易否定、不简单比较原则是指在分析评判各种产品创新方案时应注意避免轻易否定的倾向。在飞机发明之前,科学界曾从理论上进行了否定的论证;过去也曾有权威人士断言,无线电波不可能沿着地球曲面传播,无法成为通信手段。显然,这些结论都是错误的,这些不恰当的否定之所以出现是由于人们运用了错误的理论,而更多的不应该出现的错误否定,则是由于人们的主观武断,给某项发明规定了若干用常规思维分析证明无法达到的技术细节。在避免轻易否定倾向的同时,还要注意不要随意在两个事物之间进行简单比较。不同的创新,包括非常相近的创新,原则上不能以简单的方式比较其优势。不同创新不能简单比较的原则,带来了相关技术在市场上的优势互补,形成了共存共荣的局面。创新的广泛性和普遍性都源于创新具有的相融性。

创新思维的概念与内涵:创新思维是指人类在探索未知的领域过程中,充分发挥认识的能动作用,突破固定的逻辑通道,以灵活新颖的方式和多维的角度探究事物运动内部机理的思维活动。这种思维能突破常规思维的界限,以超常规甚至反常规的方法、视角去思考问题,提出与众不同的解决方案,从而产生新颖的、独到的、有社会意义的思维成果。

创新思维与习常思维具有不同的思维品质,它们的不同表现在性质和思维形态上。两者性质不同:习常思维是常规性思维,追求确定的规则、方法、进程;创新思维是开拓性思维,追求独到性和新颖性。两者的思维形态不同:习常思维是平稳不息的思维,创新思维是时断时续的思维。同时,创新思维与习常思维又有着密切联系。

首先,它们是同一思维的两个侧面,不可分离。

其次,两者互为前提,习常思维是创新思维的基本,创新思维是习常思维的升华。人类大量的思维活动是习常性的思维活动,有了持之以恒的习常思维才会产生创新思维,创新思维是对习常思维的突破。

最后,两者相互渗透,创新思维往往渗透于习常思维活动中,而创新思维过程也离不开类似于逻辑推导这样的习常思维。

创新思维的本质在于"创新",即首创事物的能力,它体现出来的是创造力,而不是墨守成规的重复。创新思维的过程就是根据一定的目的、任务,在脑海中创造出新东西的过程,它包括构思新思路、创作新艺术形象、设计新产品、发明新技术、勾勒新图案、制订新规划。离开了"创新"就谈不上创造力,也就无所谓创新思维了。创新思维常以"奇""异"制胜于其他类型思维。人们之所以能区别于其他动物,对自然环境和社会环境进行改造,是因为人类的创造性禀赋赋予了人们创造新世界的能力。创新思维是人类创造性禀赋的集中体现,使人类突破各种自然极限,在一切领域里开创新局面,是不断满足人类精神与物质需求的重要思维活动。创新思维的基本特征如下:求异性(独立性),即积极地求异,与众人、前人有所不同,独具卓识。创新思维需要求异思维。墨守成规、步人后尘就做不到创新。只有敢于在认知的过程中积极发现客观事物之间的差异性,发现人们习以为常的事物背后的问题,对似乎完美无缺的经常现象和已知的权威理论进行分析、怀疑,才能突破成规,勇于创新。科学史上每一次科学革命都和科学怀疑紧密相关,科学怀疑是从反面进行思考、探索、研究的理性思维活动,是具有否定性、试探性、不确定性特征的思维形式。科学怀疑是人类进行创新思维活动必不可少的,它既是科学思维的起点,也是科学思维发展的环节和手段,起着拓展思路和促进创新的作用。因此"怀疑因子"是构成独立性的关键。除此之外,主动否定自己,打破"自我框架"的"自变性因子"以及敢于坚持真理、敢于反潮流,不怕外在压力的"抗压性因子"也是独立性的重要条件。连动性(联想性),即由此及彼的思维能力。创新思维往往需要举一反三,融会贯通。这种连动或表现为"纵向连动",即发现一种现象后,对其进行纵向挖掘,探究其内在机理;或表现为"横向连动",即发现一种现象后随即联想到与之相似、相关的事物;也可以表现为"逆向连动",即看到一种现象后,立即联想到其对立面。连动性表明创新思维是一种联想思维。多向性(发散性),即善于从不同的角度思考问题。这种思维或表现为"发散机智",即在一个问题面前提出多种设想,多种答案;或表现为"换元机智",即灵活地置换影响事物质与量的因素,从而产生新思路;或表现为"转向机智",即在一个方向受到阻碍时,不钻"牛角尖",而是转向其他方向;或表现为"创优机智",即在多种答案中努力探寻最优的方案。多向性特点表明,创新思维是一种具有流畅性、灵活性的发散思维、置换思维和迂回思维。具有创新思维素质的人应该思路开阔,不受传统思想、观念、习惯的束缚,敢于从新的角度思考问题,善于从不同的角度考虑问题。跨越性(反常性),是指跳出常规的逻辑推导规则和通常的实践进程,另辟蹊径;或跨越时间进度,省略思维步骤,加大思维的前进性;或跨越转换角度,省略事物转化为其他事物的思维步骤,加大思维的跳跃性、灵活性。跨越性表明,创新思维是一种非常规思维,无序性往往是其一个重要特征。统摄性,即统摄前人成果、统摄多种思维形式和方法、智慧杂交的性质。创新思维不是一种简单的平面思维,而是一种复杂的立体思维。创新思维形成于大量概念、事实和观察材料的综合。在创新思维过程中,既有归纳、演绎、分析、综合等逻辑思维,又有超越经验的科学遐想;既有长期的积累和经久的沉思,又有短时间的突破和顿悟;既有正向、逆向的线性思维和纵向、横向的平面思维,又有多维开阔的立体、空间思维和交叉、整体思维。总而言之,创新思维是一种具有综合性、统摄性的高级思维形态,具有高度概括性,是建立在各种思维基础上的整体,是人类多方面智慧的体现。创新思维又极具深刻性,是各种思维的升华,是突破性的质的飞跃。创新之路不是平坦的大道,在创新的遥远路途中,充满着艰险。等待、失败、绝望是创新路上常在的伴侣。为了取得创新成果,有时甚至要付出生命的代价。因此,思维创新不仅需要超常的智力,而且需要非凡的勇气。创新思维的形成,一方面,需要创新者具有敏锐的洞察力和独特的知识结构。有敏锐的洞察力才能独具慧眼,洞察事物的本质,揭示事物的规律,才能抓住机遇做出创新。有独特的知识结构才能对各种知识成果进行科学的分析,选取其中的智慧精华,再通过巧妙的综合形成新的成果。另一方面,创新思维的形成还需要不迷信权威、不盲从传统、敢于面对困难和具有勇于献身的大无畏精神。思维的创新与真理的追求是内在的统一,害怕真理的人、不敢坚持真理的人,是难以拥有创新思维的。

七、创新思维的方式

国内外的学者对创新思维的方式有不同的分类。以左右脑为标准,把创新思维界定为右脑思维。研究认为,左脑的功能主要在于语言性的逻辑思考、推论能力;右脑的功能则主要在于语言性的直觉、创造想象力等。因而创新思维是右脑思维。以是否遵循逻辑规则为标准,把创新思维界定为非逻辑思维方式。持这种观点的学者认为创新思维既然不受逻辑规则的束缚,则应该是一种非逻辑的思维方式。另外,依据思维的自觉程度,把创新思维界定为自觉思维方式,或界定为非自觉思维方式。

自觉思维方式的创新思维形式有"创造想象说"和"发散思维说"两种理论。"创造想象说"把创造性想象视为创新思维的主要形式。"发散思维说"将发散思维视为一种典型的创造想象,是一种典型的创新思维方式。然而,创新思维并非都是自觉的,它也可以是一种非自觉思维方式。非自觉思维方式通常指无意识或是下意识状态下的思维,其典型表现形式是灵感、直觉、顿悟等特异思维方式。但是,无论是自觉思维方式(如创造想象、发散思维等)还是非自觉思维方式(如灵感思维、直觉思维、潜意识等),都只是创新思维的局部,不应该片面强调。由此,出现了一种"自觉意识与非自觉意识交融说",即将自觉意识与非自觉意识的相互交融或相互作用视作创新思维的本质形式理论,这一观点相信潜意识活动在一定范围内是受显意识支配的。此外,还有把创新思维称为水平思维、横向思维的,水平思维是与垂直思维相对应的。垂直思维即从一固定的前提出发,按照惯常的推论定式一直往下推衍,直至获得结论。而水平思维无固定的推论前提,当从原有的观点出发,推不出所期望的结论时,便尝试以其他观点为推论前提,探寻认识事物、解决问题。综上所述,创新思维是逻辑思维与非逻辑思维、自觉思维与非自觉思维、水平思维与垂直思维、左脑思维与右脑思维的统一,是一种复杂的思维方式。创新的思维方式是多种多样的,可以从不同的侧面做出不同角度的揭示。

八、思维方式

1. 发散思维

发散思维又称"辐射思维"或"放射思维",是指从一个目标出发,沿着各种不同的途径去思考,探求多种答案的思维方式。发散思维是指大脑在思维时呈现的一种发散状态的思维模式,比较常见,它表现为思维视线广阔,思维呈现出多维发散状。其具体思维过程是:以已知的某一点信息为思维基点,运用已有的知识,通过分解组合、引申推导、想象类比等,从不同方向进行思考,得出多种思路,想出多种可能,从中引发创新。

2. 联想思维

联想思维由两部分组成:一部分是联想体,另一部分是联想物。联想是想象的一种,是由一事物联想到另一事物的心理过程。联想以事物间的相互联系为基础。人们在实践中把握了事物间的种种联系,在大脑深处形成了种种联系渠道,成为一种潜意识,一旦受到启发刺激这些联想渠道,联想由此产生。联想是创新的重要途径,许多创新思维的产生都是基于出色、奇特、新颖的联想。客观事物之间都有一定的相互联系,联想思维就是指由某一事物联想到另一事物而产生认识的心理过程。按照事物的联系性,联想思维可分为相似联想、接近联想、对比联想、因果联想、强制联想等。联想需要丰富的想象力,甚至可以把看似"毫不相干"的事件联系起来,但联想不是瞎想、乱想,要强调想象过程中所具有的逻辑必然性。

3. 逆向思维

逆向思维是创新的独特思路。所谓逆向思维就是为了实现创新过程中的某项目标,通过逆向思考,运用常规的逻辑推导和技术以实现创造发明的思维方式。一般人思考问题往往按照经验或是现有的方法,运用"正向思维"按照事物的先后顺序进行。运用"正向思维"无疑是解决问题的一种有效途径,但是客观事物的联系具有正反两个方面,具有可逆性,对于习以为常的事物,用"逆向思维"去理解它的另一面,往往会产生新的理解。逆向思维就是不循常规,按相反的方向认识事物和思考问题的思维方式。比如,我们习惯依据条件、原因推出结果,但给定结果也可以反向探索事件发生所需要的条件或问题产生的原因;从对立面看问题,可以更全面地认识事物或发现不同的问题解决方法。可见,敢于"反其道而思之"是逆向思维的精髓。

4. 移植思维

移植思维指把一种已知事物的原理、结构、方法移植到另一个事物中而产生出新的创新结果的思维方式。在科学发现和科技创新中，人们经常会将某领域的科学技术成果运用到其他领域从而做出新的发现、发明和创新，这运用的就是移植思维创新原理。当然，移植要注意事物之间的相似性、相容性、相通性，要善于通过联想来牵线搭桥，要尊重事物的客观规律性。

5. 分合思维

分合思维是将研究对象进行分解或合成，从中获得新的思维产物的思维方式。"分"与"合"是人类非常重要的思维方式，通过分解与合成往往可以发现解决问题的新途径、新方法。比如，现代产品的大规模生产，实际上都是遵循了结构分解、进行零部件标准化制造、再进行整体组装的生产工艺，其中体现的主要思维原理就是分合思维。

6. 质疑思维

对某一原有事物已形成的认识、观点、理论、做法进行质疑，从而获得对该事物新的认识与新的观点，或产生出新的理论与方法，这种思维方式就是质疑思维。质疑思维具有疑问性、探索性、求实性等特点，需要摆脱习惯思维的束缚、多提"为什么"，善于从事物发展变化角度重新审视事物、认知事物。

7. 逻辑思维

逻辑思维也称抽象思维，即基于观察、比较、分析、综合、抽象、概括、判断、推理等获得对事物认识的思维过程，是一个人应该具备的最基本的思维能力之一。逻辑思维能力可以通过训练、学习、实践、应用得以不断提高，正因如此，实际中人与人之间的逻辑思维能力可能会存在很大差别。如果一个人判断事物准确、做事缜密，往往就可以说他具有较强的逻辑思维能力。

8. 形象思维

形象思维亦称直觉思维，即以直观形象和表象认识与解决问题的思维。逻辑思维和形象思维是人的两种最基本的思维方式，形象思维总是与感受、体验联系在一起，逻辑思维总是与抽象、理性联系在一起。现代大脑工程实践成果表明：人脑左半球主要具有言语符号、分析、逻辑推理、计算数字等抽象思维的功能；右半球主要具有非言语的、综合的、形象的、空间位置的、音乐的等形象思维的功能。可见，逻辑思维和形象思维都具有人的本能性，也都是反映和认识世界的重要思维形式。

9. 超越思维

超越思维就是超越常规，突破固定的逻辑通道。以上所介绍的几种创新思维方式都可以视为超越思维方式。发散思维是对常规思维的超越；联想思维突破事物原有的类属关系，是对事物类属关系的超越；逆向思维是对常规思维向和位置关系的超越。超越思维就是对思维惯性的超越，可以说超越是创新的实质，超越思维方式是创新思维的最根本方式。

基于理论和实践创新，创新方法是人类在长期社会实践中积累起来的对创新规律性认知的理论性与方法性的总结，是人类创新智慧的一种知识成果。对于创新方法，既要强化理论研究，又要重视实践中的推广应用。过分夸大创新方法的作用是错误的，但忽视与低估创新方法的价值也同样是愚昧的。

国家层面视角,进行创新教育与教育育人,形成先进的教育水平,人力资源培训与开发,打造人力资源强国。进行创新型人才培养,建设世界一流的科技人才队伍。进行知识创新工程建设,增强国家科技竞争力进行工程实践能力建设,提升国家实力;进行技术创新能力建设,建设学习型社会,打造创新型国家。

企业层面视角,进行各级、各类人员创新意识的培养,员工素质与技能培训,提升员工素质与能力。探究创新客观规律。进行技术人员创新思维训练,改善企业经营观念。揭示创新机理,进行技术人员创新能力培养,创新企业管理方式。创新方法,探寻创新模式与方式。加强管理理念创新,提高企业创新能力。探求创新机制,进行管理人员工作方式的改进。提升企业科技创新水平,发明有效的创新工具。进行企业业务流程再造,打造企业核心竞争力。创新教育与人才培育方法,企业组织创新与管理创新,产出科技与产品创新成果,丰富人类知识总库。

个人层面视角,进行智力拓展训练、提高学习能力,提升个人素质与修养。丰富生活方式,增强个人竞争力,改善生存质量。进行方法改进与品质培养,提高生活水平思维能力,提高工作绩效与回报。为社会做更大贡献,提升创新能力,形成良好的世界观、人生观,提高理论研究价值,进行创新实践并运用产生实践价值。

九、创新的原理

1. 综合原理

综合原理是指在分析各个构成要素基本性质的基础上,综合其可取的部分,使综合后所形成的整体具有优化的特点和创新的特征的原理。

2. 组合原理

组合原理是将两种或两种以上的学说、技术、产品的一部分或全部进行适当叠加和组合,用以形成新学说、新技术、新产品的创新原理。组合既可以是自然组合,也可以是人工组合。在自然界和人类社会中,组合现象是非常普遍的。爱因斯坦曾说:"组合作用似乎是创造性思维的本质特征。"组合创新的机会是无穷的。有人统计了20世纪以来的创造发明成果,经分析发现,三四十年代是突破型成果为主而组合型成果为辅;五六十年代两者大致相当;从80年代起,组合型成果占据主导地位。这说明组合原理已成为创新的主要方式之一。

3. 分离原理

分离原理是把某一创新对象进行科学的分解和离散,使主要问题从复杂现象中暴露出来,从而厘清创造者的思路,便于抓住主要矛盾的原理。在发明创新过程中,分离原理提倡将事物打破并分解,它鼓励人们冲破事物原有面貌的限制,将研究对象予以分离,创造出全新的概念和全新的产品。如隐形眼镜是眼镜架和镜片分离后的新产品。

4. 还原原理

还原原理很重要,也十分经典。还原原理要求我们要善于透过现象看本质,在创新过程中,能回到设计对象的起点,抓住问题的原点,将最主要的功能抽取出来并集中精力研究其实现的手段和方法,以取得创新的最佳成果。任何发明和革新都有其创新的原点。创新的原点是唯一的,寻根溯源找到创新原点,再从创新原点出发去寻找各种解决问题的途径,用新的思想、新的技术、新的方法重新创造该事物,从原点上解决问题,这就是还原原理的精髓所在。

5. 移植原理

移植原理是把一个研究对象的概念、原理和方法运用于另一个研究对象并取得创新成果的创新原理。"他山之石,可以攻玉"就是该原理能动性的真实写照。移植原理的实质是借用已有的创新成果进行创新目标的再创造。创新活动中的移植依重点不同,可以是沿着不同物质层次的"纵向移植";也可以是在同一物质层次内不同形态间"横向移植";还可以是把多种物质层次的概念、原理和方法综合引入同一创新领域中的"综合移植"。新的科学创造和新的技术发明层出不穷。

6. 换元原理

换元原理是指创造者在创新过程中采用替换或代换的思想或手法,使创新活动内容不断展开、研究不断深入的原理。通常在发明创新过程中,设计者可以有目的、有意义地去寻找替代物,如果能找到性能更好、价格更省的替代品,这本身就是一种创新。

7. 迂回原理

迂回原理很有实用性。创新在很多情况下,会遇到许多暂时无法解决的问题。迂回原理鼓励人们开动脑筋、另辟蹊径,暂停在某个难点上的僵持状态,转而进入下步行动或进入另外的行动,带着创新活动中的这个未知数,继续探索创新问题,不要钻牛角尖、走死胡同。因为有时先解决侧面问题或外围问题以及后续问题,可能会使原来的未知问题迎刃而解。

8. 逆反原理

逆反原理首先要求人们敢于并善于打破头脑中常规思维模式的束缚,对已有的理论方法、科学技术、产品实物持怀疑态度,从相反的思维方向去分析、去思索、去探求新的发明创造。实际上,任何事物都有着正反两个方面,这两个方面同时相互依存于一个共同体中。人们在认识事物的过程中,习惯于从显而易见的正面去考虑问题,因而阻塞了自己的思路。如果能有意识、有目的地与传统思维方法"背道而驰",那么往往能得到极好的创新成果。

9. 强化原理

强化就是对创新对象进行精练、压缩或聚焦,以获得创新的成果。强化原理是指在创新活动中,通过各种强化手段,使创新对象提高质量、改善性能、延长寿命、增加用途,或达到产品体积的缩小、质量的减小、功能的强化效果。

10. 群体原理

科学的发展,使创新越来越需要发挥群体智慧,才能有所建树。早期的创新多是依靠个人的智慧和知识来完成的,但随着科学技术的进步,靠"单枪匹马、独闯天下",去完成如人造卫星、宇宙飞船、空间实验室和海底实验室等大型高科技项目的开发设计工作,是不可能的。这就需要创造者们能够摆脱狭窄的专业知识范围的束缚,依靠群体智慧的力量、依靠科学技术的交叉渗透,使创新活动从个体劳动的圈子中解放出来,焕发出更大的活力。在创新活动中,创新原理是运用创造性思维分析问题和解决问题的出发点,也是人们使用何种创造方法、采用何种创造手段的凭据。因此,是否掌握创新原理,是人们能否取得创新成果的先决条件。但创新原理不是治百病的"万应灵丹",不能指望在浅涉创新原理之后,就能对创新方法了如指掌并使用自如了,也不能指望懂得一些创新原理就能解决创新中的任何问题了,只有在深入学习并深刻理解创造原理的基础上,人们才可能有效地掌握创新方法,也才有可能成功地开展创新活动。大学生创新小组就是群体原理的运用。

十、创新的过程

创新的"四阶段理论"是一种影响最大、传播最广,而且具有较大实用性的过程理论,由英国心理学家沃勒斯提出。该过程理论认为创新的发展分四个阶段:准备期、酝酿期、明朗期和验证期。

1. 准备期

准备期是准备和提出问题阶段。一切创新是从发现问题、提出问题开始的。问题形成的本质在于人们发现现有状况与理想状况之间有差距。爱因斯坦认为:"形成问题通常比解决问题还要重要,因为解决问题不过牵涉数学上的或实验上的技能而已,然而明确问题并非易事,需要有创新性的想象力。"他还认为对问题的感受性是人重要的资质,准备还可分为以下三步:

①对知识和经验进行积累与整理;

②收集必要的事实和资料;

③了解自己提出问题的社会价值,能满足社会的何种需要及价值前景。

2. 酝酿期

酝酿期也称沉思和多方思维发散阶段。在酝酿期要对收集的资料、信息进行加工处理,探索解决问题的关键,因此常常需要耗费很长时间,花费巨大精力,是大脑高强度活动时期。这一时期,要从各个方面,如前面讲到的纵横、正反等方面去进行思维发散,让各种设想在头脑中反复组合、交叉、撞击、渗透,按照新的方式进行加工。加工时应积极主动地使用创造方法,不断选择,力求形成新的创意。著名科学家彭加勒认为:"任何科学的创造都发端于选择。"这里的选择,就是充分地思索,让各方面的问题都充分地暴露出来,从而把思维过程中那些不必要的部分舍弃。创新思维的酝酿期,特别强调有意识地选择。

3. 明朗期

明朗期即顿悟或突破期,寻找到了解决办法。明朗期很短促、很突然,呈猛烈爆发状态,久盼的创造性突破在瞬间实现。人们通常所说的"脱颖而出""豁然开朗""众里寻他千百度,蓦然回首,那人却在,灯火阑珊处"等都是描述这种状态的。

4. 验证期

第四阶段在于尝试新的,对创新形成的模本进行试验性应用和改进,应用成功之后自然就是创新模本的重复推广。前两个阶段是一类,即想新的;后两个阶段是一类,即做新的。知行合一,第二阶段和第三阶段通常结合在一起,形成思考和实验探索的连接循环,同样,思考和应用试验也结合在一起。人们运用已有的基础知识和可以利用的材料,并掌握相关学科的前沿知识,产生某种新颖、独特、有社会价值或个人价值的思想、观点、方法和产品的能力。

十一、创新能力

创新能力人人都有,但并非人人都能取得创新的成功。其关键原因在于一个人能否最大限度地释放自己的创新能力。一个成功的创新者善于有目的、系统地思考问题,通过理性或感性分析掌握社会的期望、价值观和需要,采取行之有效且重点突出的措施,从小处起步,集中满足一项具体的要求,从而使创新能力充分释放,产生良好的创新效果。一个失败的创新者则常常爱耍小聪明,总想为未来创新而不为现在创新,致使创新能力得不到正常发挥。因此,如何最大限度地释放一个人的创新能力,是一个很值得研究的问题。创新能力的来源(欲望原理):一个人形成某种欲望,对释放创新能力能够产生积极的影响,因为欲望可以集中人的精力、集中人的注意力,使人深入所研究的问题中去,专心致志,废寝忘食,乐此不疲,不断做出一些新的、与众不同的事情。要有意识地去培养和激发自己的欲望,有意识地使自己对某一事物和某一科学领域产生浓厚兴趣,自觉地去深入了解它、研究它、热爱它,培养起创新的强烈欲望,时时刻刻想着创新,事事处处琢磨着创新,这样,一定会使自己的创新能力得到极大发挥。

创新能力的特征包括:

1. 创新能力人人都有

决定创新能力的是人的大脑,只要脑细胞发育正常,每个人就都有创新能力,并且每个正常人的创新能力天赋都不相同。也就是说,人们一生下来就不站在同一起跑线上。这一结论打破了"天才论",纠正了人们过去一直认为的创新能力只有少数人有,是普通人可望而不可即的错误思想,揭开了创新能力的神秘面纱。

2. 创新能力是潜力,需经过开发才能释放

创新能力必须经过开发才能表现出来,如果不开发,永远是潜力,一直到老。每个人的创新能力大致是相同的,即便有区别,也没有数量级的区别。之所以后天表现得差别极大,是因为开发的程度不同,只要我们去开发,创新能力就会释放;不断开发,就会不断释放,在这种情况下,我们的创新能力水平就会不断提高,人人都可以成为创新能力的强者。

3. 创新能力无穷无尽

相对于有限的生命来说,人们有着无限的脑资源。而创新能力存在于人脑之中,那么,无限的脑资源中自然也潜藏着无限的创新能力,只要人们去开发,每个人都可能成为人才,成为伟人。创新能力是人类突破旧认识、旧事物,探索和创造有价值的新知识、新事物的能力,它涉及一个人的多种能力,至少包括逻辑思维能力、无限想象能力、换位思考能力、自我超越能力、方法运用能力、学习创新能力和管理创新能力。创新能力分析见表1-2。

表1-2 创新能力分析

创新能力	能力分析
逻辑思维能力	逻辑思维能力与一个人的创新能力有着极为密切的关系。因为无论何种形式的创新,都必须建立在逻辑思维的基础之上。逻辑思维能力可以为创新提供必要的工具,使人们在创新时能独立判断和有效推理,以提高工作效率

表 1-2(续)

创新能力	能力分析
无限想象能力	无限想象能力是创新必不可少的一种能力,它可以帮助人们超越已有的知识、经验,使思维达到新境界。想象不需要逻辑,但它是创新的火种和出发点
换位思考能力	换位思考能力是人们设身处地地认同和理解别人的处境与情感的能力,换位思考能力要求人们站在别人的立场上换位思考,用别人的角度来看待事物,体验他人的感受
自我超越能力	自我超越能力是指突破极限的自我实现的一种能力。自我超越是一个过程,一种终身的修炼。自我超越的价值在于学习和创造,不断发展完善自我,向成功的目标迈进
方法运用能力	方法运用能力是指在解决问题时人们对创造性方法的寻找、筛选以及实践的能力。创新方法的运用能力,是创新能力的一个重要体现。只有不断提高创新方法的运用能力,人们才能以更高效的方式解决问题,更快地实现既定目标
学习创新能力	学习创新能力是人们通过对特定对象进行分析和研究来获得新观点、新创意和新成果的能力
管理创新能力	管理创新能力是人们创造性地把新的管理方法、管理手段以及管理模式等管理要素引入组织管理系统,并将其转换为有用的产品服务或作业方法的能力

十二、创新能力形成的原理

1. 创新能力形成的第一原理

遗传素质是形成人类创新能力的生理基础和必要的物质前提。它决定着个体创新能力未来发展的类型、速度和水平。大脑是人的创新能力形成的物质基础,是人的创新能力发展的物质载体。离开了这个物质基础,人的创新能力的形成和发展就成了"无源之水,无本之木"。所以有人说:"一两遗传胜过一吨教育。"人类创新能力的形成首先要遵循遗传规律。遗传素质是人类创新能力的物质基础。我们承认它,但不把它当作唯一,即"承认天赋不唯天赋"。

2. 创新能力形成的第二原理

环境是人的创新能力形成和提高的重要条件。环境优劣影响着个体创新能力发展的速度和水平,如狼孩卡玛拉。

3. 创新能力形成的第三原理

实践是创新的最基本途径,也是检验创新能力水平和创新活动成果的尺度标准。人改造实践的活动也就是创新活动。只有通过社会实践才能把人的创新意识变成现实,而创新能力也必须通过实践才能形成,实践是创新能力形成的唯一途径。

4. 创新能力形成的第四原理

创新思维是人的创新能力形成的核心与关键。创新能力与创新思维休戚相关。没有创新思维,就没有创新活动。创新能力的培养:一个人的创新能力由两方面组成,一方面是智力，包括知识和能力，知识学得越多、学得越活，这个人的创新能力可能就越强。所谓能力就是理解力、记忆力和想象力等。创新能力的另一方面，就是这个人在面对复杂的局面时，是否能够迅速地抓住要害、想出办法来，这是一种能力，这种能力还包括在复杂的工作中，善于发现机遇并抓住机遇的能力。创新其实就是一个发现问题、构思创意、解决问题的过程。培养一个人的创新能力，应学会发现问题，随时构思创意，善于解决问题。当今时代的发展对创新能力提出了更高的要求，在迎接挑战的过程中把握机遇，实现人生价值是我们每一个人的目标。要培养创新能力，可以从以下几方面入手：一是不畏常规，敢于超越，增强创新意识。创新是真正意义上的超越，是一种敢为人先的胆识。在超越中求发展，创新能力的提高应该从增强创新意识开始。二是日积月累、循序渐进。一个人的创新意识可以在短时间内快速得到增强，但是一个人创新能力的提高是一个日积月累、循序渐进的过程。创新需要基础，一些世界级的重大科技成果都是从基础研究开始的，目前我国高度重视基础研究工作，就是因为没有了基础研究，超越便没有了可能。而要真正做好基础研究工作，为创新做好准备，必不可少的一个环节就是脚踏实地地学好知识，掌握真才实学，在此基础上融会贯通，构建合理的知识体系。三是热爱生活，关注生活，享受生活是创新的前提和基础，试想一下，如果自己都不热爱生活，对生活持一种漠视的态度，又怎会去关注生活呢？不关注生活创新又从何而来，创新不可能凭空而来，它不是神话，它实实在在存在于现实中。我们只有热爱生活，关注生活，好好享受生活，创新的灵感源泉才不会枯竭，生活才会日新月异、丰富多彩。四是创新能力一般被视为智慧的最高形式，它是一种复杂的能力结构。在这个结构中创新思维处于最高层次，它是创新能力的重要特性。创新能力的实质就是创造性解决问题的能力。

首先，创新要有强烈的创新意识和顽强的创新精神。所谓创新意识就是推崇创新、追求创新、以创新为荣的观念和意识。所谓创新精神就是强烈进取的思维。一个人的创新精神主要表现为首创精神、进取精神、探索精神、顽强精神、献身精神、求是精神。

其次，创新还要有创新能力。创新能力是指一个人产生新思想、认识事物的能力，即通过创新活动、创新行为而获得创新性成果的能力。

最后，要创新就必须认同两个基本观点，即创新的普遍性和创新的可开发性。创新的普遍性是指创新能力是人人都具有的一种能力。如果创新能力只有少数人才具有，那么许多创新理论，包括创造学、发明学、成功学等就失去了存在的意义。人的创造性是先天自然属性，它随着人大脑的进化而进化，其存在的形式表现为创新潜能，人先天的创新能力并无强弱之分。创新者的基本素养见表 1-3。

表 1-3　创新者的基本素养

基本素养	说明
健康的心理	健康的心理是指创新者对客观事物有正确的认知和良好的心态
良好的自信	良好的自信是指创新者对自己的能力和水平的恰当认同与自信。自信是创新者的第一要素；自信是创新者的力量源泉；自信是创新者心中的太阳

表 1-3(续)

基本素养	说明
灵活的思维	灵活的思维是指创新者在追求目标的过程中不会受到思维角度的影响。思维是创新者的核心关键要素;思维是人获得幸福的彩桥;思维是人类地球上最美的花朵;思维是人类走向文明的使者
强烈的创新意识	强烈的创新意识是指创新者的思想系统中弥散浸润着的思新求变的意向与冲动
明确的目标	明确的目标是指创新者对未来的自我有清楚的设计与追求,即知道自己要做一个什么样的人。理想目标要清晰;理想目标要可行;理想目标要有价值
恒久的耐心	恒久的耐心是指创新者在追求目标创新的过程中,始终保持对目标实现的高度期待。耐心是一种境界;耐心是一种静态追求;耐心是一种品质;耐心是创新者应具备的核心要素
坚强的意志	坚强的意志是指创新者为达目标而克服各种困难的心理状态。意志是人成功的必备品质;意志是创新者的核心要素
坦诚的合作意识	坦诚的合作意识是指创新者为实现目标能与他人真诚合作的心态和理念。合作是成就事业的关键要素;合作是创新者的良好品德;合作是人类文明的表现
献身精神	献身精神是指创新者对新事物中蕴含真理的无私热爱与忘我追求。献身精神是人类的至高境界;献身精神是创新成功者的崇高品德

第三节 创新方法研究

创新方法价值论是"自主创新,方法先行",创新方法是自主创新的根本之源。创新方法是科学思维、科学方法和科学工具的总称。加强创新方法工作,切实做好科学思维、科学方法和科学工具的研究与应用具有重要的意义。创新方法工作要强化机制创新、管理创新与体制创新,积极营造良好的创新环境,形成全社会关注创新、学习创新、勇于创新的良好社会氛围。

人类的能动性表现在可以有意识、有目的地探究大自然的奥秘,进而以一定的方式、方法利用和改善大自然;人类的智慧体现为善于总结实践经验、积累知识,然后应用这些经验和知识指导再实践和创新活动。人类之所以能够持续进步,就在于其在生产、社会活动中能有意识地发现、积累新知识,并不断地进行着创新尝试,使自己认识和应用事物客观规律的能力日益增强。实践、认识,再实践、再认识,如此循环往复,是人类认识自然和社会现象的基本方法论。创新方法也是人类创新活动的一种知识成果,其产生、发展、深化、完善的过程同样遵循着认识论的基本原理,如图 1-1 所示。

创新是人类进步的手段,但开展创新活动需要创新有方。创新方法来源于人类的创新实践,是人类对创新规律认识的一种科学总结。创新方法的学习和训练可以增加人们的创新知识及提高人们的创新思维能力,而正确地运用创新方法可以有效提升人们的创新效能。

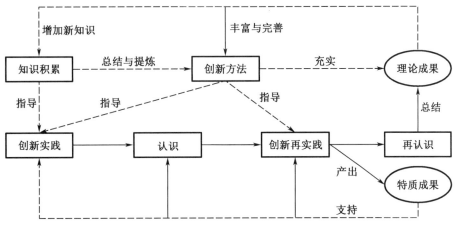

图 1-1 创新方法与创新实践的关系

一、创新科学原理

创新方法从方法论、规范化、工具化角度对人们已认知的创新规律进行科学总结和提炼,形成了便于人们进行创新知识学习、交流、传播和应用的方法化工具。所谓科学原理,是人类对已知客观事物及其联系性规律的基本表述。

二、创新方法

创新方法是指创新活动中带有普遍规律性的方法和技巧。它是通过研究一个个具体的创新过程而揭示出的一般规律和方法。比如创新的题目是怎样确定的、创新的设想是怎样提出的、设想如何变成现实,等等。客观世界中任何事物的发展都是有规律的。发明、创造、创新等同样有规律可循、有方法可用。创造学家在收集了大量成功的创新、创造先例并研究其获得成功的过程与思路后,进行分析、归纳、总结,得出了许多可供我们借鉴、学习和效仿的规律与方法。

目前为止,国内创造学家已总结、归纳出 300 多种创造方法,常用的就有 100 多种。在那么多的创新方法之中,我们必须有选择地进行学习。为了便于系统学习,我们从中选取具有代表性的常用方法加以介绍。

1.头脑风暴法

(1)头脑风暴法的概念

头脑风暴最早是精神病理学上的用语,是指精神病患者的一种胡思乱想的思维状态,现在转化为无限制的自由联想和讨论,其目的在于产生新观念或激发创新设想。头脑风暴法在我国的称呼较多,如智力激励法、自由思考法、诸葛亮会议法等。

采用头脑风暴法组织群体决策时,要集中有关人员召开专题会议,主持人以明确的方式向所有参与者阐明问题,说明会议的规则,尽力创造出融洽轻松的会议氛围。主持人一般不发表意见,以免影响会议的自由氛围,由参与者"自由"提出尽可能多的方案。

（2）头脑风暴法的基本原则

①延迟判断。

延迟判断是指在提出设想阶段，只专心提出设想，而不进行评价。

②数量产生质量。

数量产生质量，奥斯本在说明该原则时强调，在同一时间内思考出 2 倍以上设想的人，更善于创新。此外，头脑风暴法还必须遵守以下几条规则，见表1-4。

表1-4　头脑风暴法规则

规则	要点	诠释说明
一	延迟、不给予你对观点的评判	到头脑风暴会议结束时才对观点进行评判。不要暗示某个想法不会有作用或它有一些消极的副作用。所有的想法都有潜力成为好的观点，所以要到后面才能评判它们
二	鼓励狂热的、夸张的观点	鼓励一个狂热的想法比率先想出一个立即生效的观点要容易得多。观点越"疯狂"越好。大声说出奇异的和不可行的观点，看看它们引出了什么
三	在现阶段量有价值，而不是质	此时寻求观点的量，然后浓缩观点清单。所有活动都适合在给定的时间内提炼出尽可能多的观点。供选择的观点越有创造性越好。如果头脑风暴会议结束时有大量的观点，那就更可能会发现一个非常好的观点。简要保存每个观点，不要详细地描述它，仅仅抓住它的本质。也可能需要简短阐述，快速思考，稍后反思
四	在他人提出的观点之上建立新观点	建立在其他人的观点之上，而且进行扩展。试试把另外的思想加入每个观点之中，使用其他人的观点来激发你自己的观点。有创造力的人也是好的听众，他们会结合提出的观点来探索新的可能性。采纳和改进他人的观点跟生成一系列观点的最初想法一样有价值
五	每个人和每个观点都有相等的价值	每个人都可以有独特的视角。在一个头脑风暴会议里，你可以尽情地提出自己的观点，即使这些观点只是为了激发别人，只要参与进来就是有价值的

3. 头脑风暴法的实施程序

头脑风暴法的实施程序通常分为五个步骤，见表1-5。

表1-5　头脑风暴法的实施程序

步骤	内容	要领
一	确定课题	头脑风暴法适合解决单一明确的问题，不适合处理复杂、面广的问题。可将其分解成若干简单的小课题，逐个解决

表 1-5(续)

步骤	内容	要领
二	会前准备	会前应该将会议参与人、主持人和课题任务落实好,必要时可进行柔性训练。选定理想的主持人,要善于启发和鼓励。组成头脑风暴法小组,小组成员不一定全是专家,会议之前通知与会者,告知会议目的,以便事前做些准备工作,但要防止造成先入为主的后果
三	热身	热身的目的在于使与会者逐步投入,使大脑进入最佳启动状态
四	小型会议	小型会议的与会者以 5~10 人为宜,人多了很难使每个人充分发表意见。会议时间为半小时到 1 小时。主持人宣布议题后,即可启发、鼓励大家提出设想
五	加工处理	列出创意要点,讨论记录

2. 形态分析法

(1)形态分析法的概述

形态分析法是由瑞士天文学家弗里兹·扎维奇创立的一种创新方法,又称"形态矩阵法"和"形态综合法"。

(2)形态分析法的基本原理

形态分析法是将研究对象视为一个系统,通过系统分析方法将其分解为相对独立的子系统,各子系统所实现的功能称为基本因素,实现各子系统功能的技术手段称为基本形态,通过排列与组合方法可以得到多种可行解,经过筛选可从中确定系统的最佳方案。

(3)形态分析法的特点

①所得方案要能将全部因素及各因素的所有可能形态都排列出来;

②具有程式化性质,主要依靠人们认真、细致、严密的工作,而不是依靠人们的直觉或想象,因而易于操作;

③其创新点在于如何进行系统的分解,使之不同于已有的方法,还在于对基本形态的创新构想。

形态分析法的步骤见表 1-6。

表 1-6　形态分析法的步骤

步骤	内容	要领
一	确定创新对象	准确表述所要解决的课题,包括该课题所要达到的目的及属于何类原理、技术系统等。对于创新对象的性能要求、使用可靠性、成本、寿命、外观、尺寸、产量等必须逐步加以明确。这是寻找方案的出发点
二	基本因素分析	确定创新对象的主要组成部分(基本因素),编制形态特征表。确定创新对象的各种主要因素,要求列出研究对象的全部组成因素和划分,且各因素和划分在逻辑上应该是彼此独立的。组成因素的分析过程也包括创新思维的过程,不同的人对组成因素及划分的理解可以是不同的

表 1-6(续)

步骤	内容	要领
三	形态分析	要揭示每一形态特征的可能变量(技术手段),应充分发挥横向思维能力,尽可能列出无论是本专业领域的,还是其他专业领域的所有具有这种功能特征的各种技术手段。在形式上,为了便于分析和进行下一步的组合,往往采取列矩阵表的形式,一般表格为二维的,每个因素的每个具体形态用符号 P 表示,其中 i 代表因素,j 代表具体形态。对较复杂的课题,也可用多维空间模式的形态矩阵依据创新对象和各因素提出的功能及性能要求,详细地列出能满足要求的各种方法和手段(统称为形态),并绘制出相应的形态学矩阵。确定可能存在的、新颖的形态,其中就蕴含着创新
四	形态组合	根据发明对象的总体功能要求,分别把各因素的各形态加以排列组合,以获得所有可能的组合设想
五	评价选择最合理的具体方案	选出少数较好的设想后,通过进一步具体化分析,选出最佳方案。需指出,任何组合方案都不可能面面俱到地达到最优,而只能是在综合性能方面达到最优

3. 综摄法

(1)综摄法的含义及基本要点

①综摄法的含义。

综摄法又称类比思考法、类比创新法、提喻法、强行结合法等,它最初是由美国麻省理工学院水下声学研究室的教授威廉·戈登于 1944 年在心理学"垃圾箱理论"启发下发明的,后来由他的同伴普莱因斯丰富和完善,这种方法是以类比思考为核心的著名创新技术。威廉·戈登认为,创新不是阐明事物间已知的联系,而是探明事物间未知的联系,因此需要采用"翻垃圾箱"、非逻辑推理等方法,把那些看似无关的东西联系起来,这就是综摄法。

②综摄法的基本要点。

综摄法有两个基本要点:一个是使陌生的东西变得熟悉起来;另一个是使熟悉的东西变得陌生起来。归根结底是通过联想运用类比推理来进行。

(2)综摄法的主要内容

①两项基本原则。

异质同化,简单来说是指把看不习惯的事物当成早已习惯的熟悉事物。在发明成功前或问题解决前,它们对人们来说都是陌生的。异质同化就是要求人们在碰到一个完全陌生的事物或问题时,要用全部的经验、知识来分析、比较,并根据这些结果,做出很容易处理或很老练的态势,然后再去解决。同质异化,就是指对某些早已熟悉的事物,根据人们的需要,从新的角度或运用新知识进行观察和研究,以摆脱陈旧固定的看法的约束,产生出新的创造构想,即将熟悉的事物当成陌生的事物来研究。

②类比法。

这种方法的关键是进行类比,类比法常被人表述成能抓住那些互不相干的现象中存在着的明显的或隐蔽的各种关系,并且能够利用这些相似条件,从中提炼出一些解决问题的设想的思考方法。经过研究,威廉·戈登发现,类比法是实现这种创新构思的最好方法之一。

③四种模拟技巧。

为了加强发挥创造力的潜能,使人们有意识地活用异质同化、同质异化两大原则,威廉·戈登提出了四种极具实践性、具体性的模拟技巧:人格性的模拟是一种感情移入式的思考方法。先假设自己变成该事物以后,再考虑自己会有什么感觉,又如何去行动,然后再寻找解决问题的方案。直接性的模拟是指以作为模拟的事物为范本,直接把研究对象范本联系起来进行思考,提出处理问题的方案。想象性的模拟是指充分利用人类的想象能力,通过童话、小说、幻想、谚语等来寻找灵感,以获取解决问题的方案。象征性的模拟是指把问题想象成物质性的,即非人格化的,然后借此激励脑力,开发创造潜力,以获取解决问题的方法。

(3)综摄法的基本特点

综摄法作为一种创新方法,它的特点在于:由于两个或两类事物在某些方面具有相同的或相似的特点,因此期望通过类比把某些事物的特点复现到另一类事物上实现创新,这种方法能在一定范围和一定程度上给人以某种新启示,这对创造性思维是非常有益的,但综摄法也有其不足,它的运用受到一定程度的限制。它的正确运用,既需要利用心理学的许多理论,又需要在很大程度上依靠人的想象、直觉、灵感等非逻辑思维,因此必须花费相当多的时间和精力才有可能较好地掌握此方法。

4.“5W2H”分析法

(1)“5W2H”分析法的概念

“5W2H”分析法又叫七问分析法,由第二次世界大战中美国陆军兵器修理部首创。它简单方便、易于理解、富有启发意义,所以广泛应用于企业管理和技术活动中。发明者用五个以 W 开头的英语单词和两个以 H 开头的英语单词进行设问,发现解决问题的线索,寻找发明思路,进行设计构思,从而搞出新的发明项目,这就叫作“5W2H”分析法。Why?——为什么?为什么要这么做?理由何在?原因是什么?What?——是什么?目的是什么?做什么工作?Who?——谁?由谁来承担?谁来完成?谁来负责?When?——何时?什么时间完成?什么时机最适宜?Where?——何地?在哪里做?从哪里入手?How?——怎么做?如何提高效率?如何实施?方法是什么?How Much?——多少?做到什么程度?数量如何?质量水平如何?费用产出如何?提出疑问、发现问题、解决问题是极其重要的。

创造力强的人,都具有善于提出问题的能力,众所周知,提出一个好的问题,就意味着问题解决了一半。好的问题的提出,可以使人尽情地发挥其想象力。相反,一些不好的问题提出来,就会挫伤其想象力。发明者在设计新产品时,常常提出:为什么(Why);是什么(What);何人做(Who);何时做(When);何地做(Where);如何做(How);做多少(How Much)。这就构成了“5W2H”分析法的总框架。如果提出的问题中常有“假如……”“如果……”“是否……”这样的虚词,就是一种设问,设问更需要想象力。

(2)“5W2H”分析法的优势

如果现行的做法或产品经过七个问题的审核已无懈可击,便可认为这一做法或产品可取。如果七个问题中有一个答复不能令人满意,则表示这方面有改进余地。如果哪方面的答复有独创的优点,则可以扩大产品这方面的效用。这样就可以准确界定、清晰表述问题,提高工作效率;有效掌控事件的本质,完全抓住事件的主骨架;简单、方便,易于理解、使用,富有启发意义;有助于思路的条理化,杜绝盲目性;有助于全面思考问题,从而避免在流程设计中遗漏项目。

5. 奥斯本检核表法

(1)检核表法的定义

奥斯本检核表法是指在考虑某一个问题时,先制成一览表,对每个项目逐一进行检查,以避免遗漏要点。

奥斯本检核表是针对某种特定要求而制订的检核表,主要用于新产品的研制开发。奥斯本检核表法是指以该技法的发明者奥斯本命名,引导主体在创造过程中对照九组问题进行思考,以便启迪思路,开拓思维想象的空间,促进人们产生新设想、新方案的方法。

(2)奥斯本检核表法的优势

奥斯本检核表法是一种具有较强启发创新思维的方法。这是因为它强制人去思考,有利于突破一些人不愿提问题或不善于提问题的心理障碍。提问题,尤其是提出有创意的新问题本身就是一种创新。另外,奥斯本检核表法提供了创新活动最基本的思路,可以使创新者尽快集中精力,朝提示的目标方向去构想、创造、创新。

奥斯本检核表法有利于提高发现创新的成功率:创新发明最大的敌人是思维的惰性。大部分人总是自觉和不自觉地利用惯性思维来看待事物,对问题不敏感,即使看出了事物的缺陷和毛病,也懒得进一步思索,因而难以有创新。奥斯本检核表法使人们克服了不愿提问题或不善于提问题的心理障碍,在进行逐项检核时,强迫人们思维扩展,突破旧的思维框架,开拓创新的思路,提高创新的成功率。

利用奥斯本检核表法,可以产生大量的原始思路和原始创意,它对人们的发散思维,有很大的启发作用。当然,运用此方法时,还要注意:要和具体的知识经验相结合。奥斯本只是提供了思考的一般角度和思路,思路的发展,还要依赖于人们的具体思维。运用此方法时,还要结合改进对象(方案或产品)来进行思考。运用此方法时,还可以自行设计大量的问题。提出的问题越新颖,得到的主意越有创意。奥斯本检核表法的优点很突出,它使思考问题的角度具体化了。它也有缺点,就是它是改进型的创意产生方法,人们必须先选定一个有待改进的对象,然后在此基础上设法加以改进。它不是原创型的,但有时候,也能够产生原创型的创意。比如,把一个产品的原理引入另一个领域,就可能产生原创型的创意。

(3)奥斯本检核表法的实施过程

奥斯本检核表法的核心是改进,或者说关键词是改进,通过变化来改进。其基本做法是:首先,选定一个要改进的产品或方案;其次,面对一个需要改进的产品或方案,或者面对一个问题,从不同角度提出一系列的问题,并由此产生大量的思路;最后,根据提出的思路,进行筛选和进一步思考、完善。

(4)奥斯本检核表法的九组问题

奥斯本检核表法属于横向思维,以直观、直接的方式激发思维活动,操作十分方便,效果也相当好。奥斯本检核表法的九组问题见表1-7。

表1-7　奥斯本检核表法的九组问题

问题	内容
第一组问题	现有的东西(如发明、材料、方法等)有无其他用途?保持原状能否扩大用途?稍加改变,有无别的用途
第二组问题	能否从别处得到启发?能否借用别处的经验或发明
第三组问题	现有的东西是否可以做某些改变?改变一下会怎么样?可否改变一下形状、颜色、味道?是否可改变一下意义、型号、模具、运动形式?……改变之后,效果又将如何
第四组问题	现有的东西能否扩大使用范围?能不能增加一些东西?能否添加部件、拉长时间、增加长度、提高强度、延长使用寿命、提高价值、加快转速
第五组问题	某些要素的数值缩小一些怎么样?现在的东西能否缩小体积、减小质量、降低高度,压缩、变形能否省略,能否进一步细分
第六组问题	能否代用?能否由别的东西代替,由别人代替?能否用别的材料、零件代替
第七组问题	能否更换一下先后顺序?能否调换元件、部件?元件、部件是否可用其他型号
第八组问题	通过对比也能成为萌发想象的宝贵源泉,可以启发人的思路,那倒过来会怎么样
第九组问题	能否装配成一个系统?能否把目的进行组合?能否将各种想法进行综合?能否把各种部件进行组合?等等

6.属性列举法

属性列举法,也称特性列举法,是美国尼布拉斯加大学的罗伯特·克劳福德教授于1954年所提倡的一种著名的创意思维策略。此法强调使用者在创造的过程中观察和分析事物或问题的特性或属性,然后针对每项特性提出改良或改变的构想。属性列举法是发明常用的方法之一,它的使用原理有两点:一是对物体的特性加以描述。例如对于船舶动力工程设备可以用形状、颜色、使用功能、使用方法、使用船型等来描述其特性。使用这种方法首先要熟悉所要研究的对象,列举出它的特性。二是分解原理。由整体到局部,由大到小,分得越细,越容易发现问题和解决问题。当然在分解的同时如果能考虑此物品的使用环境和使用人群,就更容易发现创新点。此法的优点是能保证对问题的所有方面进行全面的研究。

参 考 文 献

[1] 沈荻帆,崔亚妮,任佳,等.地方高职院校"产教融合"培养创新型人才模式的实践与思考[J].中国多媒体与网络教学学报(上旬刊),2020(4):204-205.

[2] 苏勋文,师楠,朱显辉,等.能源互联网趋势下本科高职院校创新型人才培养模式的思考——以电气工程学科为例[J].当代教育实践与教学研究,2020(1):79-81.

[3] 孙桂生,刘立国.创新型人才培养的探索与实践——以北京联合大学商务学院为例[J].中国高职院校科技,2016(12):79-82.

第二章
船舶动力工程技术专业建设研究实践

　　海洋是人类生存发展的源泉。海洋独特的战略价值培育了非凡的中华海洋文明，丰富的海洋资源支撑了中华民族的繁衍和发展，开发和利用海洋是世界强国发展的必由之路。海洋战略决定着国家海洋事业的兴衰成败。2017年10月，在中国共产党第十九次全国代表大会上，习近平代表十八届中央委员会向大会做的《决胜全面建成小康社会并夺取新时代中国特色社会主义伟大胜利》的报告，提出"坚持陆海统筹，加快建设海洋强国"。战略关乎国运，建设海洋强国的战略思想助力中国走向世界舞台的中心。

　　我国船舶动力工程技术通过实施模仿创新、自主创新、合作创新等多种创新模式，综合比较优势不断增强，目前我国是世界第一造船大国，从传统技术创新模式的分析中来看，我国船舶动力工程技术仍存在一系列问题，从而使得我国船舶动力工程技术在向高技术水平发展过程中进度较慢。

　　我国船舶动力工程技术自主创新模式仍主要以集成创新和引进消化吸收为主，原始创新能力较弱。一些船舶动力工程技术往往只重视引进国外先进的技术，而忽视了对引进技术的消化吸收，尤其是忽略了再创新，忽视通过引进技术培育和形成自主创新能力，结果导致企业的自主创新能力不足，在国际船舶竞争市场中难以获得优势地位。我国船舶动力工程技术通过与高校、科研院所、供应链上下游企业的合作创新取得了一系列重要的技术成果，并推动该领域科技成果的成功转化，合作创新中，船舶动力工程技术的设计和研发依赖于科研院所、高校等合作方，而设计不仅决定机械的形式、尺寸、结构、性能，而且对生产成本和建造周期都有极其重要的影响。影响创新的因素包括产品规模大小、技术战略、产品创新战略、组织结构、战略流程、战略因素、产权结构、资金规模、技术定位、市场定位、组织学习、创新资源配置、企业研发人员数量、组织柔性、内部技术、总体经营战略、创新人才投入能力、创新技术水平、信息获取水平、动态能力等。

　　目前我国在船舶涂装技术方面，较多大型船舶动力工程技术通过技术创新模式的实施，已逐渐掌握了船舶涂装尖端技术、货油舱特殊涂装等技术，涂装工作效率已接近或达到国际先进水平。在区域舾装技术方面，很多船舶动力工程技术在船舶建造过程中开始实施船体分段舾装、单元舾装、盆式舾装等多种舾装技术的技术创新，通过目标导向型政策以及政府的指令性引导，使得船舶动力工程技术能够迅速掌握先进船舶技术的发展趋势，并进行有效的技术创新决策。能力导向型政策主要是政府制订指导性创新政策，通过加大对船舶动力工程技术的技术创新尤其是自主创新的支持力度，有重点地扶持具有突出创新能力的企业，使得政策导向于企业自主创新能力的提升。

　　我国在锅炉及压力容器设计、加工制造方面取得了较为显著的成就，生产规模逐步扩大，设计建造能力稳步增强，形成了一大批具有世界级影响力的锅炉、压力容器设计企业。

十八大以来,随着绿色型发展理念的提出,船用锅炉生产企业也在积极响应党和国家的号召,开展企业转型、技术升级活动。废气锅炉、燃油废气组合锅炉、热水锅炉、高效节能锅炉等新锅炉陆续上市,并得到大规模应用。我国重视还有资源开发的今天,为了实现深海资源开发,需要研发与高技术船舶以及海洋平台运行相匹配的大型压力容器,尤其在低温压力容器研发方面,需要进行重点突破,以期在满足我国船舶制造的过程中,提升锅炉与压力容器设计制造能力,提升我国企业的市场竞争力。

我国在船舶制造的过程中,对于甲板机械采取了本土化的策略,经过多年积累,相关企业已经拥有较为深厚的技术,与发达国家之间的差距相对较小。甲板机械除了继续在变频控制、电液控制以及自动化控制等方面进行深耕之外,还需要根据使用场景,加强海洋平台、海洋工程平台以及特种设备甲板平台的设计优化,增强甲板运行的有效性与高效性。

与国外先进生产企业横向对比来看,舱室辅机与设备方面的不足主要表现在以下几个方面:

第一,我国生产的舱室辅机以及设备自动化程度不高,无法与主流国家的设备相比。

第二,相关设备结构设计不太合理,机械设备在运行过程中存在着噪声偏高的问题,在船舶狭小的空间内,噪声过大将会影响使用效果。

第三,由于缺乏在舱室辅机以及设备技术研发领域的深耕,设备在能耗控制方面存在着一定的问题,无法与国外大型舱室辅机及设备相比。

第一节　船舶动力工程技术实训设备设计

一、船舶动力工程技术实训设备配置简介

该项目包含:船舶轴系定位模块,船舶轴系校中模块,轴承负荷的测量、计算与调整模块,船舶主机安装垫片的配制模块,船用螺旋桨测量与修配模块。该项目可供轮机工程技术及相关专业实训教学使用,含安装调试、全套技术资料、各功能项目展板。

二、船舶轴系定位

①编制船舶轴系定位的工艺。船舶轴系定位模块如图2-1所示,该图包括项目指标。应确定艉基点的位置,高度和左右偏差均≤1 mm。激光经纬仪的基座应水平,两个相互垂直方向的水平度偏差≤1格;轴系理论中心线与给定的标记点应重合,左右偏差≤1 mm;轴系理论中心线与艉基点应重合,高低方向的偏差≤1 mm;两个光靶的中心与艉轴管相应部位的内孔中心同心,偏差≤0.1 mm;两个光靶的中心与轴系理论中心线同心,偏差≤1 mm。基座面板内侧(前、后两端)与轴系理论中心线投影线的左右距离,测量误差应≤3 mm。

②根据轴系布置图和赛场给定的标记点,确定艉基点的位置,要求高度和左右偏差均≤1 mm。

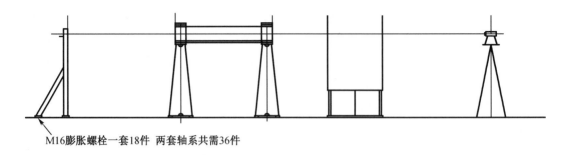

M16膨胀螺栓一套18件 两套轴系共需36件

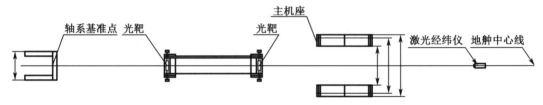

轴系基准点　光靶　　　　　光靶　　　主机座　　　激光经纬仪　地舯中心线

图2-1　船舶轴系定位模块

③根据轴系布置图和赛场给定的标记点,用激光经纬仪建立轴系理论中心线,做到:激光经纬仪的基座应水平,两个相互垂直方向的水平度偏差≤1格;轴系理论中心线与赛场给定的标记点应重合,左右偏差≤1 mm;轴系理论中心线与舯基点应重合,高低方向的偏差≤1 mm;激光经纬仪的物镜应该处于水平状态,液晶显示屏上显示的垂直参数应该为90°00′00″,偏差≤5″。

④调整艉轴管位置,使艉轴管中心与轴系理论中心线同轴。做到:两个光靶的中心与艉轴管相应部位的内孔中心同心,偏差≤0.1 mm;两个光靶的中心与轴系理论中心线同心,偏差≤1 mm。

⑤检查主机基座的安装精度。要求检查测量基座面板内侧(前、后两端)与轴系理论中心线投影线的左右距离,测量误差应≤3 mm;检查测量基座上平面(前、后两端)与轴系理论中心线的距离,测量误差应≤3 mm,计算活动垫片的厚度。

三、船舶轴系校中模块

该项目做到中间轴Ⅰ与艉轴的连接法兰上的偏移和曲折值、中间轴Ⅰ与中间轴Ⅱ的连接法兰上水平方向的偏移和曲折值均为0 mm,偏差≤0.05 mm,以供船舶动力工程技术及相关专业"船舶主机及轴系安装"实训教学使用,以及全国职业院校技能大赛"船舶主机和轴系安装"赛项训练使用。

该项目可以完成以下培训训练比赛任务:

该项目提供的船舶轴系结构和校中工艺参数要求,如图2-2所示,完成以下工作任务:

调整中间轴Ⅰ和中间轴Ⅱ的位置,使中间轴Ⅰ与艉轴的连接法兰上的偏移和曲折值、中间轴Ⅰ与中间轴Ⅱ的连接法兰上水平方向的偏移和曲折值均为0 mm,偏差≤0.05 mm,垂直方向的偏移和曲折值符合图2-2的要求。记录表中,偏移和曲折值的正负规定如下,即偏移:垂直方向前法兰比后法兰偏低为正,水平方向前法兰比后法兰偏左为正;曲折:垂直方向下开口为正,水平方向左开口为正。

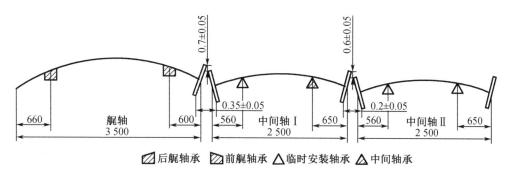

图 2-2　工艺参数要求（单位：mm）

设备组成及图纸资料：

简易艉轴：材料为 35 号热轧钢，轴径 $\phi170$ mm，长 3 500 mm，前后配 $\phi310$ mm 法兰两个，非标件。简易中间轴：材料为 35 号热轧钢，轴径 $\phi170$ mm，长 2 500 mm，前后配 $\phi310$ mm 法兰两个，非标件，定制加工。

前后艉轴承及其支座：滑动轴承与轴配套，需现场定位安装，所有垫片按照船舶建造相关要求进行装配，非标件，定制加工。

中间轴承及其支座：水平和垂直方向可调，与轴配套，调节螺栓强度不低于 8.8 级，非标件，定制加工。

调位装置：元宝铁及其支架，滚轮（与轴接触部分用黄铜），非标件，定制加工如图 2-3 所示。

临时支撑及调位工具：中间轴临时支撑配调位工具两个，非标件，定制加工。

四、轴承负荷的测量、计算与调整模块

船厂进行船舶轴系校中时，经常使用顶升法来测量轴承负荷，而绘制顶升曲线是其中重要一环，定位装置如图 2-4 所示。

1. 应达到的指标

轴承负荷与规定值的偏差≤10%，该项目可以完成以下工作任务：

编制轴承负荷的测量、计算与调整的工艺。

用顶升法测量中间轴承的负荷，测量点的轴向位置偏差≤10 mm。

绘制顶升曲线图，并计算轴承负荷。

轴承负荷与规定值的偏差≤20% 时，为合格；偏差≤10% 时，为优秀。当轴承负荷不合格时，应做适当调整，使其达到合格或优秀状态。

测量柴油机（6DL-20 右机）输出端第 1 个缸的曲柄臂距差，分别在 0°、90°、150°、210°、270°等点测量，测量点偏差应≤5°，按表位法做记录，并计算臂距差值，左右方向的臂距差为：曲柄销在左侧的臂距值−曲柄销在右侧的臂距值。

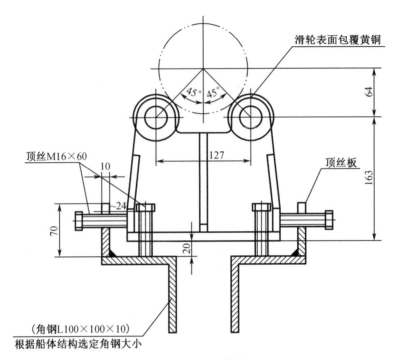

图 2-3　调位装置(单位:mm)

图 2-4　轴承负荷的测量、计算与调整模块定位装置

2. 设备组成

柴油机及支座:如图 2-5 所示。二手柴油机,缸径≥200 mm;附件齐全,可正常使用;配套说明书,安装满足主机安装垫片尺寸要求。型号:6DL-20,右机,输出功率 670 hp(1 hp≈0.735 kW);转速(RPM):720 r/min。

盘车棍:与 6DL-20 配套,长约 1.5 m,非标件,定制加工。

短轴:材料为 35 号热轧钢,轴径 ϕ170 mm,长 600 mm,前后配 ϕ400 mm 法兰两个,与柴油机法兰配对;法兰孔均需现场配对铰制,非标件,定制加工。

中间轴:材料为 35 号热轧钢,轴径 ϕ170 mm,长 5 000 mm,前后配 ϕ400 mm 法兰两个;法兰孔均需现场配对铰制,非标件,定制加工,如图 2-6 所示。

艉轴:材料为 35 号热轧钢,轴径 ϕ190 mm,长 4 000 mm,前后配 ϕ400 mm 法兰两个,法兰孔均需现场配对铰制,非标件,定制加工。

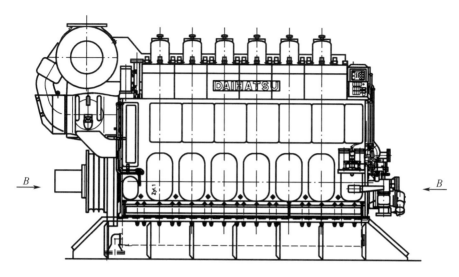

图 2-5　船舶柴油机

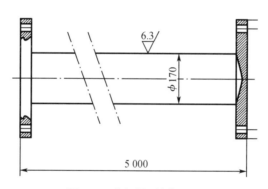

图 2-6　中间轴(单位:mm)

　　艉轴管、艉轴承、密封装置及配套支架配两个滑动轴承及支架,艉轴管与支架填充环氧树脂固定,非标件,定制加工。

　　螺旋桨:重约 550 kg,与艉轴配对,非标件,定制加工,如图 2-7 所示。

　　中间轴承及其支座:配 1 个滑动轴承及支架,非标件,定制加工。

　　调位装置:中间轴承高度调节装置,非标件,定制加工。

　　油顶及配套油泵:RC-52,负荷 5 t,压力 70 MPa,配数显压力表,非标件,定制加工,如图 2-8 所示。

五、船舶主机安装垫片的配制模块

　　该项目做到外侧侧面与机座侧面平齐,如图 2-9 所示,偏差≤5 mm,以供船舶动力工程技术及相关专业"船舶主机及轴系安装"实训教学使用,以及全国职业院校技能大赛"船舶主机和轴系安装"赛项训练使用。

图 2-7   螺旋桨

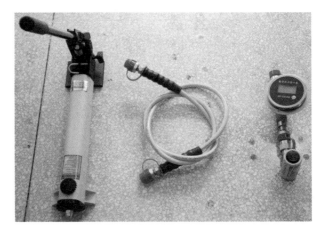

图 2-8   油顶及配套油泵

图 2-9　船舶主机安装垫片的配制模块

1. 该项目可以完成以下工作任务

活动垫片纵向位置应在标记线内,横向位置:外侧侧面与机座侧面平齐,偏差≤5 mm;活动垫片与机座和基座固定垫片两个配合面着色检查,每 25 mm×25 mm 范围内应有 2~3 个着色点,并且接触面四周用 0.05 mm 塞尺插不进,局部(少于两处)允许插进,但插进深度应≤30 mm,宽度应≤30 mm。

2. 设备组成

垫片测量模具:110 mm×80 mm×15 mm,非标件,定制加工。垫块拉拔器:与主机垫片配套,非标件,定制加工。主机安装垫片:HT200,100 mm×80 mm×40 mm,其中一个表面精磨,两侧钻孔直径 25 mm,深约 30 mm,非标件,定制加工。模拟主机基座和机座:用于活动垫片拂配后的安装检验,用 Q235 材料焊接,至少长 2 000 mm,高 560 mm,主机机脚宽 200 mm,船体基座及主机机脚钢板厚 10 mm,至少 3 个安装垫片位。角磨机:输出功率 660 W,空载速率不低于 11 000 r/min,磨切片直径 100 mm。研磨平板:不小于 600 mm×600 mm。

六、船用螺旋桨测量与修配模块

螺旋桨 I:直径 1 100 mm;叶型:右旋 4 叶,大侧斜,弯刀叶形;盘面比:0.511;毂径比:0.182;材料:镍铝青铜 CU3;螺距:(0.7R)778.8 mm。

叶面功能设计:

第一叶:充分体现螺旋桨制造工艺中需要的零点起始线(第一叶的中线),把桨叶的原始浇铸页面留下,边缘做浇铸毛刺处理。

第二叶:根据现实螺旋桨螺距的制造修磨原理,在螺旋桨的表面,从 0.3R 开始,0.4R、0.5R、0.6R、0.7R、0.8R、0.9R、0.95R、0.975R 和中心线夹角 5°、10°、15°的角放射线,在半径线和角放射线的交汇点,就是在螺旋桨制造过程需要得到的螺距测量点。

第三叶:在桨叶的 0.65R 的地方,进行桨叶剖面处理(可以让学生清楚地看到螺旋桨从导边到随边桨叶厚度的变化,以及中心线和最大厚度线的角分度)。

第四叶:做成标准的螺旋桨桨叶,打磨,抛光。螺距规:与螺旋桨适配。采用 R1 000 mm 刻盘直读型螺距规,该螺距规能够方便、快捷、直观地完成小型回转和螺距旋曲面体形位公差的检验,消除用三坐标测量机监测室所产生的转换误差和某些参数无法监测的技术要求,可以直接对螺旋桨叶片的长度、节距及所测点的高度进行测量。

螺旋桨 II:直径不小于 500 mm;包括叶梢带端板螺旋桨,自重构变形桨叶螺旋桨,导管螺旋桨(矢量推进器),串列螺旋桨,对转螺旋桨。叶梢带端板螺旋桨,又称叶梢收缩与承载螺旋桨,简称 CLT 桨。这种螺旋桨的特点是:叶梢端板阻止了叶梢切面的横向绕流,增大了推力,减少了艉流的诱导能量损失。因而破水效率比常规型螺旋桨有所提高。自重构变形桨叶就是利用变形自适应机构原理设计的一种平面活页式的叶片,即自动开闭式桨叶。在桨叶的自重构变形条件下,实现推进力的最大化和水的阻力的最小化。导管螺旋桨是在普通螺旋桨外缘加装一机翼形截面的圆形导管而成。串列螺旋桨:将两个或三个普通螺旋桨装于同一轴上,以相同速度同向转动。对转螺旋桨:将两个普通螺旋桨一前一后分别装于同心的内、外两轴上,以等速反方向旋转。

第二节　船舶动力工程技术专业教材建设

一、基于船舶动力工程工作过程的教材开发研究

基于职业岗位分析的专业设置和课程体系构建,基于工作过程导向的课程开发和基于行动导向的教学模式,成为目前高职教改的重点。教材是进行教学的基本工具,体现了课程的教学设计、教学内容和教学方法,也是深入教学改革、提高教学质量的重要保证。因此,工作过程导向的教材建设是此类课程开发的关键因素,对于课程建设起到引领、规划、总结的作用。

船舶动力工程工作过程的教材开发"项目引导、任务驱动"教学思想,基于真实的工程项目设计工作任务结构,按照任务的工作过程来重新构建教材知识体系,通过"任务描述、相关知识、任务实施"的"三段式"流程进行教材的工作任务开发。"以能力培养为中心的教学体系"强调的是职业或岗位所需能力的确定、学习、掌握和运用,也就是以职业或岗位所必需的知识、技能、行为意识为从业能力的基础,以能力培养作为教学目标和教学进程的基准。项目课程沿用了 CBE(以能力为本位的教育)以工作分析为课程开发依据的技术,并在其基础上有了进一步的发展,主要体现在以下三个方面:

首先,不仅知识与技能是课程内容,而且知识与工作任务的联系也是重要的课程内容。要有效地培养学生的职业能力,就必须按照与工作任务的相关性来组织课程知识体系,帮助学生努力在与工作任务的联系过程中去学习知识和掌握技能。

其次,项目课程必须寻找到不同专业所特有的工作逻辑,课程内容要求打破知识的学科界限,反映工作过程的体系结构,通过相应任务的知识负载来组织课程内容。

最后,项目课程强调以典型产品为载体来设计教学活动,整个教学过程最终要指向让学生获得一个具有实际价值的产品,把工作过程与实践结果统一起来,达到激发学生学习动机的目的。

基于工作过程的船舶动力工程技术课程教材的内容选择,主要涉及学习性工作任务的选择、显性知识与隐性知识的关系问题。

基于工作过程的船舶动力工程技术课程的开发,是将典型工作任务进行教学化处理并设计为学习性工作任务的过程。因此,学习性工作任务的选择是教材开发的关键。在当前

高职院校基于工作过程课程开发的实践中,通常用"学习情境"来描述学习性工作任务。学习情境是在典型工作任务基础上设计的学习的"情形"和"环境"。

高职教育的培养目标是从事生产第一线的高素质技能型专门人才,这决定了高职基于工作过程课程教材必须注重经验性和策略性知识的获取,充分挖掘工作过程中蕴涵的隐性知识。在内容的选取上,应以职业实践为组织原则,将显性知识有机地融入隐性知识。与此同时,适度、够用的"显性到显性"的知识传递是需要的,"必要的元知识是隐性知识线性化的基础;而适当、重点的'显性到隐性'的知识升华也是必需的,因为从一般职业人才成长为技能型、技术型的专家,必须有从'显性到隐性'的质变"。在显性知识的选取上,把重点放在概念、方法和结论的实际应用上,中间推导过程则力求简洁。为了体现高职教育特色,教材内容应紧随技术、经济发展变化而调整。

二、教材的结构设计

教材结构是指包含的"知识"之间相互联系、相互作用的方式。高职基于工作过程教材的结构主要指包含工作过程知识的学习性工作任务之间的关系。德国职业教育学家劳耐尔关于职业能力发展的阶段理论,为工学结合教材的结构设计提供了思路。劳耐尔认为,人的职业成长过程分为四个阶段,即初学者、提高者、能手和专家。

这四个阶段完成工作任务的难度不同,需要具备的能力水平也不同。这四个阶段按照职业成长逻辑发展规律彼此相连,见表2-1。

表2-1　职业成长阶段

工作任务	所需知识
职业定向的工作任务	定向、概括性知识
系统的工作任务	关联性、拓展知识
蕴涵问题的特殊工作任务	具体、功能性知识
不可预见的工作任务	基于"双师"职业经验的学科系统化深入知识

借鉴职业能力发展的阶段理论,对高职基于工作过程课程教材的结构进行设计,应以项目的方式设计学习性工作任务,遵循学生"从初学者到专家"的认知心理规律,按照从"封闭性"学习任务到"开放性"学习任务,再到"设计导向性"学习任务的顺序连接工作任务,在此基础上形成教材的主要框架。

对高职高专院校而言,校企合作是办学模式,工学结合是人才培养模式,工作过程系统化是在校企合作和工学结合前提下一个具体的课程模式。工作过程是综合的,时刻处于运动状态的,但结构相对固定的系统。工作过程涵盖了工作任务、职业活动、凸显过程性的职业结构。不同职业、相同职业的不同岗位,完成工作过程的对象、内容、手段、组织、产品、环境这六个要素时刻处于运动状态,但是实现工作过程的咨询、决策、计划、实践、检查、评价六个步骤结构又是相对固定和完整的。因此,高职教育不能指向科学中的子领域,而应指向岗位的工作过程。通过课程学习能够使学生在掌握知识、技能的同时,学会工作、学习、做人的综合能力。基于工作过程导向的课程开发的基本步骤为:确定职业中的行动领域,每个职业都由若干行动领域构成,行动领域是根据岗位工作任务的复杂程度,整合典型的工作任务形成的能力领域。确定学习领域,即课程。根据职业成长及认知规律,将行动领域重构为课程,每门课程对应某一行动领域,专业的课程体系涵盖了职业所需的所有行动领域。学习领域必须体现工作过程的六要素。确定学习情境,学习情境是根据职业特征和思维的完整性,将学习领域分解为主题学习单元。课程的所有学习情境必须实现本学习领域对应行动领域的工作任务,这些情境之间以平行、递进、包容的方式共同完成任务。每个学习情境的设计必须体现工作过程的六个步骤。从行动领域的归纳,到对应的基于工作过程六要素的学习领域的确定,再到基于工作过程六步骤的学习情境的设计,这样的课程开发才能体现工作过程的综合性、动态性和稳定性,从而有效实现高职课程的教学目标。

三、教材的编写形式

高职基于工作过程课程在很大程度上要通过外化,特别是自然的交谈方式,把隐性知识用其他人能够理解的方式表达出来。因此,基于工作过程课程教材的开发,应从阐述式转变为对话式。教材的叙述方式要由原来的知识阐述变为与学习者的对话。

工作过程导向的课程开发对配套教材提出了新的要求。传统的以理论知识逻辑排序的教材内容组织方式或单纯以项目开发流程排序的方式,都不能很好地体现工作过程的综合性、动态性和稳定性。编写工作过程导向的教材,首先要根据行动领域确定课程的学习领域,明确完成岗位特定工作任务的工作过程六要素。其次要能够设计完成任务所必需的教学情境,每个教学情境按照特定岗位工作过程的步骤进行组织,其中包含情境的描述(即工作环节呈现)、完成情境任务所必需的理论知识、情境的设计思路(即如何呈现环节)、情境的实施思路(即计划环节)、情境任务的操作(即实践环节)、完成情况的分析和测试(即检查评价环节)。与工作导向课程配套的教材,必须满足三个基本要素。根据行动领域确定课程的学习领域,学习领域的确定体现工作过程的六要素。设计完成任务所必需的教学情境,每个教学情境体现工作过程的六个步骤。能以合理的次序对教学情境排序,有效实现行动领域的工作任务。

基于工作过程的"五步法"项目化教材设计思路见表2-2。

表2-2 项目化教材设计思路

步骤	内容
一	确定课程的目标定位
二	根据课程目标确定行动领域的工作任务
三	选用恰当的载体项目作为学习领域,体现工作过程的六要素
四	基于工作过程的六个步骤设计教学情境
五	按照项目设计逐步深化的方式排序各情境来实现行动领域的工作任务

教材要有"声音",要有对象学生。为了便于引导学生通过角色扮演、思维导图或小组

讨论等方式主动学习,教材应用学生易于接受的方式表达教育目的,用插图、图表甚至漫画的形式说明深刻的道理。版面要疏朗有致、富于变化;图表设计应美观、手段丰富;插图运用得当、与文字协调呼应。总之,表现方式上尽量做到图文并茂、形式活泼。

第三节　船舶动力工程技术
劳动教育务实与创新

劳动教育是社会主义教育制度的基本组成部分,船舶动力工程技术专业结合文件精神、专业特点,开展符合职业劳动需求的课程改革,有利于提高人才培养质量。2020 年 7月,教育部印发《大中小学劳动教育指导纲要(试行)》(以下简称为《纲要》),指出职业院校应重点结合专业特点,增强职业荣誉感和责任感,提高职业劳动技能水平;专业课在进行职业劳动知识技能教学的同时,注重培养"干一行爱一行"的敬业精神,吃苦耐劳、团结合作、严谨细致的工作态度。这为高职专业劳动教育的内容、目标、方式提供了明确的指导,激励船舶动力工程技术专业应对职业发展、劳动教育、课程思政等新时代需求,开发专业课程。

一、船舶动力工程技术专业课程创新目标

在《纲要》的指导下,船舶动力工程技术应开展基于劳动教育的"内赋能、外引领"专业课程改革,注重知行合一、突出教育实效,强化职业劳动观念、凸显专业劳动技能,实现"强点带面强观念、立足专业增技能、道术共济促均衡"的目标。

"强点带面"实现专业课程的劳动观念"外引领"。结合船舶动力工程技术专业特点,在提高职业劳动技能过程中,培养工匠精神,培育吃苦耐劳、团结合作、严谨细致的工作态度,增强学生的职业荣誉感和责任感。一是船舶动力工程技术专业课程"以点带面",对专业教学"点",从"观念、技能"两个维度,衡量个体"点"的职业劳动,对于"家庭、产业、社会"面上的影响。二是船舶动力工程技术劳动教育"以面连点",通过课程的专业化劳动,结合"产业、社会"劳动环境,特别是船舶工业生产现场,发挥协同效应,为船舶动力工程技术学生的劳动技能应用提供学习环境与客观评价,阶段内化、长久促进。三是学生在"强点带面"的专业劳动、社会劳动中,形成劳动价值判断,从而促进其生成正确的劳动观念,提高职业劳动水平,产生良好的社会劳动面貌。船舶动力工程技术专业课程劳动教育的"外引领",在"观念、技能"维度上向外发展,在"面"上与社会生态相当,基本在民族生境之内,互有交错。通过专业劳动与实践,学生从普遍联系原理出发,能够对个体劳动、社会生产产生全面正确的认知,牢固树立劳动最光荣、劳动最崇高、劳动最伟大、劳动最美丽的观念,达到崇尚个体劳动、尊重他人劳动、热爱社会劳动的成效。

"立足专业"实现船舶动力工程技术专业课程的劳动教育"创新赋能"。在敬业、团结、合作、严谨、细致的工作态度引领下,结合船舶动力工程技术专业劳动特点,强化职业荣誉感和责任感。在专业课程中,进行职业劳动知识、技能教学,提高职业劳动技能水平。紧密围绕船舶动力工程技术职业技能需求,在"观念、技能、思政、意识"的"四维四向"上,对学生

进行职业劳动能力建设，使其具有"实干兴邦"的基础劳动能力和创造性的劳动能力。将专业能力、专项技术与劳动教育互融，特别是通过体力劳动，强化学生的专业劳动实践，增加体验、脑体共用，用劳动的汗水，培育蕴含劳动观的"思政"能力，将专业技能、思想情感通过专业性的劳动过程向学生赋能。

劳动观念为"道"，劳动技能为"术"。在"四维四向"上，道术结合形成了道高术精的专业核心劳动能力、道高术细的职业基础劳动能力、道平术精的职业通用劳动能力和道平术细的行业一般劳动能力的能力布局，在改革中追求劳动观念、技能的均衡，促进专业人、职业人向社会人的发展。通过课程改革，在劳动能力布局上创新，形成良好的劳动能力结构，拓展职业发展空间。

二、船舶动力工程技术专业劳动教育课程创新实践

船舶动力工程技术劳动教育专题必修、专业融通，劳动专题必修课凸显普遍劳动精神与规范，船舶动力工程技术专业课突出职业劳动技能与观念。根据《纲要》要求，职业院校需要开设不少于16学时的劳动专题教育必修课，主要围绕劳动精神、劳模精神、工匠精神、劳动组织、劳动安全和劳动法规等方面开展劳动专题教育。高职院校应对照要求，结合本校专业布局，制订专业劳动教育整体方案，落实专题必修课，促进教师在课程教学中融入劳动教育内容，提升学生专业劳动知识和技能。船舶生产劳动贯穿专业课程重构，船舶动力工程技术专业课程是职业劳动的实施载体，结合船舶动力工程技术专业特点，进行专业课程改革，不仅是对专业课程扩建劳动内容、叠加劳动观念，更要重构课程内容、完善实施方式、优化课程评价，提高职业劳动技能水平，培育积极向上的劳动精神和认真负责的劳动态度。在课程内容上，紧密围绕培养船舶一线技术技能人才目标，将船舶动力工程技术专业特点、职业劳动特征溶解到专业课程中，以工业生产劳动任务为引领，重构船舶动力工程技术专业课程。职业能力包括社会能力、方法能力、专业能力，每项职业能力由多门课程承载，每门课程可以培养不同的职业能力。在课程目标中，明确学生的智慧技能、职业劳动、思政水平，从而将目标细化、分解、落实，注意知行合一、重在课程实效。在专业课程中，实现同向、同行的协同育人效果，突破片面依靠劳动专题课、思想政治课的情况。通过生产劳动任务落实在课程内容上，推动每个生产任务对应的"智慧、劳动、思政"目标，从而通过生产性的专业劳动内容，培养学生的社会能力、方法能力、专业能力。在实施方式上，凸显职业教育的实践特征，扬弃"理论+实践"的方式，实现"理实一体化"，加强校企融合，提供专业课程劳动实施环境。通过随堂方式落实分解的专业劳动小环节，在校内基地开展专业综合性的劳动实践，在校外基地中开展生产性的专业劳动实践，从而由易到难、由单一到综合，从强技能到塑观念，最终观念技能并举，以生产劳动创造专业价值。

生产劳动任务引领专业课程的横向建构、纵向解构、纵横衔接，将船舶动力工程技术专业劳动教育融合到专业课程中，落实在专业课堂上，在专业劳动中培养学生正确的劳动价值观和良好的劳动品质。在生产劳动任务的横向建构中，健全职业劳动技能类型。充分发挥工业生产系统连接特点，通过横向"理实一体"课程，拓展学生职业劳动技能的广度和宽度。基于工作过程系统而非针对某个体企业开展课程设计，结合船舶动力工程技术专业生产，将课程分解成典型劳动任务，做到横向有序衔接，使专业课程的横向建构能够基本覆盖

本专业领域的典型任务,从而塑造专业劳动能力和观念,保障专业人才在该领域内的普适性,提升专业劳动能力。在生产劳动任务的纵向解构中,丰富职业劳动技能层次。通过纵向承载课程的教学实施,实现课程教学的分项目标,培养学生职业劳动技能的精度和深度。将典型的生产劳动任务教学细化为不同的职业劳动能力落实在课程目标中,促进学生在课程分解的劳动环节中,不断强化提高专业核心劳动能力。通过劳动任务的纵向解构,持续改进与提升劳动技能点,保障专业人才在该领域内的精湛性,促进专业劳动能力"精深"。在生产劳动任务的纵横衔接中,树立职业劳动观念。课程纵横衔接映射技术发展、业态创新与产教融合,通过专业课程开展职业劳动技能培养,优化劳动教育实施、评价,在"做中学",避免劳动教育变成 VR(虚拟现实)学、AR(增强现实)练、课堂听、课外看,杜绝虚假、形式、走过场。以专业课程中完成生产任务的体力劳动为主,手脑并用、安全适度,让学生亲历劳动过程,感受专业劳动的平凡与伟大,促进学生专业劳动技能、劳动观念的"融会贯通"。

船舶动力工程技术专业课程的劳动教育,不同于基础教育的增加课程、配备师资,而是通过专业教师对课程目标、内容、实施、评价进行建构,提高运行保障。推动学生主动参与劳动教育,引领专业课程重构与实施,通过广泛参与专业课程学习,在学习专业知识、掌握专业技能过程中,提升职业劳动能力,改善社会劳动素养。学校层面,应完善人才培养方案,改进课程标准,健全职业劳动技能评价方式;加大船舶动力工程技术实践、实训场所建设,包括校内实训室、校外实践基地建设,为劳动教育提供硬件设施支持;加强师资能力建设,不断完善、提高专任教师的专业实践技能和劳动育人、课程思政能力;吸纳社会优秀劳动者进入教师团队,引进劳动模范、技能大师、荣誉教师、行业翘楚等作为行业指导教师。教师层面,应对职业技能、专业教学、劳动教育进行再认识,充分梳理其间的关系,以融合视角优化教学实施;加强新时代劳动教育观、课程思政的学习,提升个人综合素质;加大与产业对接的力度,直接与生产现场相结合,将生产劳动任务转化为职业教学内容,加大课程开发的针对性、实用性;提升专业教学、劳动教育、课程思政的评价能力,发挥评价的促进作用,通过教学评价引领学生不断拓展劳动能力,实现职业技能的全面发展。学生层面,应深刻理解职业教育的人才培养目标、教学路径,抓住课程、课堂节奏;加深理解劳动教育的内容、方式,抓牢职业劳动技能教学环节,通过实践提升个人的专业劳动能力;加强个人专业能力的纵向、横向积累,抓稳"专创融合"机遇,拓展个人职业生涯的空间;促进个人专业的自我劳动评价能力的提升,实现个性诊断、创新发展和互联网+创新融合。

第四节 船舶动力工程技术课程教学改革实践研究

随着科技的飞速发展,进入信息社会,每个人的学习、工作、生活及思维方式将发生变化,网络教学成为当下教学改革的潮流和发展趋势。《国家中长期教育改革和发展规划纲要(2010—2020 年)》中明确提出发挥网络学习的特点,通过"两新一改"提高教学效果,"两新"是网络教学模式创新、通过教学观念更新,"一改"是指教学方法改进。超星泛雅是以"平台+资源+服务"为基本研发理念,是一种个性化、因材施教的高效教学管理模式,是对传统教学模式的重大创新，突破传统"面授"教学局限，实现"跨时间""跨地域"的"在线"互动交流平台，实现"随时随地"高效、便利"线上"+"线下"教学。网络教学平台首先满足"易用""稳定""健康""可靠"，同时可以培养学生自主学习能力、提升老师教学效率、优化院校教学管理。

一、"终身职业教育"

早在两千多年前，教育家孔子就打破"学在官府"的传统，把教育办到了民间，提倡终身教育。著名的教育家亚里士多德主张使全城邦的公民都"受到同一的教育"，苏格拉底和柏拉图等的教育思想中体现了终身教育理念。终身教育理论的积极倡导、理论奠基人法国保罗·朗格朗，把终身教育当成"开创美好生活"的重要途径，他认为要优先考虑终身教育的地位。瑞典经济学家莱恩的"回归教育"设想，其理论基础是在迅疾变迁的社会中学习，学习不仅是少数特殊人物的终身需要，而且是全体社会成员的终身需要。美国教育思想家赫钦斯提出"学习社会"的观点，他认为完善人格，实现人的价值是学习社会的意蕴所在，每个人都应该终身学习。我国面向21世纪教育振兴行动计划中提出"终身教育论的中心思想"，2015年联合国教科文组织通过的《仁川宣言》和《教育2030行动框架》中，阐述了终身教育的理论原则。终身职业教育具有终身、全民、广泛、灵活、实用的特点，终身教育强调的是动态、创新、与时俱进。师生关系将具有民主性、平等性、开放性的特点。世界主要国家在终身教育方面的发展见表2-3所示。

表2-3　世界主要国家在终身教育方面的发展

国家	中国	法国	德国	美国	日本
终身教育方面的发展	1979年出版了《终身教育研究》。1995年3月1日第八届全国人民代表大会第三次会议通过了《中华人民共和国教育法》，首次用法律的方式确定了终身教育在我国事业中的地位。	1947年的郎之万改革方案、民众教育。1956年颁布了《关于延长义务教育年限和公共教育改革方案》。1968年的《高等教育基本法》，首次把终身教育的概念载于法律条文，并将终身教育作为大学的义务	1970年，德国教育审议委员会制订了"教育制度结构计划"。1990年联邦议会的研究委员会发表《未来的教育政策：教育2000》总结报告书。1994年联邦议会提出"联邦法令规章与全国扩展继续教育成为第四教育领域基本原则"。	1966年《成人教育法》颁布之后，1976年美国又颁布了《终身学习法》，主要进行社区学校的成人职业培训、企业的开放学校补偿教育	1981年，日本中央教育审议会在《关于终身教育》的咨询报告中提出运用终身教育的观点。1988年设立终身学局。1990年颁布和实施了"关于终身学习振兴措施与推进体制等的整备法律"。1996年日本终身学习局发布了一份题为"改善社区终身学习机会的措施"

表 2-3(续)

国家	中国	法国	德国	美国	日本
	1999 教育部"面向 21 世纪教育振兴行动计划"提出"终身教育论的中心思想"		1998 年,德国提出了"终身学习的新基础:继续扩展继续教育为第四教育领域"。2000 年联邦议会提出"全民终身学习:扩张与强化继续教育"		

世界主要国家在终身教育方面采取的措施比较见表 2-4。

表 2-4　世界主要国家在终身教育方面采取的措施比较表

国家	中国	法国	德国	美国
终身教育方面采取的措施	终身教育的发展比国外的发展要慢得多,虽然现在政府为促进其发展鼓励一些私人或企业对其进行投资,同时自己也做了部分投资,但目前我国还处于起步阶段,还需继续推进并发展	终身教育实践具有悠久的历史,其中政府与企业也做了相当大的投入,如对于受雇人员享有"带薪学习假期"的权利,所需经费由企业和国家共同承担。政府制定的各种相关法案为终身教育的发展铺平了道路,开了绿灯。经过较长时间的发展,他们有了更成熟的方案,更科学的管理体制	终身教育的发展起步相对较晚,20 世纪 80 年代之前其发展并不明显,90 年代以后由于国内失业率的影响及政府出台的一系列相关政策推动了终身教育的发展	终身教育的发展可以说是借了成人教育发展的东风,它们间发展是紧密联系的。美国联邦政府在推动终身教育发展前期做了不少工作,制定了一系列条令详细的法案。联邦政府积极参与终身学习项目的实施,但由于国会并没有对有关项目拨款,实质上政府对终身学习发展的投入非常有限

二、"互联网+终身职业教育"

国内"互联网+"概念可以追溯到 2012 年于扬在易观第五届移动互联网博览会的发言,于扬首次提出"互联网+"理念,他认为在未来,"互联网+"将广泛应用于各行业的产品与服务。对于"互联网+"马化腾理解阐述为把互联网、信息技术、传统行业等各行各业有机融合,创造新领域,构建一种为人类协调发展、和谐发展的"新生态"。2015 年李克强总理在

《国家教育事业发展"十三五"规划》中,首次系统阐释"互联网+教育"的内涵、外延、建设设计、实现路径等。"互联网+教育"让传统教育更具有生命力、活力,且不会取代传统教育,通过现代技术与传统教育融合,适应现代化教育的发展。利用互联网技术可以方便实现随时随地学习,只要有网络,学习就不受时空的限制,可以实现"处处可学";利用互联网技术实现"团队小组学习",促进个体的发展;互联网技术把"终身教育资源"变得更丰富、可以共享、利用度更高,只要想学就有专业指导、解惑;传统教育与互联网结合可以创新学习模式,进行"探究学习""反思式学习""应用技术技能力学习"等。现代社会已经进入知识、信息、智能时代,终身教育对学生的职前、职后贯通,学生的持续发展有重要作用,使学生实现"获得感"。

三、船舶动力工程技术建设与实践

1. 基于超星网络平台船舶动力工程技术建设

超星网络平台主要包括课程介绍、教学方法及教学手段、教学效果、参考教材、教学资源、课程章节等。教师可以利用超星网络平台进行长期的课程循环建设。新课程理念的核心思想是"一切为每个学生的发展"。目前高职学生的差异化及个性化突出,教学内容设计应循序渐进,采用任务方式设置内容,任务包括基本任务、讨论任务、拓展任务等。基本任务的设置中,原则是照顾不同学生的特点、需求,循序渐进、由表及里、由浅入深,同时考虑任务的大小、大任务分解、知识点的难度、知识点前后的融合等多因素。讨论任务要注意给学生留一定的探索和自我开拓的空间,培养学生创新能力、技能技术素养,讨论任务要求在职专家、毕业在职的学生参与,改善讨论的针对性、时效性。拓展任务主要目的是了解行业最新动态、行业发展最新成果、行业发展方向,培养自主学习的能力同时积累社会经验等。泛雅网络教学综合服务平台是利用网络拓展传统教学模式,能更好地进行知识学习,提升个人素养及自主学习能力。课程建设最重要的是船舶动力工程技术教学过程:课程基本信息维护、互动活动组织、学习效果评测和课程组织与管理,船舶动力工程技术可以进行纯网络、混合模式、网络辅助多种教学模式。在校学生、毕业学生均可利用平台登录课程网站,进行课程基本任务、讨论任务、拓展任务、话题讨论等学习活动,可查看应用基于超星网络平台船舶动力工程技术教学资料,教学资源每日更新,可随时随地进入学习社区分享交流,打破时间及空间限制。

2. 船舶动力工程技术教学实施

超星网络平台船舶动力工程技术与传统课程相结合,通过课下与课上相结合,以学生为主体,教师为主导模式,根据课程灵活运用学习通手机版的活动库。活动可包括签到、问卷、投票、选人提问、临时任务添加、课程评价、讨论、在线课堂、课程直播。通过"投屏"及时呈现教学全过程,利用活动库辅助教学,上课前3分钟可以发表签到,了解学生出勤情况,签到可是多种模式,比如普通签到可以要求学生上传自拍照或不要求,特别新班级第一次上课建议使用上传自拍照模式签到,方便教师对学生情况进行了解。另外还可以采用手势签到,类似手机锁屏后输入要求的手势才可以利用手机,所要求手势教师可以任意设置,然后告诉学生,进行签到。签到还可以利用位置签到、二维码签到。上课后,学生打开课程章节,课程章节内容类似传统PPT功能。教师可以对学生课下任务掌握情况进行检查,通过

"选人"模式提问,根据回答问题情况给学生加分,对简单问题采用"抢答"模式,根据抢答顺序加分有所不同,可以预先设置第一名5课堂积分,第二至五名设置3课堂积分,教师要控制课堂提问时间,一般为5~10分钟,然后对任务难点及课下练习错误率高的知识点重点讲解。对知识的和对职业精神方面的掌握,采用直播模式,并让学生复习,锻炼学生的综合素质。定期邀请行业专家及优秀毕业生与在校生互动,巩固提高学生对知识及技能的掌握,根据课程建设中的任务逐渐完成教学任务。临近下课利用1~5分钟时间让学生进行自评、互评、对课程内容评价和对教师评价,完成课程教学。

3. 船舶动力工程技术"学情分析"

学情分析是教学的主要环节,教师只有了解、熟悉学生对课程的参与情况及对知识的掌握情况,才能对"后进生"进行督促学习;教师分析学生的各种情况,指导学生完成各项学习活动,进而做到有的放矢。超星学习通统计主要包括任务点监控、章节学习访问量统计、章节测验统计、学生管理、成绩管理、督学、课题活动及课程积分统计,如图2-10所示。

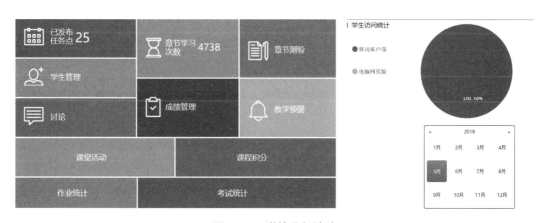

图2-10 学情分析统计

学生对课程的积极性可以通过学生访问课程进行统计。通过统计发现在2018年1月船机15-3班学生有93.69%通过手机对课程进行学习,有6.31%的学生利用电脑进行课程学习,说明目前学生使用智能手机的频率远远高于使用电脑。

学生利用学习通进行一月的频次统计,如图2-11所示。在2018年1月9日、1月10日、1月18日学生访问量猛增,查看教师课表发现,这几天学生上课,而其他时间访问差异很大,说明学生自主学习的积极性有待提高,学生对课程学习的主动性有待加强。特别是1月10日有我校优秀毕业生交流互动环节,说明学生对今后工作的关注度、热情很高。

通过学生课程任务分布、成绩分析,发现视频任务占总任务的77.78%,学生完成视频任务情况如图2-11所示,不同学生能按照要求完成任务,部分学生反馈比到300%以上,说明学生的学习的积极性很高,同一个任务视频观看3遍以上。章节测验任务占总任务的22.22%,但完成情况远没有视频任务理想。说明学生对5~10分钟的视频比传统文字习题练习感兴趣,为了避免文字习题练习枯燥、学生不感兴趣,教师采取交互理念,对视频进行编辑,视频播放2~3分钟出现文字习题练习,只有完成章节练习后才可以学习后面的视频任务,采用视频与练习相融合交互模式,提高学生的知识掌握水平。学生成绩基本满足正态分布,对于部分学生成绩不理想,应加强督促,给予更多的关注、爱心、帮助。

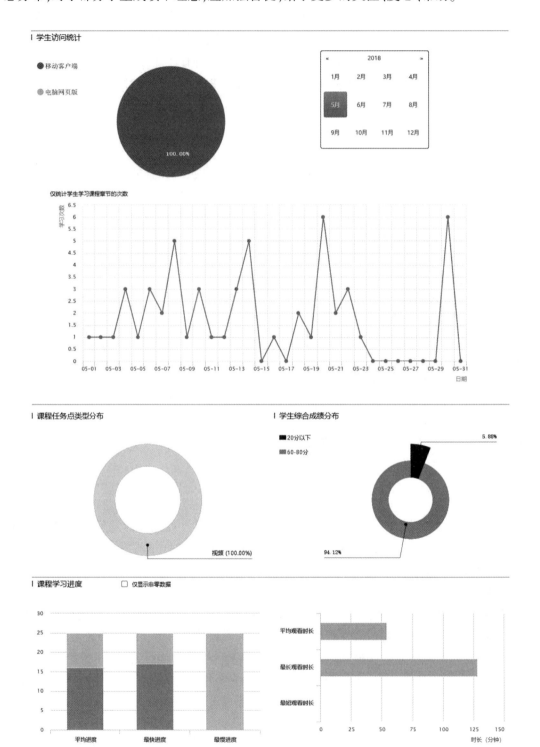

图 2-11　学生课程任务统计分析

4. 船舶动力工程技术建设展望

随着时代的发展,评价老师的标准不应该仅限于教师"教得好",还应该从学生"学得好"角度评价,学生通过课程学习,实现"软目标"即职业道德、工匠精神、创新精神,实现"硬目标"即专业知识、专业技能、专业能力。课程内容应该与时俱进,随着科技的发展,教学内容随之更新,更新的依据来源于行业标准、行业最新发展需求、行业的最新成果等,通过交互评价系统,借助学生、企业员工(或毕业学生)、专家等多元评估课程有效性,根据评价反馈进而改进课程的内容,这方面单靠教师的能力无法完成,建议国家进行政策支持及学院资金支持、企业联合共同促进创建能够实现终身职业学习的核心课程。

网络技术改变学生的学习方式、学习时空,学生在短时间内掌握更多的技能、知识,通过网络可以向行业专家咨询,提高学习效率。面向 21 世纪的终身职业学习,是培养匠心精神的保证。通过网络课程的建立和使用,学生在校期间、学生毕业后终身学习、生活、事业发展都受到学院、教师的关注,毕业生可以指导在校生的学习,是在校生的精神依托和力量支柱。通过船舶动力工程技术的建设、教学实施、学情分析、评价反馈、课程改进等环节,验证互联网+终身教育模式是可行的,利用互联网与传统课程结合更有利于提高学生的积极性,更有利于学生的全面发展。

第五节　船舶动力工程技术课程
思政建设与实践研究

以习近平新时代中国特色社会主义思想为指导,资源管理课程思政的目标是"立德树人"中传授知识、技能。课题侧重培养学员、学生的新时代核心价值观、服务社会信念、理想、责任,培养学员、学生的创新理念、务实作风、匠心精神,理论知识、实践技能并重,全面提高学生缘事析理,使学生成为德才兼备、新时代社会需要的职业素质高、技能精湛、行业企业认可的高素质技能型人才。课程思政建设与实践基于互联网+技术,现实专业、系部、学院、行业、企业形成育人合力。充分发挥学院教育的主导优势,加强系部、专业课程建设的基础作用,挖掘行业、企业教育的育人功能,发挥育人的综合效应。

课程思政的课堂教学是育人主要渠道,通过课程思政教学改革创新与新时代融合,基于课程改革核心环节,资源管理课程思政建设实现思政与职业共进,协同一致,贯穿于学院教学全过程中,将教书育人通过"主渠道"完成。通过资源管理课程思政提炼、挖掘企业、行业感人轮机工程案例、教学资源,发挥课程育人功能,实现教师育人职责。

通过基于互联网+新时代资源管理概论课程思政建设与实践研究,总结经验、挖掘资源管理德育教育元素,深入提炼、挖掘资源管理教材中的育人点,与课程专业知识点融合,课程中的技能要素与中华民族伟大复兴理念融合,践行课程育人中心使命,在资源管理课程标准的制订、上课等教学环节中对学生进行相应的学科思想品德教育,使德育渗透于实践,从直观经验上升到系统教育理论,总结研究经验,推广到船舶行业其他专业课程的课程思政建设中。

基于新时代课程思政建设要求，职教教师课程思政素养的提升至关重要，研究职教教师素质、素养提升路径，对教师职业发展具有借鉴作用。

基于互联网+新时代资源管理概论课程思政建设与实践研究，总结经验、挖掘资源管理德育教育元素，深入提炼、挖掘行业企业中的思政育人理念，在教书育人中渗透学生知识、技能学习、训练过程。

首先，研究新时代课程思政建设包括课程思政建设宏观路径、课程思政的微观路径及课程思政的诊改思路等。

其次，融合资源管理课程国际标准、行业企业标准、新时代要求，使德育渗透于实践，从直观经验上升到系统教育理论研究方法，通过文献研究法，对课题相关领域文献收集、鉴别、整理、研究，精选适合课题有关的内容、方法、创意，对资源管理思政元素进行挖掘，指导课题的研究。

通过现场观察法针对高职学生职业思政素养要求，对一线工作现场进行观察，对资源管理课程需要掌握的技术程度和企业理念梳理、总结、提炼课程思政元素。通过个案研究法对资源管理案例、先进模范事迹进行分析，总结规律性，丰富资源管理课程思政元素。

再次，通过资源管理课程思政建设与教学实践，课程标准分析，教材标准建设，网络课程建设及实践，对历史、当代先进事迹进行分析研究，适应新时代变化，使课程思政建设与实践与时俱进，开发资源管理网络课程并应用于教学，进行实证研究。

最后，对新时代职业教育素质提升路径进行研究，展望未来职教教师的能力素质。

一、概念界定

1."课程思政"

课程思政是"大思政"范畴，是一种综合教育理念，通过专业课程与思政课程有机融合，使学院教师、企业导师、学生助教共同参与，课程教学全程渗透，最终形成全课程育人，与传统思政课程形成协同效应，把"立德树人"作为教育的根本任务。在美国思政教育强调"美国优先"及美国精神，通过美国总统、媒体、学院多渠道引领美国国民实现对"国家忠诚"，在院校教育方面一贯培养学生的"民族精神"，对于勇于开拓进取的精神大力鼓励，树立学生强烈的民族自尊心、自信心。德国在思政教育方面，通过院校培养学生"民族精神""匠心精神、诚信精神、劳动光荣精神"，培养学生勇于追求理想、信念，以及具有强烈的民族自尊心。新加坡通过国家意识教育合理地融入思想政治教育中，以"以国家为上、奉献社会"为主体思想，并注重家庭位置，关爱社会，共同前进；提倡团结合作，求同存异，各民族之间和谐相处。

韩愈在《师说》中指出"师者,传道授业解惑也"，他把"传道"放在首位。中国科学院院士杨福家认为最重要的是懂得如何做人，始终把国家、人民利益放在首位，并要博学、优雅。上海市教卫工作原党委书记虞丽娟认为"课程思政是专业知识传授与价值观教育同频共振，是推进教师教书育人有机结合的现实路径"。高职教育研究所教授邱开金认为，课程思政强化课程的教育性，是一种教育理念，一种科学的思维方法，要形成课程教学"大思政"的新格局，把思想政治融入专业课、实践及其教育活动中，课程思政是培养人的专业技能、政治素养与国家意志高度统一的方法。格力电器董事长董明珠指出"没有人才,一切归零,没有道德,人才归零"。"教师要坚持教育者先受教育,努力成为先进思想文化的传播者、党执政的坚定支持者,更好担起学生健康成长指导者和引路人的责任"。课程思政建设是教师回归课程、潜心教书育人的初心。专业课的思政目标是"专业知识与技能"与"育德育道"融合。2015年12月习近平在全国高职院校思想政治工作会议上强调要用好课堂教学这个主渠道,各门课都要守好一段渠、种好责任田,使各类课程与思想政治理论课同向同行,形成协同效应。基于互联网+新时代资源管理课程思政建设与实践研究,有利于德育渗透的教学氛围的形成。将德育纳入教育综合改革重要课题,逐步探索从思政课程到课程思政的融合,其核心是坚持"育人为本、德育为先",培育和践行社会主义核心价值观有机融入整个教育体系,全面渗透到教育教学全过程,在教学日常管理之中,把课程思政建设在"落小、落细、落实"上下功夫。课程思政通过专业课教师在传授专业知识的基础上引导学生将所学的知识转化为内在德行,转化为自己精神系统的有机构成,转化为自己的一种素质或能力,成为个人认知、改造世界的基本能力和方法。习近平在高职院校政治思想会议上指出高职院校立身之本,在于立德树人,要把立德树人贯穿于教育教学全过程,把思想教育和文化素质的培养贯穿于课程的教育过程中,实现全过程育人、全方位育人。使显性教育和隐性教育相结合,发挥思想政治理论课程在社会主义核心价值观教育中的核心地位,实现全方位的"大思政"的教书育人目标。课程思政是创新发展传统教育理念,是突破"知识""思政"并行发展的教育范式,搭建了全功能的育人载体,明确了思政理论课、专业课、基础课等对学生思政教育过程中应该承担的功能定位。

2."新时代"

党的十九大标志着中国特色社会主义进入了新时代,科技飞速发展,互联网+、大数据、人工智能应用也越来越广泛,这些科技领域的热词似距离教育很遥远,但教育不能两耳不闻窗外事,作为教师,要认真思考这些问题,要跟上学生需求的步伐。

3."互联网+"

利用互联网技术可以方便实现"处处可学",只要有网络,"学习"不受时空的限制;利用互联网技术实现"团队小组学习",促进个体的发展;互联网技术把"课程思政元素"变得更丰富,共享、利用度更高,只要想学就有专业指导、解惑;传统教育与互联网结合可以创新学习模式,进行"探究学习""反思式学习""应用技术技能力学习"等。现代社会已经进入知识、信息、智能时代,课程思政对学生的职前、职后贯通,学生的持续发展有重要作用,使学生实现"获得感"。

4."资源管理"

国际海事组织(IMO)在2010年6月通过了《STCW公约》马尼拉2010修正案,该修正案将资源管理的知识和技能作为轮机部高级船员的强制性适任标准,见表2-5。为了满足该国际公约对船员适任的新要求,我国特开设资源管理课程培训,将其作为轮机工程技术专业的一门专业核心课程。资源管理中心目标是保证船舶安全、高效航行,为了轮机部全体船员组建和谐高效的团队,在日常工作中、维修保养中、备件及货物申购中,通过管理、计划、协调、沟通实现目标,使船员在船舶海上航行特殊的环境下学会压力控制、评估、决策,防止人为事故的发生,通过定期的培训、演习培养船员的情景意识,培养船舶危险、特殊情况下分析、处理问题的能力、技巧。课程培训基于船舶生产一线的实际工作可能发生的或日常工作的关键性事件为依托,训练船员的特殊技能和良好的心理素质。随着航运科技的发展,一大批新技术、新设备、新工艺应用于船舶,船员应与时俱进,熟练掌握使用、操作、维护这些设备的技能,这也是该课程的重要任务。

表2-5 资源管理课程国际标准

认知标准	能力标准	素质标准
掌握资源的组成与管理方法; 熟悉国际国内各公约、规则、规定的内容	能对各资源做合理的分配和分派; 能进行有效的内外沟通; 能对团队有效领导; 能对国际国内公约、法规正确执行	具有良好的职业道德; 具有良好的沟通、组织、协调等人际交往能力; 树立积极向上的人生价值观; 具备团队协作能力; 具有较强的安全意识; 具有安全、环保和海事执行公约的能力

二、问题的提出

1. 课程思政建设

基于"三全育人"理论,如何进行课程思政建设?

2. 课程思政实践

如何在新时代开发课程思政,避免或解决"思政课"与专业课程之间产生"两张皮"的现象?

3. 资源管理课程思政元素

资源管理课程的思政元素如何挖掘,如何应用于网络化、信息化教学中?

4. 教师素质提升

职教教师如何提高课程思政素质能力,适应新时代发展要求?

三、研究依据

1. 课程思政建设时代背景

十九大报告指出教育是发展的根本,教育强国是中华民族复兴的基础,需优先发展。深化教育改革,并且强调把科技创新放到重要位置,强调人才的重要性,并对青年寄予殷切希望,要进一步牢固树立"四个意识",践行使命担当,使课程教学发展方向与党和国家发展的现实目标和未来方向紧密结合。

2. 课程思政建设政策依据

贯彻落实习近平新时代中国特色社会主义思想,践行发扬习近平在全国高职院校思想政治工作会议的重要指示,进一步深化课程思政教学改革建设工作。2019年8月中共中央办公厅、国务院办公厅印发了《关于深化新时代学校思想政治理论课改革创新的若干意见》。

3.课程思政实践的理论依据

研究基于马克思主义教育理论。该理论认为思政课程是社会发展的必然,是教育理念创新,是思想政治教育自身复杂性本质与实现课程系统性、协同性的耦合,是课程理性价值与实践价值的统一,是认识与实践的统一。

研究基于习近平新时代中国特色社会主义思想铸魂育人理论。该理论从发展中国特色社会主义全局出发,对教育工作提出了一系列新理念、新思想、新战略,在教育的地位、功能上,强调"始终把教育摆在优先发展的战略位置",教育发展方向是"发展具有中国特色、世界水平的现代教育",人才培养目标是"坚持把立德树人作为中心环节",教育发展价值追求是"以教育公平促进社会公平正义",教育发展动力是"大力推动教育改革发展"。从民族振兴、国家强盛的使命高度,教师是"立教之本、兴教之源",把握信息时代社会发展的新特点,要求"坚持不懈推进教育信息化",遵循文明传播和发展规律。

研究素质教育理论。该理论的核心是"创新"和"实践",课题研究把新时代的特点与国际化标准的专业课程相融合,进行课程思政"育人",课题研究侧重实践,进行课程思政建设、实践路径研究,课程内容设置侧重企业、行业现场工作情景,理论与实践融合。

四、研究内容

(1)新时代课程思政建设。

(2)资源管理课程思政建设、实践、分析研究。

(3)新时代职教教师发展。

五、研究过程

1.新时代课程思政建设

研究分析资源管理课程思政建设是新时代的要求,我们要分析研究课程思政建设的宏观、微观路径。基于研究内容,应进行文献的收集、鉴别、整理、研究。对于课题,应进行行业、企业调研,并对资源管理思政元素进行挖掘。确定课程思政资源管理人才特色,调研分析学生的思想特点,分析船舶行指委及企业用人特点,设计教学内容及教学方法,制订评价标准,对评价标准进行论证,实践评价课程思政效果,根据反馈情况、改进课程的闭环循环,如图2-12所示。课程思政建设应结合资源管理课程特点,挖掘德育元素,进行非体系化、系统化的教育,坚持实事求是的原则,挖掘专业思政元素,利用创新思维、突出重点、检验效果要注重实效。

(1)课程思政建设宏观路径

①课程思政与时代融合

党的十九大报告指出"建设教育强国是基础工程,必须把教育事业放在优先位置,深化教育改革,加快教育现代化,办好人民满意的教育",并且强调了把科技创新放到重要位置,强调人才的重要性,并对青年殷切希望,要进一步牢固树立"四个意识",坚定"四个自信",践行使命担当,课程教学发展方向与党和国家发展的现实目标和未来方向紧密结合,明确了思政理论课和其他各类课程对学生思政教育过程中应该承担的功能定位。

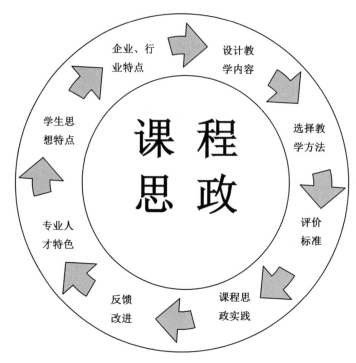

图 2-12　资源管理课程思政设计

②课程思政与互联网+技术融合

随着科学技术的不断进步,互联网+走进多个领域。互联网+教育,是一种新型的教育形态,在教学过程中,把科学、技术、教学和工程的学科综合在一起,来解决实际应用的问题。传统的教育教学比较单一,比较标准化、规则化,难以满足学习者灵活、个性、优质的教育教学需求。传统的教学模式跟现代的开放、灵活、多样的方式产生了冲突,这样势必要有教学的变化和改革。互联网+教育,通过学与教的交换过程,有助于新知识的发现、新价值的创造、新能力的提升、新业态的形成,有助于为学员、学生提供丰富、健康的学习资源。基于互联网+教育资源的配置与投入,建立完整健全的教育教学网络,互联网+时代推动了教育教学的变化和创新,将之前供给方驱动的教育服务转化为消费驱动的教育服务。

(2)课程思政建设微观路径

专业课的专业发展历史、课程核心内容、专业发展现状、专业发展趋势等内容,与思政课程的政治信仰、理想信念、价值理念、道德情操、精神追求、科学思维等进行融合。课程结构细化,采用互联网+教育,线上课程、线下课程结合开发。课程内容主要分析专业特点、融合思政理念,采用项目化开发,包括专业历史、专业自信培养、行业认知、职业素养、行业发展、专业创新精神培养等。教学项目结合典型行业案例,开发课程采用理论与实践结合、学院、校企、网络资源、行业劳模事迹融合。课程评价采用多元交互评价,课程评价标准主要体现在价值引领、知识传授、能力提升总目标,通过互联网+课程思政评价采集数据,及时改进课程。课程管理采用院校教师、企业导师、辅导员、学生助教融合管理方式。

（3）课程思政建设学院实践

课程是高职院校为了践行教学培养目标,规定学生应该学习的所有学科综合,以及学科的进度和安排,是高职院校有组织、有计划的学习活动。亚里士多德的经验论认为"课程建构知识",即知识来自感觉,人掌握知识是在外部世界的交往互动中,把前人创造的知识与技能传递给学生。柏拉图的唯理论认为"课程建构理智",即知识来自人的内心世界,引导学生把知识从已有的观念中发掘出来。杜威的实用主义论认为从"做中学"即"课程构建知识"。泰勒的理论过分强调知识与技能,基于科学管理或目标控制,通过量化的手段和技术角度构建课程,忽视知识的文化底蕴和精神价值。联合国教科文组织 2015 年 11 月在"反思教育"提出"全球共同利益"的理念,课程是收获知识、技能,但使学生形成完整的人格也同样重要,"人格"教育是未来可持续发展的关键。课程思政实践主要实现专业知识传授与育人目标统一,这需要教师在教学理念方面与新时代相适应,互相交流心得共同提高,通过教研、互助小组与专业思政教师沟通,转变思想观念,做学生的引路人,根据互联网教育的虚拟性、互动性、共享性、时效性等特点,新媒体具有多元性、互动性、平等性和自主性等特征,在对学生开展课程教育的过程中,要确保科学地应用新技术。教师的角色转化,指导、引导、提炼总结更加重要。在课程思政实施中采用碎片化知识,教师把碎片化知识融合成系统化的要点,结合当今热点与课程思政融合,在课程实践中利用笔记本、智能手机传播最新知识,结合行业新科技、新技术、新工艺、新管理理念,通过学生分组讨论、小组互评、教师引导,使学生完成既定学习目标。新时代知识更新快,利用互联网+与课程思政相融合,增加学生的知识量。随着学生学习积极性的提高,教师在课程思政实践中更应给予学生足够多的鼓励。

（4）新时代专业课程思政诊改

课程思政的诊改与教学评价及课程管理融合,课程思政诊改分为自我诊改和外界督促诊改,自我诊改根据课程实践情况,采用过程评价方式,考核学生课程思政理念是否有改进和提高,将专业知识与价值观、敬业、感恩、忠诚、工匠精神培养的考核相融合,发现偏差及时改进,结合课程目标及时汇总、归纳、总结,制订改进计划并实施计划。外界督导诊改,通过教学督导、系部督导、教研室督导结合,提出改进方法及建议,改进课程思政的育人效果。加强课程思政管理,通过多维度广泛参与模式,教师、企业导师、学生辅导员、学生助教参与课程管理改进,形成多维度、广泛参与、注重实效的教学评价、诊改方案,从而形成课程思政育人效果闭环螺旋上升的模式。

2. 资源管理课程思政建设、实践、实证研究

基于行业、企业的案例,对资源管理课程知识、核心内容及核心技能,进行重构呈现形式,研究、调研、归纳、总结资源管理课程与思政元素融合要点,对资源管理课程思政进行建设和实践,该建设、实践思路确定课程思政目标是政治信仰、理想信念、价值理念、道德情操、精神追求、科学思维与课程国际化标准、课程核心内容、课程发展现状、课程发展趋势等融合,课程结构细化,采用互联网+教育,线上课程、线下课程结合开发。课程内容主要分析国际化标准、专业特点并融合思政理念,采用项目化开发,包括资源管理、领导、协调、沟通、控制、团队、决策、情景模拟、创新精神培养等。教学项目结合典型行业案例,开发课程实施拟采用理论与实践结合,并与学院、校企、网络资源、行业劳模事迹融合。资源管理课程思

政评价,围绕资源管理课程教学及活动,培养学生有正确的政治方向、自觉贯彻党和国家的教育方针、全面健康发展,这是教学评价的根本准则。针对教师和学生进行实证研究,分析调研结果,开发以学生为中心的课程思政课堂评价指标。

(1)资源管理课程思政建设

当下社会科技发展迅速,信息化技术在教育、教学中的应用越来越广泛,这对高职教育向更深层次发展带来挑战,也对职业教育信息化发展带来了挑战,同时高职教育信息化正迎来重大历史发展机遇。2010年中共中央、国务院印发《人才规划纲要》,提出"信息技术对教育发展有革命性影响",2011年教育部改组信息化领导小组,2012年教育部印发《教育信息化十年发展规划》,提出"以教育信息化带动教育现代化",2014年国务院印发《促进、加快现代职业教育发展》,提出"利用企业、行业优势鼓励社会力量对职业教育进行投入,鼓励行业、企业、学院融合,对产教进行深度、广度融合",其中一体化育人是职业学校培养高素质技能人才的有效途径。2015年在首届国际教育信息化大会上习近平在祝贺信中明确提出,扩大优质教育资源的广度、深度发展,加强优质教育的资源的覆盖面,应加强、推动、融合、创新发展信息技术与教育,应持之以恒、坚持不懈推进教育信息化,以信息化为手段、以教育质量提升为目标,加强教育与信息化的融合发展。教育质量的全面提升是"十三五"教育、教学目标,在全面提升教育、教学质量的同时,加强教育公平发展,在更高层次上促进教育公平发展,加快推进教育现代化进程,这就对教育信息化提出了更高的要求,也为高职教育信息化提供了更为广阔的发展空间。2017年底国务院办公厅印发《关于深化产教融合的若干意见》,明确提出"共同育人、合作研究、共建机构、共享资源"。2018年制订《职业学校校企合作促进办法》,重组调整56个行业指导委员会,完善国家职业教育标准体系。

①资源管理课程国际标准

该课程的国际标准主要包括三方面。

第一,素质标准。该标准主要要求学生、学员具有良好的海船船员职业道德,具有良好的沟通、组织、协调等人际交往能力,树立积极向上的人生价值观,具备团队协作能力,具有较强的安全意识,具有安全、环保和海事执行公约的能力。

第二,认知标准。该标准主要要求学生、学员掌握船舶资源的组成、内涵、范围等,以及资源的管理方法,熟悉国际、国内各海事公约、规则、规定的内容,理解、应用并执行。

第三,能力标准。该标准主要要求学生、学员能对各资源做合理的分配和分派,做到知人善用、合适人做合适的事,要求学生、学员能进行有效的内部、外部沟通,并且能对船舶团队进行有效领导(主要针对老轨、二轨管理级船员),能严格按照国际、国内公约与法规正确、有效执行。

②资源管理课程的企业、行业标准

总体标准是通过该课程学习与训练,使学生、学员达到中华人民共和国海事局《海船船员适任考试与评估大纲》对船员所规定的实际操作技能要求,掌握资源管理的基本内容,具备管理和应急管理能力,满足国际海事组织和中华人民共和国海事局签发的海船船员适任证书的必备条件。

(2)资源管理课程思政建设方法

首先确定课程思政目标是政治信仰、理想信念、价值理念、道德情操、精神追求、科学思维与课程国际化标准、课程核心内容、课程发展现状、课程发展趋势等融合。课程结构细化应基于互联网+教育,线上课程、线下课程结合开发。创新"二平三端"虚实融合、"三纵三横"立体化教学模式。"二平"是超星网络学习平台、教学质量管理平台,"三端"是电脑网络端、手机 APP、微信端,"三纵"是学生主体、教师主导、任务驱动,"三横"是课前、课中、课后。课程设计基于成果导向理论,采用任务驱动,结合工作岗位,探索、实践课程思政教学改革。

（3）资源管理课程思政实践

首次进入资源管理课程思政超星网络课程系统时,学生需要录入自己的基本信息（如学号、姓名等）,企业学员需要输入姓名等信息。资源管理课程思政灵活运用超星学习通手机版的活动库,活动可包括签到、问卷、投票、选人提问、临时任务添加、课程评价、讨论、在线课堂、课程直播。基于活动库辅助教学,上课前 3 分钟可以发表签到,了解学生出勤情况,签到可以是多种模式,比如普通签到,可以要求学生上传自拍照或位置定位签到,特别新班级第一次上课建议使用上传自拍照片模式签到,方便教师对学生情况进行了解。另外,还可以采用手势签到,类似手机锁屏后输入要求的手势才可以利用手机,签到手势教师可以任意设置,然后告诉学生,进行签到。签到还可以利用位置签到、二维码签到。上课后学生打开课程章节,课程章节内容类似传统 PPT 功能。教师可对学生课下任务掌握情况进行检查,通过"选人"模式提问,根据学生回答问题情况对其加分,对简单问题采用"抢答"模式,问题可以是课程思政理念性的或知识性的内容,根据时代的特点、热点,比如"不忘初心"生态文明建设、"垃圾分类从我做起"等专题,根据抢答顺序加分不同,可以预先设置分数。教师要控制课堂提问时间,一般为 5~10 分钟,然后对任务难点及课下练习错误率高的知识点重点讲解。对知识的和职业精神方面的掌握,采用直播模式,并让学生复习,锻炼学生的综合素质。定期邀请行业专家及优秀毕业生与在校生互动,巩固提高学生对知识及技能的掌握。根据课程建设中的任务逐渐完成教学任务。临近下课利用 1~5 分钟时间让学生进行自评、互评,并让学生对课程内容及教师进行评价,完成资源管理课程思政教学。

资源管理课程思政学情分析的目的是使教学目标顺利实施,学情分析是教学的主要环节,教师只有了解、熟悉学生对课程的参与情况及对知识的掌握情况,才能对"后进生"进行督促学习;教师分析学生的各种情况,指导学生完成各项学习活动,进而做到有的放矢。超星学习通统计主要包括任务点监控、章节学习访问量统计、章节测验统计、学生管理、成绩管理、督学、课题活动及课程积分统计。为了避免文字习题练习枯燥、学生不感兴趣,教师采取交互理念,对视频进行编辑,视频播放 2~3 分钟出现文字习题练习,只有完成章节练习才可以学习后面的视频内容,采用视频与练习相融合的交互模式,提高学生的知识掌握水平。学生成绩基本满足正态分布,对于部分成绩不理想的学生,应加强督促,给予更多的关注、爱心和帮助。

为了验证资源管理课程建设效果,以高职"资源管理"课程为例,以企业船员培训学员为实践对象（共 342 人）,在实践中收集数据进行分析,并验证效果。课程实践流程如图 2-13 所示。

资源管理课程考核评价标准见表 2-6。

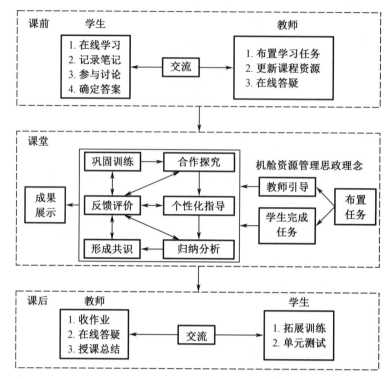

图 2-13 课程实践流程

表 2-6 评价标准

考核方式	比例/%	类型
素质考核	10	课程思政理念
操作考核	30	过程考核
网络学习	10	课程思政案例
期末考试	50	终结考核

课程教学完成后,组织安排由主管机构"天津海事局"考证中心考核,附加分的项目包括每周网上互动、视频评估(以任务形式),以不同颜色提醒学生完成情况,未完成为橙红色,完成为绿色。及时完成相应阶段的学习任务,以最快的速度提交作业,为了对学生进行考评,采用交互式评价,学生之间通过相互促进、相互评价等手段,达到在知识、情感、人格等方面的相互促进。

(4)资源管理课程思政实证研究

资源管理课程思政的评价调研,以轮机工程技术系的高职 17-3、17-4 班学生,以及 2019 年企业船员培训班的学员为调查对象,调研问卷采用两部分,分别针对教师和学生,问卷的发放基于教学质量管理平台,问卷采用定时方式、不记名问卷,调研共收到 350 份问卷回复,无效问卷 8 份(其中选项不全 3 份,全部 a 选项 5 份),有效问卷 342 份。资源管理课程思政的调查问卷主要是了解学生对教师素质要求的认可度以及课程思政对学生的帮助度,调研结果见表2-7。对于教师方面,学生更关注教学经验(约66%)、教学互动(约47%)、教学内容(约42%)、教学手段(约71%)、教学资料(约68%)、课程讨论(约53%)。对于学生方面,课程思政与传统课程比较的认可度(约89%),学生认为对自己帮助很大(约91%),适应度、满意度、希望课程采用课程思政的意愿(100%)。

表2-7　资源管理课程思政调研结果

(一)教师方面

序号	一级指标	二级指标	样本数	所占比例
一	教学队伍	教师职称	27	0.078 947
		教学水平	81	0.236 842
		学术水平	9	0.026 316
		英语水平	0	0
		教学经验	225	0.657 895
二	教学内容	课程内容	114	0.421 053
		课程目标	18	0.052 632
		教学计划	9	0.026 316
		教学大纲	9	0.026 316
		教学互动	162	0.473 684
三	教学技能	教学态度	45	0.131 579
		教学方法	54	0.157 895
		教学手段	243	0.710 526
四	教学资源	教材	108	0.315 789
		教学资料	234	0.684 211
五	课程管理	课程测验	45	0.131 579
		课程作业	63	0.184 211
		课程讨论	180	0.526 316
		课程考试	54	0.157 895

(一)学生方面

一	课程思政与传统课程比较	非常好	162	0.473 684
		好	144	0.421 053
		一般	36	0.105 263
		不好	0	0

表2-7（续）

序号	题目	选项	样本	所占比例
二	课程学习对自己理念提升、分析和解决问题能力提升	非常有帮助	180	0.526 316
		比较有帮助	135	0.394 737
		有帮助	27	0.078 947
		没有帮助	0	0
三	学习兴趣与动机	非常有帮助	135	0.394 737
		比较有帮助	117	0.342 105
		有帮助	90	0.263 158
		没有帮助	0	0
四	学习适应度	非常适应	225	0.657 895
		比较适应	90	0.263 158
		适应	3	0.078 947
		不适应	0	0
五	学习活动的满意度	非常满意	270	0.789 474
		比较满意	63	0.210 526
		满意	0	0
		不满意	0	0
六	下学期继续采用课程思政的意愿	非常满意	278	0.815 789
		比较满意	63	0.184 211
		满意	0	0
		不满意	0	0

课程思政的实践主阵地是课堂，基于以学生为中心的课程评价不同于普通课程评价，现将评价归纳为二级评价标准，并对评价标准进行详细说明，见表2-8。

表2-8 以学生为中心的课程评价表

一级标准	二级标准	主要内容
教育理念	思政元素融合	在课程内容中有机融入"思政元素"，思政元素融入不刻意
	教师的创新	考核培养实践能力、合作能力和创造能力的过程
	教师的启发	对学生的启发、引导，学生的认可度
	教师信息化	运用信息化手段突破教学重难点

表 2-8(续)

一级标准	二级标准	主要内容
课堂互动	学生积极性	能调动学生的积极性,能激活课堂气氛
	学生互动	提出问题、解决问题
	学生讲演	自主意识、交往能力
课堂过程	学生注意力	学生、教师是否全神贯注
	学生参与度	全员全程的参与
	学生交往力	课堂气氛的团结、和谐
	学生思维	考察学生的思考或创意
	学生情绪	自我控制、调节情绪的能力
	学生生成问题	总结课堂学习成果、发现新的问题能力

课程思政的建设和推广与教师职业素养及职业能力息息相关,课程思政的实践效果与课程的组织和实施关系密切,通过调研,课程思政的推广和应用均与教师关系紧密,因此应加大对教师的投入、支持力度,促进课程思政的发展。

3. 新时代职教教师发展

党的十九大的召开标志着中国特色社会主义进入新时代,科技飞速发展,互联网+、大数据、人工智能应用也越来越广泛,这些科技领域的热词好似距离教育很遥远,但教育不能两耳不闻窗外事,作为职教教师,要认真思考这些问题,要跟上信息时代学生需求的步伐。党的十九大报告指出"建设教育强国是中华民族伟大复兴的基础工程,必须把教育事业放在首位,深化教育改革,加快教育现代化,办好人民满意的教育",并且强调了把科技创新放到重要位置,强调人才的重要性,并对青年寄予殷切希望,使青年进一步牢固树立"四个意识",践行使命担当,坚定"四个自信",职业教育发展方向要与党和国家发展的现实目标和未来方向紧密结合。

2014 年 6 月,习近平提出"职业教育要坚持工学结合、校企融合、产教融合、知行合一"。教育部发布《2015—2018 年高等职业教育创新发展行动计划》,提出"开展优质学校建设"。2017 年 12 月,国务院办公厅发布《关于深化产教融合的若干意见》,促进"四链"(即教育链、人才链、产业链、创新链)有机衔接。2018 年 1 月教育部等六部门发布《职业学校校企合作促进办法》。我国职业教育的位置越来越突出,职业教育发展应对接科技发展趋势和市场需求,完善职业教育和培训体系,优化学校、专业布局,深化办学体制改革和育人机制改革,鼓励和支持社会各界,特别是企业应积极支持职业教育,着力培养高素质劳动者和技术技能型人才,为经济社会发展和提高国家竞争力提供优质人才资源。新时代职业教育发展目标、方向更明确,职教教师应"与时俱进、不忘初心"。

(1)新时代职教教师素养分析

2018 年 2 月教育部等五部委发布《2018—2022 年教师教育振兴行动计划》,该计划要求,新时代职教教师素养包括"四有好老师""四个引路人""四个相统一"和"四个服务",见表 2-9。

表 2-9　新时代职教教师素养

要求	体现
四有好老师	有理想信念、有道德情操、有扎实学识、有仁爱之心
四个引路人	做学生锤炼品格的引路人、做学生学习知识的引路人、做学生创新思维的引路人、做学生奉献祖国的引路人
四个相统一	坚持教书和育人相统一、坚持言传和身教相统一、坚持潜心问道和关注社会相统一、坚持学术自由和学术规范相统一
四个服务	为人民服务、为中国共产党治国理政服务、为巩固和发展中国特色社会主义制度服务、为改革开放和社会主义现代化建设服务

此外,该计划还要求教师不断增强社会责任感、创新精神和实践能力,推进教育创新、协调、绿色、开放、共享发展,从源头上加强教师队伍建设,着力培养、造就党和人民满意的师德高尚、业务精湛、结构合理、活力充沛的教师队伍。教师应"以德立身、以德立学、以德施教、以德育人"。2018 年 11 月 8 日教育部印发《新时代高职院校教师职业行为十项准则》,即坚定政治方向、自觉爱国守法、传播优秀文化、潜心教书育人、关心爱护学生、坚持言行雅正、遵守学术规范、秉承公平诚信、坚守廉洁自律、积极奉献社会。新时代对广大教师落实立德树人的根本任务提出了新的更高要求,对于职教教师应具备职业道德、文化科学知识、教育理论、实践技能。职教教师素养归纳为 4 类一级指标和 20 类二级指标,见表 2-10。

表 2-10　职教教师素养

一级指标	二级指标
A1 一般综合素养	B1 广博的文化科学知识 B2 良好的人品 B3 良好的人际交往能力 B4 健康的身心 B5 一定的兴趣爱好
A2 学科专业素养	B6 扎实的专业知识 B7 较强的实践动手技能 B8 学科的知识结构体系 B9 学科发展的历史及趋势 B10 学科的思维方式、方法论

表 2-10(续)

一级指标	二级指标
A4 教育专业素养	B11 基本的教育科学知识 B12 先进的教育理念 B13 较高的教育专业能力
A4 职业道德素养	B14 爱国守法 B15 爱岗敬业 B16 关爱学生 B17 教书育人 B18 团结协作 B19 为人师表 B20 终身学习

(2)职教教师素养提升路径

①课程思政建设

课程思政建设以习近平提出的"八个统一"重要理论为指导,建设中要体现政治性和学理性统一、价值性和知识性统一、建设性和批判性统一、理论性和实践性统一、统一性和多样性统一、主导性和主体性统一、灌输性和启发性统一、显性教育和隐性教育统一。课程思政建设是教师回归课程、潜心教书育人的初心。专业课与思政目标的融合是寓专业知识、技能于教,寓德于教,寓道于教。在课程思政建设与实践研究、总结经验、挖掘专业课德育元素方面,教师是课程思政的直接实践者,是推进课程思政实践的关键环节。课程思政的参与主体是学生,要深入研究高职学生的成长规律,以立德树人为根本目标,通过三全育人加强实施,推进高职教育理念创新和实践创新。

②培训交流

通过组建名师工作室、特级教师流动站、企业导师人才库,充分发挥教研员、学科和专业带头人、特级教师、专业教师的才能,使其下厂顶岗培训半年到一年,锻造"上得了讲台,能教一堂好课,下得了车间,能干一手好活"的双师教学团队。建设完善教师新技术、新设备、新工艺、新材料方面能力的提升平台,让教师进行"引进来""派出去"交流学习,提高教师素养。

③网络培训

职教教师通过中国教育干部网络学院等在线培训课程的学习,在网络培训中沟通交流、相互促进,对核心问题进行探讨、总结、升华,从而系统提升自身的素养。

④现代师徒制的实践

职教教师在现代师徒制实践中以"一带一""一带多"的方式开展"师傅带徒弟",从而提升自身素养。

⑤工匠精神培养

工匠精神就是职教教师在教学、实训实践中"一心一技、一以贯之、一丝不苟、精益求精、精益求新"的精神。在校企深度融合中培养职教教师的工匠精神,使其参加融合行业生产与经营工作实际开展的大赛。大赛以突出职教教师的操作技能和解决实际问题的能力为重点,同步提升其专业素养。

⑥专业群建设

职教教师应积极参加专业群建设,在建设实践中提升素养。专业群建设是一项综合性、系统性的发展建设项目,比专业建设更宏观。专业群是"产、学、研"多方联动、多方协同创新,职教教师素养提升是专业群建设的关键。

⑦科研及创新实践

职教教师科研方向可以侧重教学问题解决、生产技术、工装创新发明研究等方面,通过研究,教师可以掌握行业新发展、新技术、新方法,并扩大眼界,以便对行业、专业科学技术的来龙去脉进行归纳、梳理。在研究过程中丰富专业、学科的内涵,职教教师可以通过多种途径参与企业技术攻关等研究。2018 年 11 月 12 日经国务院知识产权战略实施工作部际联席会议第三次全体会议通过《深入实施国家知识产权战略,加快建设知识产权强国推进计划》,该计划对职教教师的教学理念创新、工程技术创新、方法创新成果等进行了有效保护。

⑧教研听课互动

深化课堂教学改革,职教教师应积极参加教研活动,在集体教研活动中,互相学习,取长补短,总结、完善和推广教学经验,提升职教教师的整体素质,提高教学质量,职教教师的教学理念、教研能力和教学技巧逐步提高并得以升华。通过教学诊改,提高教师对存在问题的重视程度,并在实践中做出改进,共同促进教学质量的提高。

⑨信息化教学

职教教师应提高信息技术应用能力、优质教育资源的开发与应用能力、新型教学模式的研究能力,因此要促进职教教师跨区域的协作与交流,通过参加信息化大赛,使职教教师不忘初心,明白创新亮点是学、仿、超,创新常规教学,促进有效教学,废寝忘食磨作品,知行合一重在行;突破方式是新起点,引领教学是根本。职教教师素养提升路径如图 2-14 所示。

(3)未来职教教师素养展望

①未来职教教师素养

分析未来职教教师素养,见表 2-11。未来职教教师需要"三师"融合,体现教育教学能力、专业能力和实践能力的有机融合。

表 2-11　未来职教教师素养

素养	要求
分析师	通过互联网+教育、大数据及人工智能技术,借助结构化、非结构化、规律性、异常性等数据,分析学生价值观、学生品质、学习动机、学习情绪
设计师	个性化教育、游戏化学习、全景课堂都对未来课程提出新的挑战。在"大课程观"背景下,职教教师应善于构建和设计形式多样、内涵丰富的课程或课程体系,让课程富有生命力和吸引力
策划师	善于构筑属于"大家"的心灵家园、精神世界和思想体系,学会与时代对话、与世界对话、与未来对话

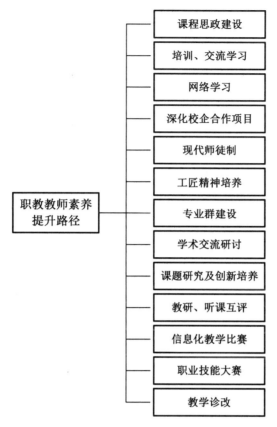

图 2-14　职教教师素养提升路径

　　未来职教教师是最懂学生学习需求的"分析师",通过互联网+教育、大数据及人工智能技术,借助结构化、非结构化、规律性、异常性等数据,分析学生价值观、学生品质、学习动机、学习情绪,实现学生用不同时间、学习不同内容,最终达到个人最高水平,实现学生"个性"发展,相信在不同领域每个学生均是"天才"。在大数据支撑下,以更精准的模型进行评价,评判带有不确定性因素的教育教学,形成教育正确导向。未来职教教师应该具有"设计师"素养。个性化教育、游戏化学习、全景课堂都对未来课程提出了新的挑战。在"大课程观"背景下,职教教师应善于构建和设计形式多样、内涵丰富的课程或课程体系,让课程富有生命力和吸引力,实现课程"育人"。当未来学生不是在"教室"而是在社会学习时,社会就是"课堂",学生可以在大社会课堂互动中深度学习,创构知识、现实的实质性系统,这将会对他们带来巨大的影响,目前我们往往无法想象。职教教师应培养"策划师"素养,善于构筑属于"大家"的心灵家园、精神世界和思想体系,学会与时代对话、与世界对话、与未来对话。未来职教教师将不再是"教书匠",而是未来职业教育的研究者、创造者。

　　②未来职教教师素养提升

　　未来教育是颠覆传统思维的教育,职教教师要敢于突破常规思维限制,建构关联、批判、结构思维,以多视角、多角度对行业动态、专业发展、学生学情进行分析,从而及时发现问题、思考问题、解决问题。锻炼培养精准分析职业信息、教育信息、科学信息等各项数据的能力,根据事物发展规律,对未来发展进行预判,发现问题关键,抓住教育的契机。锻炼关联能力,中外关联、历史与现代关联、人与社会关联、人与世界关联,进行纵向和横向关联。培养"终身学习"品质,要把学习培养成一种习惯、一种爱好、一种兴趣,与未来终身学习型社会融合。学习过程也是分享快乐,教师与学生相互分享,共同应对未来挑战。培养对生活、学习、工作的热忱。未来教育分工更"精细",每个人都是某个细分项目专家,完成团队协作,通过团队深度融合,培养多门类学科知识、复合型实践运用能力,并激发团队创新力。学生之间产生的"分歧、矛盾",教师应具备"智慧"处理各种"分歧、矛盾"问题的能力,消除分歧、化解矛盾,确保"教学、创新"团队目标一致,高效实现目标。

中国特色社会主义核心价值观通过"身教、言传",建构、演绎中诠释思想、表达情感,在教学中体现"润物细无声"的传承。未来世界向扁平化、结构化发展,未来是平等的社会。通过平等的沟通方式,构建平等的师生关系。职教教师运用教学信息化、视觉传达、新媒体等多种途径,向学生、社会传播新思想、新理念、新方法。

第六节　新时代产教融合高职学生顶岗实习教学模式研究

一、研究背景

1. 国外研究现状

对于学生顶岗实习,不同国家采用不同的模式,德国的"双元制"模式是政府对企业参与职业院校的办学有"强制性"的规定,企业必须提供"生产岗位、培训车间、企业导师",还需要提供配套的培训经费、培训计划和规划,政府对企业则会从政策、资金上给予支持。"双元制"是通过实地操作来学习的,是以企业为主,由学校与企业分工协作,以实践为主的理论与实践紧密结合的职教模式,企业培训起着主导的作用,职业院校主要起着配合与服务企业的作用。美国的"合作教育"是一种结构性教育策略,"合作教育"采用"集中-分散-集中"管理与"分散"管理相结合的管理模式,"把课堂学习与相关领域中生产性的工作经验学习结合起来,学生工作的领域是与其学业或职业目标相关的"。这种模式主要是学生自入学,学习半年后在企业实际训练,学生的教学以2个月为期交替进行,到毕业前半年,再集中于学院,最后完成毕业计划,教学时间上是一半时间在学院学习,一半时间在企业实践。澳大利亚的"TAFE"模式,以企业及政府所签订的《培训培养协议要求》为标准,以"能力本位、市场导向"为特点,专业、课程设置灵活,学制有长2年、短几个月之分。该模式的主要特征是"以学生为中心",强调实践性教学环节,具有熟练掌握岗位技能的师资队伍,具有企业支持,产学研一体化发展,政府非常重视(建立全国统一的资格标准体系),是一种"学习→工作→再学习→再工作"的多循环终身教育模式。加拿大的"CBE"模式是职业院校在发展过程中与工业界结成了紧密的伙伴关系,以培养学生"职业综合能力"为基础,以胜任岗位要求为出发点的教学体系,它以"职业能力"作为进行教育的基础,作为培养目标、评价标准。

2. 国内研究现状

国内校企合作、工学结合就是职业院校非常好的一种办学形式,顶岗实习是职业院校充分利用社会的资源与企业合作、寻求双方最大的共赢点的有效模式。南京邮电大学的王晶比较、分析中美两国应用人才与拔尖人才培养模式的差异、培养的趋向,但没有对高职学生与本科生的差异性进行研究。华中师范大学教育部教育信息化战略研究基地的吴砥等分析政策动态新增发展指标,提出了五维度的核心指标体即基础设施、数字教育资源、教与学应用、管理信息化、保障体制。华东师范大学的顾小清等揭示了教育信息化本土演进过程中基础设施、师资队伍、信息化资源、应用、政策规制、信息化产业等内涵要素的演变过程。湖南商务职业技术学院的易兰华对顶岗实习教学质量多元化评价指标体系进行研究,高职院校顶岗实习教学质量评价的主体应包括学生、学校方指导老师、学校指派的督查人员、企业方指导老师、企业顶岗实习负责人,但其没有对评价多元权重进行优化。河北师范大学马克思主义学院张玉杰探索了加强师范生实践教学的新模式,指出了顶岗实习对师范生教师职业道德的影响,唐金花提出外包式顶岗实习模式,并分析了其内部价值和外部价值。

查阅知网相关资料发现,国内职业教育界对工学结合、顶岗实习模式构建、顶岗实习管理或顶岗实习问题研究的论文数量在千篇以上。而将顶岗实习的过程管理专门作为研究点的论文大多在近两年出现,学者研究各有侧重点,或是重视学生管理,或是重视学生心理调适,或是关注实习质量评价,或是构建顶岗实习过程管理模式等。相关学者的研究都体现了顶岗实习过程管理的重要性,提出了相关的建议与策略,此论题正逐渐成为职业教育的研究热点。

3. 核心概念界定

(1)终身教育理念

终身教育理念是当下美国职业教育的改革与实践,是"从学校到生涯"的理念,是一种强调面向人人、关注学生主体性发展的终身职业教育理念,其核心内涵是职业教育理论与实践领域的有机结合。该理念主导着美国新世纪职业教育的发展方向,其内涵包括终身职业教育,因此该理念超越了职业教育为现实工作服务的狭隘理念,它为个体的终身教育发展提供基础,建立了一个终身学习体系,以便学生可以在学校、职业生涯发展之间灵活转换,通过职业教育具备相关工作经验和职业技能等,有利于学生事业的发展、提升。

(2)教育信息化

教育信息化是以技术手段为教育改革发展服务,通过在教育教学与教育管理全过程的深入应用,使教学更加个性化、教育更加均衡化、管理更加精细化、决策更加科学化,实现信息时代的人才培养目标。教育部副部长要求以教育信息化全面推动教育现代化,以应用为导向,以基础建设营造应用环境,以教学、科研拓展应用渠道,以培训促进应用效能,以评价提升应用水平。重点推进"三用",即课堂用、经常用、普遍用,开放共享、混合学习、个性化教育将成为未来学校教育信息化的发展趋势及方向,新时代背景下信息化带来的教育新生态,能够让每一位老师、学生终身受益。

（3）顶岗实习

顶岗实习是安排在校学生实习的一种方式，学生毕业前通常会安排学生进行实习，方式有集中实习、分散实习、顶岗实习等。顶岗实习不同于其他方式，它使学生完全履行其实习岗位的所有职责，"独当一面"，具有很大的挑战性，对学生的能力锻炼起很大的作用，如果将顶岗实习转化为简单劳动，将不能达到学院人才培养的目的，还会使学生对实习失去兴趣，从而影响其对本职业的正确认知。通过毕业顶岗实习，使学生具有良好的职业道德素质、行为规范，掌握必需的基础、专业知识，熟悉职业岗位的相关环节，培养具有较强专业操作能力的高素质、高技能、创新型专门人才。

二、研究目的与意义

1. 研究目的

基于终身教育理念、教育信息化、校企融合顶岗实习教学模式研究，利用信息化技术，联合企业、行业、学院创建高技能教学平台，基于互联网+顶岗实习教学模式，实现顶岗实习过程监控、顶岗实习"时时"指导、顶岗实习评价及职业能力提高、个性化分析等。

2. 研究意义

基于终身教育理念、教育信息化、校企融合顶岗实习研究，学生到企业顶岗实习，教学"场所"虽然发生在学院之外，但顶岗实习是学院教学的重要组成部分，是学生将理论知识转化为实际操作技能的重要环节。对高职学生来说，顶岗实习是在社会"真实环境"中，培养"匠心"精神及良好的职业道德、素质的重要步骤。在组织学生实习时，不能以为"只要学生不出事就不用再管了"。顶岗实习是一个重要的"育人"环节，职业教育以培养高技能人才为目标，要将学生的行为、技能、创新等渗透到顶岗实习的细节之中，并且对学生毕业后的有效指导至关重要，学生职业发展情况的监控、指导、校企联合培养更是至关重要。

由于高职学生实习岗位分散、联络不畅、学生较多，造成在顶岗实习过程中管理难以控制，教学过程难以实现有效辅导、评价等问题，基于终身教育理念、教育信息化、校企融合顶岗实习研究，深化顶岗实习教学改革，探索高职学生顶岗实习过程中监控、辅导的方法，校企导师联合，加快学生适应并融合于企业、社会，使学生尽快适应工作岗位，把理论与实践有机结合，培养、强化学生职业道德，从而适应企业的发展和当下社会的发展。

三、理论依据

1. 指导理论

顶岗实习课题研究中采用建构主义的理论方法，教师为学生提供学习导向，然后让学生通过各种信息渠道，包括顶岗实习资料、顶岗实习网络资源等进行自主学习、合作学习、探究学习，以提高学生对各种信息的处理能力和学习效率。

建构主义学习理论是本课题的指导理论。建构主义学习理论认为，知识不仅仅是通过教师传授获得的，而是学习者在一定的情景即社会文化背景下，借助于教师团队的帮助，利用必要的学习资源，通过意义建构的方式获得的。情景、协作、会话和意义建构是学习环境中的四大要素。建构主义提倡在教师的指导下，进行以学习者为中心的学习，既强调学习者的认知主体作用，又不忽视教师的指导作用。学生是信息加工的主体，是意义的主动建构者,而不是外部刺激的被动接受者和被灌输的对象。这一理论不仅完全符合素质教育的要求,而且也符合信息技术与学科教学整合的要求。

2. 理论基础

现代教育技术理论和现代信息网络技术是本课题研究的理论基础,现代教育技术是运用现代教育理论和现代教育方法,通过对顶岗实习的教与学的过程及教与学资源的设计、开发、利用、管理和评价以实现教学优化的理论与实践。

课题研究的重点是"新时代产教融合高职学生顶岗实习教学模式研究",用这一新的理念促使教育工作者要从教学观点向学习观点转变。从教育技术的观点来看,教学是对信息和环境的安排与协调,其目的是达到对学习的促进作用;学习包括学习者通过与信息和环境的相互作用而得到知识、技能和态度的长进。

四、研究思路与方法

研究主要采用超星泛亚网络平台,建立学院、企业、行业指导委员会(行指委)共同参与,高职学生顶岗实习监控、指导、评价的一体的互联网平台。如图 2-15 所示为基于终身教育理念、教育信息化、校企融合顶岗实习框图。高职学生顶岗实习监控、指导如图 2-16 所示,以此实现实习目标、实习监控、实习反馈,与企业要求融合,体现终身教育理念,为培养学生"匠心"精神提供支持,贯穿学生职业生涯。

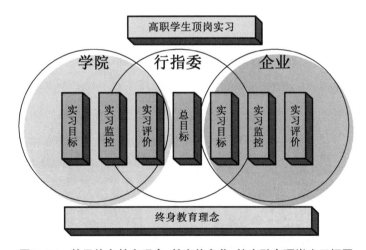

图 2-15　基于终身教育理念、教育信息化、校企融合顶岗实习框图

五、研究过程

1. 顶岗实习现状分析

对 12 位实习单位的指导教师进行了访谈,访谈记录词频如图 2-17 所示。

(1)关键词"素质""同事""稳定"

学生在选择实习单位时是抱着"打工"的心态,很可能所学专业与岗位跨度很大,使得多数顶岗实习课程实践部分与所学专业基本不相关。造成实习单位对学生的素质评价是

"什么也不会",高职院校学生选择实习单位不能做到顶岗实习课程与实践教学地点和内容的无缝衔接,使学生与单位同事之间或学生与导师之间产生隔阂,造成离职,学生顶岗实习情况不稳定,从而造成顶岗实习课程实践时间必须延续,使得高职教育人才培养目标不能达到预期。

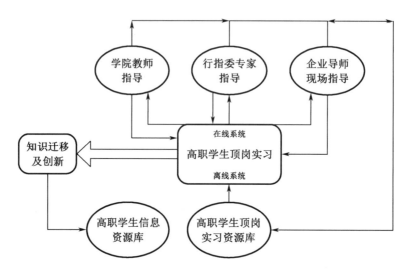

图 2-16　基于终身教育理念、教育信息化、校企融合顶岗实习监控、指导

图 2-17　顶岗实习问题词频

（2）关键词"耐劳""健康""利益"

顶岗实习课程与传统课程存在本质上的差别，涉及实习单位、学校、实习学生等多方面利益。要做好顶岗实习工作，就必须做到"双赢"甚至"多赢"。高职院校遵循技术技能人才培养规律，对顶岗实习认真组织、系统设计、统筹安排、整体推进，保障实习学生的合法权益；对实习基地的考核要符合规定的要求，从源头上把关，避免学生进入不适合的单位进行顶岗实习；高度重视学生实习安全问题，组织学生认真学习安全防护、操作规程的课程并进行考核，考核不合格的，不得参加实习；为每一位顶岗实习学生投保实习责任保险，逐步建立实习强制保险制度；在学生进入顶岗实习前，力争健全学生到企业实习实训制度，签订学校、企业、学生三方协议，明确学校与企业在保障学生合法权益方面的责任，努力推进实习实训规范化、科学化。

（3）关键词"考核""评语""保障"

顶岗实习的组织、实施、过程管理、考核评价等工作由教学单位负责。顶岗实习工作纳入各教学单位年度绩效目标考核内容。高职院校各职能部门工作人员和各专业教师，以及实习单位指导教师和管理人员，对学生实习管理有具体分工，确保每个人身上都有顶岗实习责任，个个肩上都有顶岗实习指导任务，并把这些责任与任务列入年度教学绩效考核内容，以及作为评先选优和职称晋升的依据。不断完善学生实习管理制度，保障人才培养质量。

2. 国家行业标准对顶岗实习的指导

2018年1月4日教育部关于公布第二批《职业学校专业顶岗实习标准》，顶岗实习标准是职业教育国家教学标准体系的重要组成部分，主要对有关专业顶岗实习目标、时间安排、实习条件、内容与要求、考核评价、实习管理等提出基本要求，是职业学校组织开展顶岗实习的主要依据。2015年底以来，教育部组织研制了第二批66个职业学校专业顶岗实习标准，针对天津海运职业学院船舶特色，对轮机工程技术专业顶岗实习重点分析。

该标准主要从实习目标、时间安排、实习条件（包括实习企业、设施条件、师资条件、实习内容）、实习考核、实习管理五个方面进行规范。

（1）实习目标

对于实习目标，通过轮机工程技术专业顶岗实习，了解企业的运作、组织架构、规章制度和企业文化；掌握岗位的典型工作流程、工作内容及核心技能；养成爱岗敬业、精益求精、诚实守信的职业精神，增强学生的就业能力。

（2）时间安排

实习时间不少于6个月，建议安排在第三学年第二学期。

（3）实习条件

①实习企业

本专业顶岗实习主要面向从事水路运输的航运企业和船员服务机构、船舶修造和港口生产等企业，实习单位提供与学生所学专业方向一致或相近的顶岗实习岗位。

②设施条件

a. 安全保障：

实习企业应当为学生提供必要的顶岗实习条件和安全健康的顶岗实习船舶环境，实习船舶应具有齐备、有效的证书、文书与资料,船舶配员应符合最低安全配员的要求,船员具备适任资格;不得安排学生从事高空、舷外、放射性、高毒、易燃易爆,以及其他具有安全健康隐患的顶岗实习劳动,不得通过中介机构有偿代理组织、安排和管理学生顶岗实习工作;学生顶岗实习应当执行《2006 年海事劳工公约》和国家在劳动时间方面的相关规定。

b. 专业设施设备:

实习企业或船舶配备的设备型号、规格和数量应与其生产运输任务、生产工艺相适应;设备技术状况应完好,符合航行、停泊、作业的安全,以及防污染和船舶保安等要求,并已制订各项安全、防污染和保安措施与应急预案。

c. 信息资料:

实习船舶或企业应拥有并允许学生查阅保证船舶安全航行所必备的全部资料,包括相关的海事国际公约、国内法律法规、船舶安全管理体系文件、船舶主要参数、船舶主要设备的技术文件和维修手册等。

③师资条件

本专业的实习岗位以船舶机电设备管理及维护与修理为主,船舶类专业顶岗实习采用校企联合指导的方式进行,对指导教师的具体要求:

a. 实习单位指导教师:

实习单位指导教师应为实习单位的业务骨干,要求政治、业务素质优良,责任心强,有一定的理论水平,并保持相对的稳定。实习单位指导教师应从事本岗位工作 5 年以上,须持有大管轮适任证书。为保证实习效果,原则上每名实习单位指导教师指导学生人数不超过3 人。实习单位指导教师可以将部分指导工作交由船上相关业务主管人员来完成,但必须监督指导实习工作内容的如期完成,并考核实习效果。

b. 学校指导教师:

学校指导教师应具有中级及以上职称,持有三管轮及以上船员适任证书,有 1 年及以上海上工作经历,教学态度认真,教学效果良好。为保证实习效果,原则上每名学校指导教师指导学生人数不超过 15 人。

学校指导教师和实习单位指导教师应通力合作,共同完成对学生的指导。学校指导教师要经常联系并指导学生理论学习、关心学生思想和生活动态。联合实习单位指导教师共同制订学生的实习计划、共同商讨指导问题,指导学生撰写专题报告,并对学生进行整体综合能力的抽查考核。

④实习内容

该专业的实习内容以船舶机电设备综合管理及维护与修理为主,实习项目主要包括适岗培训,船舶柴油机与轴系的操作与管理,船舶辅助机械的操作与管理,船舶动力系统和辅助系统的操作与管理,船舶电气、电子及控制装置的管理、维护与安全保护,轮机维护与修理,船舶作业管理与人员管理、值班、全、应急反应与演习等任务,通过项目训练掌握知识目标。

实习的能力任务项目包括:了解企业文化的内涵;了解船舶工作岗位设置、配员情况及船舶机工和轮机员岗位职责;了解船舶规章制度和船舶安全管理体系文件;了解船舶各类生产及应急过程安全注意事项;在轮机员的指导下,能按规程进行船舶主柴油机备车、启动、机动航行、定速航行、停车和完车等操作;在轮机员的指导下,能按规程进行船舶发电柴油机的启动、停车操作,并能及时、正确地处理其故障;在轮机员的指导下,能按要求对船舶轴系进行常规操作与管理;在轮机员的指导下,能按规程操作空气压缩机,并能及时、正确地处理其故障;在轮机员的指导下,能按规程操作分油机,并能及时、正确地处理其故障;在轮机员的指导下,能按规程操作造水机,并能及时、正确地处理其故障;在轮机员的指导下,能按规程操作热交换器,并能及时、正确地处理其故障;能按规程操作制冷装置,并能及时正确地处理其故障;在轮机员的指导下,能按规程操作空调装置,并能及时、正确地处理其故障;在轮机员的指导下,能按规程操作通风系统,并能及时、正确地处理其故障;在轮机员的指导下,能按规程操作辅锅炉,并能及时、正确地处理其故障;在轮机员的指导下,能按规程操作舵机;在轮机员的指导下,能按规程操作甲板机械,并能及时、正确地处理其故障;熟悉燃油、滑油的储存舱位置及管系;能正确进行加油作业与操作;能按操作规程,正确启动、停止各类船用泵;能根据说明书,对上述各类船用泵浦进行参数调整,保持运行参数在正常范围内;能参考系统说明书或系统图纸,针对泵浦的运行参数,分析泵浦故障及其原因;能够根据故障分析,采取恰当的措施,保证泵浦及其系统的正常运行;掌握船舶压载水、消防水、舱底水、日用海淡水系统操作与管理要点;掌握发电机和配电系统的类型、特点和操作方法;掌握发电机的并车及切换操作步骤;掌握电动机的启动方法及注意事项;正确操作高电压设备和正确使用照明设备;能够正确识读自动控制系统中的流程图并掌握其图中指示的主要部件及功能,了解自动控制系统中的参数调整位置和调整方法;掌握发电机、配电箱、电动机、启动控制器、配电系统、电缆、直流电气系统维护和修理方法;了解编写所主管设备的维护保养制订的依据,并正确编写保养计划和修理熟悉正确的船舶修理安全管理程序与相关措施;能采取正确的方法对机器设备(离心泵、往复泵、螺杆泵、齿轮泵、阀门、空压机、热交换器、柴油机、增压器、锅炉、轴系、制冷装置、燃油和润滑系统、甲板机械)进行拆卸、调整、测量、清洗及装配;掌握检修材料的正确使用;能正确管理分管设备备件和工具;能正确使用和保养船上的生活污水处理装置、油水分离器、焚烧炉和压载水处理装置;熟悉船上油污应急计划的内容;了解船舶溢油应变演习的程序,参加船舶溢油应变演习;为确保船舶稳性和维持船舶水密完整性能采取正确的行动;根据公约及公司的要求,接受在船管理和培训;工作任务分配时,能合理充分地利用时间和资源;具有团队意识、服从意识,具有一定的决断力;了解轮机值班的基本要求;掌握轮机值班应遵循的原则及值班职责;熟悉轮机员值班的基本内容;能够正确填写轮机日志;掌握值班巡回检查的内容及注意事项;了解轮机员交接班的基本要求及交接班注意事项;掌握轮机应急设备的使用方法;了解火的种类和化学性质的知识,能正确使用各类防火灭火器材,参加每月至少一次的船舶消防演习;了解并能正确操作船上各种救生设备,参加每月至少一次的船舶救生与弃船演习;能确认伤病的可能原因、性质和程度,加以治疗以减小对生命的直接威胁,掌握医疗急救基本常识;了解船舶保安规则的基本内容、本船保安计划和保安器材的使用;按安全检查要求对全船机电设备进行检测、实验;在设备维修过程中,正确使用工具和测量仪器。

(4)实习考核

专题报告是学生就顶岗实习过程中遇到的某项工作、某个问题或某一方面的情况提出的解决方案,字数应在 2 000 字以上。

实习总结是学生对顶岗实习的全面总结,内容应包括以下几方面:总结个人对顶岗实习工作的认识、态度和表现;总结个人顶岗实习的主要工作内容及完成情况;总结个人顶岗实习的主要收获与经验教训。要求学生做深入的思考和提炼,全面进行总结,字数应在1 500字以上。实习期间形成的技术方案或论文不少于7 000字,其考核主要通过方案设计(论文)的工作量、文章质量、工作能力、写作规范等方面进行综合评价。实习周记是学生参加毕业实习的原始记录,要求出本人按时、如实填写,对每周的工作进行总结。实习周记原则上要求每周一篇,主要记录本周的主要工作及工作体会等内容,最少21篇,可根据自己学校的实际实习时间进行调整。

考核内容:顶岗实习成绩应体现学生在顶岗实习阶段学习、工作的综合表现和成果,应从遵守纪律、工作态度、职业素养、专业知识和技能、创新意识、安全生产和实习成果等多方面进行综合评价。学校和实习单位共同制订实习评价标准,共同考核学生实习效果。

考核形式:顶岗实习考核由实习单位和校方共同完成。考核结果分优秀、良好、合格和不合格四个等级,学生考核结果在合格及以上者获得学分,并纳入学籍管理。学生顶岗实习考核的成绩记入毕业成绩,作为评价学生的重要依据。具体企业导师考核标准见表2-12,院校教师考核标准见表2-13所示。

表2-12　企业导师考核标准

项目	考核要点	比例
一	能严格按要求参加顶岗实习,遵守实习企业相应规章制度,按时出勤,服从管理和安排,不怕脏,不怕累,任劳任怨	0.3
二	严格按照指导教师要求完成各项顶岗实习任务	0.5
三	实习期间有良好的团队意识,能建立和谐的工作关系	0.1
四	完成本岗位任务以外的工作,有技术改革和创新意识	0.1

表2-13　院校教师考核标准

项目	考核要点	比例
一	遵从实习安排,遵守实习纪律,完成顶岗实习任务	0.1
二	顶岗实习过程中,能与家长、辅导员、班主任及学校指导教师经常性保持联系,及时汇报顶岗过程中的工作体会与心得	0.2
三	能按要求完成实习周记,记录详细,内容深刻	0.3
四	完成本岗位任务以外的工作,有技术改革和创新意识	0.4

(5)实习管理

①管理制度

学生原则上应在学校确定的实习单位范围内进行实习;有条件的学生可以自行联系实习单位,但必须报学校批准,并接受学校、实习指导教师的定期检查。成立顶岗实习指导小组,指导小组是各专业顶岗实习的具体管理机构,负责编制顶岗实习大纲或实习指导文件,并与企业联合制订具体的顶岗实习方案,指派学校指导教师,与实习单位商定实习单位指导教师。学生的顶岗实习工作由实习单位的技术人员和校内专业教师共同指导完成,并制订指导计划。学校指导教师负责解释实习大纲的要求和撰写实习报告的方法,通过电话、邮件等形式解答学生在实习中遇到的问题,指导学生完成实习报告,通过企业反馈掌握学生的实习情况,在条件允许的情况下,上船检查实习情况;实习单位指导教师具体负责学生顶岗实习期间的组织管理、任务分工,指导学生完成实习内容,及时反馈学生的实习进度和实习情况。学生在实习单位顶岗实习期间是实习单位的准员工,要接受实习单位和学校的共同管理。建立学校、实习单位定期信息通报制度。学校根据国家有关规定,为学生投保与其实习岗位相对应的学生实习责任保险。与实习企业签订就业协议的学生,由企业按照劳动法要求购买保险;未与实习企业签订就业协议的学生,由学校购买保险;保险责任范围应当覆盖学生实习活动的全过程。

②实习过程记录

学校组织学生顶岗实习应当遵守相关法律法规,并依据相关法律法规制订具体的管理办法和《实习学生安全管理规定》《实习学生安全及突发事件应急预案》等文件,并报主管的教育行政部门和行业部门备案。学校应当对学生顶岗实习的单位、岗位进行实地考察。学生到实习单位顶岗实习前,学校、实习单位、学生应签订三方顶岗实习协议,明确各自责任、权利和义务。学校和实习单位应当结合顶岗实习的特点和内容共同做好顶岗实习期间的教育教学工作,对学生开展职业技能教育,开展以敬业爱岗、诚实守信为重点的职业道德教育,开展企业文化教育和安全生产教育。学校和实习单位应加强学生在实习期间的住宿管理,保障学生的住宿安全。实习单位指导教师应当建立实习日志,定期检查顶岗实习情况。学校应该充分运用现代信息技术,构建信息化顶岗实习管理平台,与实习单位共同加强顶岗实习过程管理。

六、基于多元评价的模糊建模及评价

模糊综合评价方法是模糊数学中应用得比较广泛的一种方法。在对某一事物进行评价时常会遇到这样一类问题,由于评价事务是由多方面的因素所决定的,因而要对每一因素进行评价;在每一因素做出一个单独评语的基础上,如何考虑所有因素而做出一个综合评语,这就涉及一个综合评价方法。

构建模糊建模,进行顶岗实习综合评价,评价指标因素集 $U_i = \{u_1, u_2, u_3, u_4\}$,主要有四个维度,即个人品格、工作态度、工作能力、纪律性,评价语集合 $V_i = \{v_1, v_2, v_3, v_4,\}$,每个指标的评语,可以为定性判断,也可以为定量判断。因果判断 $f: U \to R \in (V)$,$u_i \to f(u_i) = (r_{i1}, r_{i2}, \cdots, r_{im})$,据 f 可推 $R_i \in F(U \times V)$,其中 $R_i = (u_i \times v_j) = f(u_i) f(v_j) = r_{ij}$,由 R_f 构成的模糊矩阵可以表示为 $\boldsymbol{R} = [r_{ij}]_{(m \times n)} \in F(U \times V)$。模糊综合评价过程如图2-18所示。

顶岗实习评价结构如图2-19所示。

对于企业导师顶岗实习一级评价指标有四个,包括个人品格、实习态度、实习成果、实习纪律,其中创新意识是加分指标,采用4级评价(优秀,良好,及格,不及格),二级考核指标具体考核细节指标20个,具体指标见表2-14。

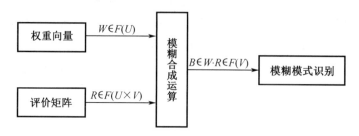

图 2-18 模糊综合评价过程

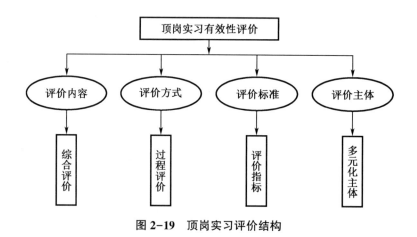

图 2-19 顶岗实习评价结构

表 2-14 企业导师评价指标

一级指标	二级指标
个人品格	待人接物谦和有礼 有良好的沟通表达能力 与同事保持良好的互动关系 对工作环境的适应能力
实习态度	主动协助同事共同完成工作任务 保持自己的工作区域整洁 注重服装仪容 主动学习工作相关知识 有安全意识,不违章作业
实习成果	对派任工作能很快进入状态 操作规范熟练,技能不断提高 产品或服务质量符合要求 为单位创造效益明显

表 2-14(续)

一级指标	二级指标
实习纪律	能按时出勤 服从工作安排,按时完成工作 虚心接受企业人员指导 遵守单位规章制度
创新意识	主动研讨产品或工程质量标准 有自主检测意识 有创新观念

职教教师的顶岗实习评价指标中一级指标四个,包括个人品格、实习态度、实习成果、实习纪律,创新意识为加分项,二级指标 20 个,见表 2-15。

表 2-15　职教教师顶岗实习评价指标

一级指标	二级指标	权重
个人品格	尊敬师长,待人谦和	0.03
	具有良好的沟通协调能力	0.02
	不怕吃苦,爱岗敬业	0.02
	与他人互助的能力	0.02
	主动协助同事共同完成作业	0.05
	保持自己工作和生活区域的整洁	0.03
实习态度	注重服装仪容	0.04
	主动学习工作相关知识	0.04
	有安全意识,不违章作业	0.04
实习成果	工作日志	0.10
	资料收集情况	0.10
	实习周(日)记填写情况	0.10
	实习报告	0.15
	技能水平的提升情况	0.10
实习纪律	服从校内指导教师安排	0.05
	按计划规定时间实习	0.05
	主动与校内指导教师联系情况	0.05

表 2-15（续）

一级指标	二级指标	权重
创新意识	主动研讨产品或工程质量标准	0.05
	有自主检测意识	0.03
	有创新观念	0.02

实践证明,模糊评价建模优化验证评价模式是有效的,解决了评价者与评价对象相对立、评价手段与评价理念相脱节、评价路径与教学过程相游离等问题,实现了评价范式的转型。首先评价模型建立,顶岗实习课程有效性评价涉及评价指标的多元交互,包括个人品格、实习态度、实习成果、实习纪律四方面,创新意识为加分项,为了量化评价,通过调研确定评价指标的权重。评价主体的多元交互包括学生自我评价、学生相互评价、教师评价、同事评价、企业导师评价、学院教师评价。多因素评价较困难,因为要同时综合考虑的因素很多,而各因素重要程度又不同,使问题变得很复杂。如用经典数学方法来解决综合评价问题,就显得很困难。而模糊数学则为解决模糊综合评价问题提供了理论依据,从而找到了一种简便而有效的评价与决策方法。

可通过模糊数学提供的方法进行运算,得出定量的综合评价结果,从而为正确决策提供依据。

给定评价指标:

$$U = \{u_1, u_2, \cdots, u_n\}$$

因素的有限集合和评语的有限集合:

$$V = \{v_1, v_2, \cdots, v_m\}$$

则相对某一单项评价因素 u_1 而言,评价结果可以用评语集合 V 这一论域上的模糊子集描述:

$$\widetilde{B}_1 = \mu_1/v_1 + \mu_2/v_2 + \cdots + \mu_m/v_m$$

并简记为向量形式:

$$\widetilde{B}_1 = [\mu_1, \mu_2, \cdots, \mu_m]$$

一个模糊综合评价问题,就是将评价因素集合 U 这一论域上的一个模糊集合经过模糊关系变换为评语集合 V 这一论域上的一个模糊集合,即

$$\widetilde{B} = \widetilde{A} \cdot \widetilde{R}$$

上式即模糊综合评价的数学模型,其中

$\widetilde{B}$——模糊综合评价的结果,是 m 维模糊行向量。

$\widetilde{A}$——模糊评价因素权重集合,是 n 维模糊行向量。

评价指标 U 与因素的有限集合 V 是一个模糊关系, $\widetilde{R}$ 是 $n \times m$ 矩阵。其元素 $r_{ij}(i=1,2,\cdots,n; j=1,2,\cdots,m)$ 表示从第 i 个因素着眼,做出第 j 种评语的可能程度。

模糊综合评价模型中的矩阵乘积表示复合关系。

模糊综合评价的步骤如图 2-20 所示。

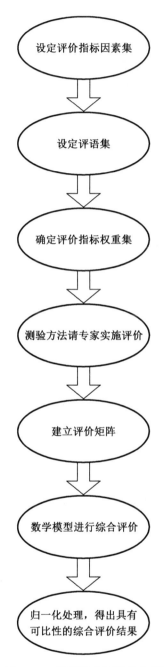

图 2-20　模糊综合评价的步骤

用于顶岗实习质量的评估：

$U = \{$个人品格，实习态度，实习成果，实习纪律$\}$

$V = \{$优秀，良好，及格，不及格$\}$

根据考评结果分析如下：

$$\widetilde{A} = [\, 0.5, 0.4, 0.3, 0.1\,]$$

$$\widetilde{R} = \begin{bmatrix} 0.4 & 0.5 & 0.1 & 0.3 \\ 0.5 & 0.3 & 0.1 & 0.2 \\ 0.1 & 0.2 & 0.3 & 0.5 \\ 0.1 & 0.2 & 0.5 & 0.3 \end{bmatrix}$$

$$B = \widetilde{A} \cdot \widetilde{R}$$

$$= [\, 0.5, 0.4, 0.3, 0.1\,) \cdot \begin{bmatrix} 0.4 & 0.5 & 0.1 & 0.3 \\ 0.5 & 0.3 & 0.1 & 0.2 \\ 0.1 & 0.2 & 0.3 & 0.5 \\ 0.1 & 0.2 & 0.5 & 0.3 \end{bmatrix}$$

归一化：

$$B = [\, 0.33, 0.42, 0.17, 0.08\,]$$

模糊综合评价的数学模型涉及三个要素：

(1)因素集 $U = \{u_1, u_2, \cdots, u_m\}$。

(2)评语集 $V = \{v_1, v_2, \cdots, v_n\}$。

(3)通过各单因素模糊评价获得模糊综合评价矩阵：

$$R = \begin{pmatrix} R_1 \\ R_2 \\ \vdots \\ R_m \end{pmatrix} = \begin{pmatrix} r_{11} & r_{12} & \cdots & r_{1n} \\ r_{21} & r_{22} & \cdots & r_{2n} \\ \vdots & \vdots & & \vdots \\ r_{m1} & r_{m2} & \cdots & r_{mn} \end{pmatrix}$$

其中，$R_i = (r_{i1}, r_{i2}, \cdots, r_{in})$，为第 i 个因素 u_i 的单因素评价，所以 r_{ij} 表示因素 u_i 在第 j 个评语 v_j 上的隶属度。

进行模糊关系的复合运算可得到综合评价结果，$B = A \cdot R = [\, b_1, b_2, \cdots, b_n\,]$，其中 b_j 表示评价对象属于评语 v_j 的程度。权重向量 $A \in F(U)$，$A = [\, a_1, a_2, \cdots, a_m\,]$，综合评价 $B = A \cdot R$，$R = (r_{ij})_{m \times n}$。$B = [\, b_1, b_2, \cdots, b_n\,]$，其中 $b_j = \overset{m}{\underset{k=1}{\vee}}{}^{*}(a_k \wedge^{*} r_{kj})$，简记此综合评价算子为 $M(\wedge^{*}, \vee^{*})$。由 b_j 计算 $(\wedge^{*}, \vee^{*})$ 的算子的取法很重要，不同的算子适用解决不同的实际问题。

主因素决定型 $M(\wedge, \vee)$，即 $b_j = \overset{m}{\underset{k=1}{\vee}}(a_k \wedge r_{kj})$。

主因素突出 I 型 $M(\cdot, \vee)$，即 $b_j = \overset{m}{\underset{k=1}{\vee}}(a_k \cdot r_{kj})$。

主因素突出 II 型 $M(\oplus, \wedge)$，即 $b_j = \overset{m}{\underset{k=1}{\oplus}}(a_k \wedge r_{kj}) = \overset{m}{\underset{k=1}{\sum}}(a_k \wedge r_{kj})$；运算 $\oplus$ 为有界和，即 $a \oplus b = \min(1, a+b)$。

加权平均型 $M(+, \cdot)$，即 $b_j = \overset{m}{\underset{k=1}{\sum}}(a_k \cdot r_{kj})$。

计算每个评价对象的综合评价结果。

综合评价的目的是要从对象集中选出优胜对象,所以要利用实习考评的结果,还需要将所有对象的综合评价结果进行排序。

通常采用最大隶属原则来确定相对隶属于哪一个评语 v_j。

最大隶属原则:若存在 $j_0 \in \{0,1,\cdots,n\}$,使得 $b_{j_0} = \max\limits_{1 \leq j \leq n} \{b_j\}$,则认为评价对象相对取得评语 v_{j_0}。

将综合评价结果 $\boldsymbol{B}$ 转换为综合分值 M。

模糊隶属函数的构造:

模糊集"优秀"的隶属函数: $\mu_A(u) = \begin{cases} 0, & 0 \leq u < 85 \\ \dfrac{u-85}{10}, & 85 \leq u < 95 \\ 1, & 95 \leq u \leq 100 \end{cases}$ (2-1)

模糊集"良好"的隶属函数: $\mu_B(u) = \begin{cases} 0, & 0 \leq u < 70 \\ \dfrac{u-70}{10}, & 70 \leq u < 80 \\ 1, & 80 \leq u \leq 90 \\ \dfrac{100-u}{10}, & 90 < u \leq 100 \end{cases}$ (2-2)

模糊集"及格"的隶属函数: $\mu_C(u) = \begin{cases} 0, & 0 \leq u < 55 \\ \dfrac{65-u}{10}, & 55 \leq u < 65 \\ 1, & 65 \leq u < 75 \\ \dfrac{85-u}{10}, & 75 \leq u < 85 \\ 0, & 85 \leq u \leq 100 \end{cases}$ (2-3)

模糊集"不及格"的隶属函数: $\mu_D(u) = \begin{cases} 1, & 0 \leq u < 40 \\ \dfrac{60-u}{10}, & 40 \leq u < 60 \\ 0, & 60 \leq u \leq 100 \end{cases}$ (2-4)

一级指标有 4 个: $U_1 = \{u_1, u_2, u_3, u_4\}$;二级指标有 20 个: $U_2 = \{u_{21}, u_{22}, \ldots, u_{220}\}$。

评语集为: $V = \{v_1, v_2, v_3, v_4\} = \{$优秀、良好、及格、不及格$\}$。

设 x_i、y_i、z_i 分别表示学生自评、教师评价、企业导师评价对第 i 个指标的评价分数,x、y、z 分别表示学生自评、教师评价、企业导师评价某一指标的最高评价分数,x_i^*、y_i^*、y_i^* 分别表示学生自评、教师评价、企业导师评价第 i 个指标的处理评价分数。

取 $x_i^* = \dfrac{x_i}{x} \times 100$,如 $x_1 = 90$,$x = 95$,$x_1^* = \dfrac{x_1}{x} \times 100 = 94.74$。二级指标的评价数据见表 2-16。

表 2-16　二级指标的评价数据

指标	u_{21}	u_{22}	u_{23}	u_{24}	u_{25}	u_{26}	u_{27}	u_{28}	u_{29}	u_{210}
学生	95	80	90	75	80	93	82	87	92	80
教师	90	75	92	70	90	88	75	90	90	69
导师	85	85	80	70	85	90	78	86	87	70
指标	u_{211}	u_{212}	u_{213}	u_{214}	u_{215}	u_{216}	u_{217}	u_{218}	u_{219}	u_{220}
学生	95	80	90	75	80	93	82	87	92	80
教师	90	75	92	70	90	88	75	90	90	69
导师	85	85	80	70	85	90	78	86	87	70

七、基于互联网技术的船舶类高职学生顶岗实习应用

1. 互联网技术的开发理论架构

该系统的开发采用 PHP 与 MySQL 相结合的技术。PHP 提供免费的开源代码,简单易懂,程序开发快,被广泛应用;PHP 编辑简单,实用性比较强,更适合于 Web 前端的开发(即 HTML5 开发)。PHP 开发的脚本可以在 Windows、Android、Unix、Linux 等众多的操作系统中使用,跨平台性好。MySQL 是比较流行的开放源码 SQL 关联数据库管理系统,由于关联数据库不是将所有的数据都放在一起,而是保存到不同的表中,所以它的运行速度又快又灵活。任何人都可以免费下载 MySQL 的软件,并可以根据自己的需要对"开放源码"进行适当修改。鉴于 PHP 与 MySQL 的特性,它们与 Apache 组合可以创建良好的开发环境。

2. 船舶类学生顶岗实习平台软件的功能设计

互联网顶岗实习平台主要功能如图 2-21 所示,超星网络顶岗实习平台如图 2-22 所示。学生开始实习,指定的符合规范要求的合格教师依据教育部职业院校顶岗实习标准,制订实习计划,上传平台,并与企业导师和行业指导委员研究探讨、修改、完善该计划。依据船舶航次任务和标准要求掌握的实习知识和训练项目,进行实习信息汇总,对学生进行每日的信息提醒。根据不同船舶的特点,进行目标分解和重构,发布实习项目,监控学生完成情况,对没有及时完成项目的学生进行提醒、督学,不让一个学生掉队。学生可以对信息资源进行文件下载(主要针对船舶类特点,海洋有的区域没有网络信号),在规定区间内提交项目完成情况,可以是每天提交完成项目情况,也可以是每两天,每周至少提交一次。教师根据学生提交情况,进行分类指导,促进学生顶岗实习完成项目任务,审核反馈意见。企业导师指导、企业导师评价、学生自评,以及职教教师评价,最后综合评价学生顶岗实习情况,评价时强调过程的监控,综合评价包括最终评价考核(企业导师、职教教师),同时考查学生在顶岗实习过程中的表现和收获。

顶岗实习平台主要功能如下:

相互交流学习功能,通过移动终端系统的开发,使学生、船上指导老师与学校指导老师能够随时随地的通过手机、IPAD、电脑等设备进行交流。学生可以将在海上工作中遇到的各种问题发到顶岗实习平台,平台系统会根据问题的类型发送给相关学校指导老师,并提

醒他们有学生提出问题,需要解答。这些问题有可能是学生在专业知识方面的问题,也有可能是思想方面的问题,需要相关的老师一一解答。学校的指导老师也可以将相关内容发送给船上的指导老师,让他们告诉学生如何解决这种问题,并将相关内容保存到数据库中分享给其他同学。船上的指导老师由于缺少各种参考资料,也可将遇到的问题发给学校的指导老师,相互探讨,共同学习、共同进步。

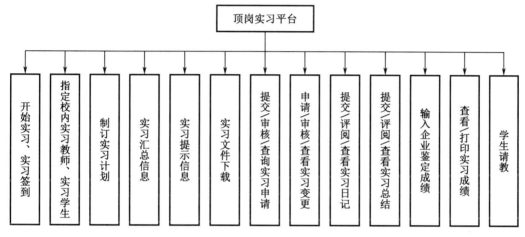

图 2-21　互联网顶岗实习平台主要功能

综合信息统计功能可以统计船舶类学生在船顶岗实习的人数、实习人的信息;学生在船完成实习报告、实习总结的情况,老师批改实习报告及实习总结的情况;学生与学校指导老师相互交流次数,船上指导老师对学生的指导次数以及与学校老师的互动交流次数等。系统将学生、船上指导老师、学校指导老师进行分类,使每个人的职责清晰,便于学校和航运企业的查阅管理。

实习成绩的评定,顶岗实习的学生在船上可以通过船舶网络进行通信,通过智能终端登录顶岗实习平台,按照实习要求,填写实习日记、实习报告、实习总结等上传到平台,船上的指导老师及学校指导老师根据学生上传的内容进行实习成绩的评定。学生也可以通过网络对船舶指导老师与学校指导老师的指导过程给予评定,从而使企业与学校更好地了解指导老师的指导情况。

互联网技术促进顶岗实习的监控和评价,通过船舶安装的无线上网设备及开发的顶岗实习平台软件,可以很好地解决船舶类学生顶岗实习的问题。学校可以很轻松地监管学生顶岗实习与老师指导情况,对出现的问题及时发现、及时解决;船舶企业也可以查看自己安排的船上指导老师是否给学生尽到了指导义务;学校与船上指导老师可以通过网络平台对学生的实习日记、实习报告、实习总结等进行评阅,有问题可以通过网络及时沟通;学生不用再提交各种纸质的资料,也不用跑到学校亲自交给老师,节省了大量的人力物力。随着科技的发展,把互联网+技术应用到船舶类学生的顶岗实习当中具有非常重要的意义。

图 2-22　超星网络顶岗实习平台

八、研究的主要结论与观点

1. 提出基于互联网+顶岗实习教学模式

新时代产教融合高职学生顶岗实习教学模式研究,利用信息化技术,联合企业、行业、学院创建培养高技能教学平台,基于互联网+顶岗实习教学模式,实现顶岗实习过程监控、顶岗实习"时时"指导、顶岗实习评价及职业能力提高途径、个性化分析等。

2. 创建超星网络顶岗教学平台

研究主要采用超星泛亚网络平台,建立学院、企业、行业指导委员会共同参与,高职学生顶岗实习监控、指导、评价为一体的互联网平台。高职学生顶岗实习监控、指导在线和离线设计,实现学院实习目标、实习监控、实习反馈与企业要求融合,体现终身教育理念,培养学生匠心精神,贯穿学生职业生涯。

3. 主要思想

基于终身教育理念,培养具有较强专业操作能力的高素质、高技能、创新型专门人才,需要与时俱进,结合互联网+顶岗实习,培养学生尽快融于企业、社会,也需要教师、企业导师的共同努力。学生匠心精神的培养是贯穿学生职业生涯的,需要常抓不懈。

4. 主要观点

通过职业教育理念与学生顶岗实习结合,利用互联网+技术,开放共享、混合学习、个性化教育,将成为未来教育信息化的发展趋势和方向。

第七节　船舶动力工程技术高职院校学生创新能力分析评价研究

创新能力是古今社会进步的动力,运用互联网+技术、决策导向型(CIPP)评价方法,结合高职院校学生创新能力评价原则,创新能力分析综合,分析高职教育现状、分析高职学生特点,对高职院校及学生创新能力评价指标构建、评价设计,以及高职院校、学生创新能力评价提出建议,实现 CIPP 评价理论与互联网技术的融合,以及评价理念、评价方式的创新应用。

创新能力是民族进步的灵魂,孔子、孟子的启发教育的中心思想是有天赋需要生活的实践及创新能力的训练。美国心理学家戴维斯认为创新能力应具备理想、好奇心、自信、独立等特性。1919 年我国著名教育家陶行知在《第一流教育家》中第一次把"创造"引入教育领域,创新是我国近些年一直关注的重要课题,创新的定义是指在各个领域有创新精神和能力,并对国家有突出贡献的创造,创新人才培养也是实现"中国梦"的历史要求。党的十八大报告明确把"创新人才培养水平明显提高"作为全面建成小康社会的重要目标。《2015—2018 年高等职业教育创新发展行动计划》明确指出,将高职院校建设成为区域内技术技能积累的重要资源聚集地。创新能力重点服务"中国制造 2025",主动适应数字化、网络化、智能化制造需要。2018 年李克强在政府工作报告中提出"坚持创新引领发展,整体创新能力显著提高"。2018 年 3 月 7 日习近平参加第十三届全国人民代表大会第一次会议广东代表团审议时强调"创新是第一动力,强起来要靠创新,创新要靠人才"。高职教育培养的学生创新能力,要求学生会操作、能够解决技术难题,应"因事而化、因时而进、因势而新"。高职院校要主动引进高水平的企业技术人员充实教师队伍,提高教师的技术研发能力,要有效引导教师主动自我学习行业先进技术理念,适时调整教学内容,改变简单性、重复性的实训操作,要用文化、情感去培养学生的创新能力,使得学生成为"创新工具人"并走入社会。国内互联网+概念可以追溯到 2012 年,于扬在易观第五届移动互联网博览会的发言中首次提出互联网+理念,他认为在未来,互联网+将广泛应用于各行业的产品与服务。对于互联网+,马化腾阐述为把互联网、信息技术、传统行业等各行各业有机融合,创造出一个新领域,构建一种为人类协调发展、和谐发展的"新生态"。2015 年李克强在《国家教育事业发展"十三五"规划》中,首次系统阐释"互联网+教育"的内涵、外延、建设设计、实现路径等。"互联网+教育",让传统教育更具有生命力、活力,它不会取代传统教育,而是通过现代技术与传统教育融合,适应现代化教育的发展。CIPP 评价在互联网+背景下,对人才培养活动的全过程进行监控。CIPP 评价通过"过程监控",可以对创新力培养活动过程中的内因、外因客观公正评价,避免不利因素,消除创新力培养目标与现实之间的偏差。培养高职院校学生创新能力,对过程监控中的因素、指标及时诊改,发现偏差则适当调整培养方式、方法,并对创新力培养的硬件、软件资源进行诊改,发现偏差进行适当调整。

一、创新能力 CIPP 评价

创新能力是在创新过程、活动中提出问题、解决问题的能力,在前人发现、发明的基础上,高职学生通过自身的努力,提出新的改进、创新方案的能力。

创新能力是发现问题、利用资源、弄清问题的能力,是把问题的"问题"状态向"成果"状态转化,完成"创新目标"的全过程的能力。创新能力是高职学生在利用应用技术及实践活动中,通过发现问题、解决问题,不断提供具有社会、经济、生态价值的新思想、新理论、新方法、新发明的能力。CIPP 评价模式又称决策导向型模式,美国学者斯塔弗尔比姆在批判目标评价模式的基础上创立了 CIPP 评价模式,该模式把评价分为背景、输入、过程、成果四部分,在教育改革实践过程中,斯塔弗尔比姆又对该模式进一步改进,他将"成果评价"进一步细分为影响、成效、可持续性、可推广性。该评价的特点是具有全程性、过程性、反馈性等,实践任何阶段都可以进行结果评价,以使评价的反馈性功能更有益于实践的全过程。基于CIPP 评价的全程性与互联网+、大数据分析结合,利用互联网与 CIPP 评价更具有操作性、科学性、实用性。

二、高职教育、学生特点分析

高职教育是高等教育的一部分,属于高等教育的范畴。高职教育根据国家顶层设计、地方经济的特点、社会的需求、行业发展规划、企业发展的需求,合理制订培养目标。当下培养高职学生创新能力尤为重要,培养目标应根据特定职业的岗位规范、技能要求,体现实践性、实用性、工艺性,追求精益求精。高职教育的特点主要体现在如下几方面:培养目标的特定性、知识能力的应用性、教学内容的针对性,以及师资队伍的"双师型"、高职毕业生的"双证型"。高职教育区别于高等教育,它具有"四业"属性,即职业、行业、企业、产业,四者紧密结合。高职教育首先是职业属性,它具有针对性强、企业认知度高、紧跟市场需求、培养目标明确等特点,是就业导向以培养学生就业为宗旨,以传授特定岗位技能为主要内容的职业教育,高职院校的教学要求满足职业资格标准、职业的工作过程的要求。高职教育应与时俱进,其教学内容应适应当下社会发展,应进行教学的诊改、方法创新,并加强"双师"专职教师培养和知识更新,从而满足学生的创新能力提升、职业能力提高、就业质量改善的需求。第二是行业属性,高职办学特色与行业特色紧密相连,行业协会以全局观念共同研究职业教育的问题,促进职业教育的创新发展,研究开发创新力评价标准、考核标准及评价权重等项目。行业协会应有效搭建校企合作平台,进而推动院校与企业融合,专业建设与社会培训项目有机融合,通过院校与企业共建"创新培养"基地方式,加强行业参与高等职业教育的标准制订。在教学过程、内容选择上,注重行业对产品设计、产品生产、产品流通等环节的国际、国内标准的制订或参与,重视国内行业标准的更新,关注国际行业标准的动向。第三是高职教育的企业属性,世界各国职业院校培养应用型人才,采用校企深度融合,职业教育要更多地融入企业要素,强化校企合作。高职院校要提高整合企业资源的能力,积极吸引企业参与高职教育,将企业要求在高职教学中体现,采用情景模拟企业的情境和氛围,提高学生适应能力、创新能力。最后是产业属性,高职院校发展的驱动力是顶层设计和地方经济发展对高技能人才的需求,高职教育坚持为地方产业发展、培养创新型人才服务。当下社会智能化快速发展,产业发展先于行业发展,高职院校应超越现有行业的局限性,积极为区域创新型产业发展服务。高职学生不仅应具备知识、理论、技能,还应该学习与时俱进的新知识、新技术、新工艺,以较强的实践动手能力,解决实际问题。高职学生应具有适应职业岗位的能力,要具有创新精神,创新的前提是知识,丰富的知识能提高辨别力、求知欲。创新的保障是意志,良好的意志能推动创新的往复循环并推动创新深化发展。定期让学生参加课外科技活动、创新设计大赛、发明大赛、数学建模大赛等,学生社团建立多学科融合参与的"创新共同体",注重培养学生的自我调节约束能力、创新能力、科技成果转化能力、分析解决问题的能力,培养能解决职业岗位实际问题的实践开拓能力,培养职业岗位变动的"融合"能力。高职学生在动手操作能力上要求比高教本科生强,基础的功底要求比普通中职生扎实。高职学生既不是"高教压缩型",本科四年压缩成高职三年制,也不是"普通中职操作型",而是"创新应用型"。高职毕业生的水平侧重于实际技能的培训,毕业获得"双证"(即毕业证书、专业资格证),它是就业的凭证、通行证。学生获得职业资格证,提高创新、创业能力。职业技能凭证为企业择优用人提供客观公正的依据,高职学生需要到企业岗位、工作现场做实事、干实务,并具有创新能力。

三、高职院校、学生创新能力评价指标构建

创新能力评价指标构建应遵循三个原则,即系统性、动态性、决策向导,三个原则相互影响、相互作用、互为一体,高职院校学生创新能力评价指标体系是一个系统性、整合性的框架体系,高职院校学生创新能力应该是动态的、发展的,既有"硬"指标,又包涵动态发展的"软"指标。"硬"指标包括新方法、新发明,"软"指标包括新思想、新理论。只有兼具"硬"指标与"软"指标的评价融合,才能促进高职院校、学生创新能力进一步完善,促进发展基础薄弱的院校学生进一步提高,促进不同发展时期、不同发展水平的同步改革发展。评价高职院校学生创新能力,重点对校企合作、工学结合中的创新成果进行评价,同时对培养模式、教学模式的创新采用过程性评价,形成从创新能力分析到成果评价再到新的创新能力背景分析的良性循环。创新能力评价以改进为主要导向,为高职院校培养学生创新能力提供背景分析的素材、资源输入的建议、成果质量的尺度。高职院校学生创新能力 CIPP 评价的目的不仅在于检测高职院校学生创新能力目标的达成度,更在于及时发现高职院校学生创新能力存在的问题,明确高职院校学生创新能力培养改进、完善、进步的方向,为教育行政部门、学校领导、专业负责人、专业师生等进行决策提供准确、实用、详细的信息,以更好地指导高职院校对学生创新能力的培养。

目前高校创新能力主要侧重于成果质量、成果影响力、科研产量指标、成果转化指标、

科研环境等,对于高职院校,创新能力评价指标应有所不同,创新能力背景评价指标包括目标定位、培养方案的制订;创新能力输入评价指标是在背景评价的基础上,对职业院校创新能力所要达到的预期目标、所需的基础条件、主要资源等所做的评价;创新条件的保障主要是创新能力资源的保障,包括创新能力教师资源、创新能力教学资源、创新能力经费资源;创新能力过程评价是对创新能力培养模式的执行、创新能力课程体系建设过程、创新能力教学过程等进行评价,创新能力成果评价的指标包括创新工艺流程、创新理念、创新成果、创新成果推广、校企融合等。

四、互联网+高职院校、学生创新能力评价设计

高职创新能力培养与互联网技术融合,采用互联网技术进行信息采集,实现不受"时空"限制的需求。互联网+高职院校、学生创新能力评价包括信息采集模块、CIPP 评价模块、评价运算模块、评价输出模块,如图 2-23 所示。学生、教师、专家、企业精英通过授权密码,进行网络评价,材料真实性由院校领导负责把控。采集信息利用 CIPP 评价模式进行,评价运算模块进行统计技术,节省"三力"(即人力、物力、财力),实现节约评价、过程评价。量化的信息是在过程中及时输入,每周或每月更新,主管机关及学院随时了解创新能力动态变化,评价结果随着时间自动生成,并且根据设定、要求进行评估结果"推送",以邮件、手机 APP 平台信息的方式进行。

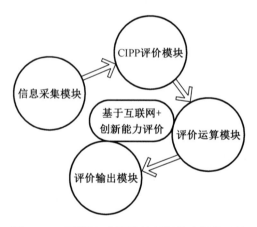

图 2-23 互联网+高职院校创新能力评价设计

构建"第三方评价模式",借鉴国外评价模式进行优化。指标维度的选取包括教学、研究、知识传播、国际化和区域经济融合五个绩效层面,高职院校创新能力评价指标(表 2-17)包括创新能力核心目标 A1:创新能力目标定位 B1(C1、C2)、创新能力培养方案 B2(C3、C4);创新能力核心资源 A2:创新能力教师资源 B3(C5~C8)、创新能力教学资源 B4(C9~C13)、创新能力经费资源 B5(C14);创新能力核心成果 A3:专利 B6(C15~C17)、成果推广 B7(C18~C20)。

表 2-17　高职院校创新能力评价指标

A 级指标	B 级指标	C 级指标
A1 创新能力核心目标（权重:20%）	B1 创新能力目标定位（40%）	C1 创新能力目标与规划执行（50%） C2 创新能力人才培养目标（50%）
	B2 创新能力培养方案（60%）	C3 培养方案各要素匹配程度（50%） C4 毕业生的知识、能力和素质对培养目标的支撑程度（50%）
A2 创新能力核心资源（权重:30%）	B3 创新能力教师资源（30%）	C5 教师队伍建设规划与执行（30%） C6 专业教师生师比（30%） C7"双师型"教师的生师比（30%） C8 企业导师比例（10%）
	B4 创新能力教学资源（30%）	C9 现有教学实训、实验仪器设备、软件的生均值（20%） C10 近五年校外实训、实习、实践基地数量及各基地参加学生人数、次数与专业在校生总数的比值（20%） C11 校企合作的数量与效果情况（20%） C12 近五年新增的教学实训、实验仪器、设备、软件的生均值（20%） C13 开放共享情况（20%）
	B5 创新能力经费资源（40%）	C14 专业生均经费（100%）
A3 创新能力核心成果（权重:50%）	B6 专利（50%）	C15 发明专利（50%） C16 实用新型专利（25%） C17 外观新型专利（25%）
	B7 成果推广（50%）	C18 国家级推广（40%） C19 省市级推广（30%） C20 校企合作应用（30%）

高职学生创新能力评价指标（表 2-18）包括思维创新 A1、方法创新 A2、应用创新 A3。思维创新 A1 包括突破思维障碍 B1（C1~C3）、发现创新点 B2（C4~C5）、提出新思路 B3（C6~C9）；方法创新 A2 包括个体创新 B4（C10~C12）、团队创新 BB5（C13~C14）；应用创新 A3 包括创新方案制订 B6（C15~C17）、创新方案实施 B7（C18~C19）、创新方案展示评估 B8（C20~C23）、创新成果推广转化 B9（C24~C26）。

表 2-18 高职学生创新能力评价指标

A 级指标	B 级指标	C 级指标
A1 思维创新 （权重 20%）	B1 突破思维障碍（30%）	C1 对指定的观念提出质疑（30%） C2 对现有事物找出不足、缺陷（30%） C3 多角度分析问题（40%）
	B2 发现创新点（30%）	C4 根据创新对象进行分析（50%） C5 指导团队（50%）
	B3 提出新思路（40%）	C6 利用各种创新思维，对事物提出"原创"创新点（20%） C7 引导团队利用各种创新思维，对事物提出"原创"创新点（30%） C8 对事物分析、比较，列出不同的个性、共性（20%） C9 对事物发展的预判，提出应对策略（30%）
A2 方法创新 （权重 30%）	B4 个体创新（30%）	C10 对指定的结论、惯例提出质疑（30%） C11 对现有成果找出不足、缺陷（30%） C12 多角度对同一问题提出新问题（40%）
	B5 团队创新（30%）	C13 根据创新对象提出创新点（50%） C14 将已有成果推广到其他领域（50%）
A3 应用创新 （权重 50%）	B6 创新方案制订（20%）	C15 根据"原创"创新点设计创新方案（30%） C16 指导团队对"原创"创新点设计创新方案（30%） C17 利用文献、专利等网络信息资源修改方案，创新方案具有实用性、新颖性（40%）
	B7 创新方案实施（20%）	C18 方案有效管理，进行计划、协调、领导（50%） C19 方案实施有效控制，发现偏差并纠正偏差（50%）
	B8 创新方案展示评估（50%）	C20 评估创新成果的实用性、可靠性、先进性（20%） C21 成果成本分析，风险、收益预判（30%） C22 创新成果社会效益预判（20%） C23 组织策划成果展示、宣传（30%）
	B9 创新成果推广转化（50%）	C24 市场调研，对创新成果进行市场定位（30%） C25 组织成果样机开发（40%） C26 成果推广转让（30%）

当下社会的信息化程度不断加深，互联网技术快速发展，高职教育评价方式、方法面临

挑战,因此提出基于互联网+CIPP融合的高职院校学生创新能力评价理念,提出优化高职院校、学生评价"四业"融合,即职业、行业、企业、产业共同融合参与评价,对互联网+高职院校、学生创新能力评价体系进行设计,构建高职院校创新能力评价指标,包括一级指标3项,二阶指标7项,三级指标20项;构建高职学生创新能力评价指标,包括一级指标3项,二阶指标9项,三级指标26项。研究待进一步深入,CIPP评价运算待建设优化,"四业"参与评价权重待确定,高职院校、学生评价指标待优化,指标权重在船机专业学生教学中初步验证,待进一步探究其在其他专业的应用效果。

参 考 文 献

[1] 姜大源.论高等职业教育课程的系统化设计[J].中国高等教育,2009(4):66-70.

[2] 徐国庆.职业教育项目课程的内涵、原理与开发[J].职业技术教育,2008(19):5-10.

[3] 包芳,潘永惠.工作过程导向的项目化教材建设探索[J].计算机教育,2013(8):104-107,110.

[4] 史秋衡,王爱萍.应用型本科教育的基本特征[J].教育发展研究,2008(21):34-37.

[5] 教育部高等学校计算机基础课程教学指导委员会.高等学校计算机基础教学发展战略研究报告暨计算机基础课程教学基本要求[M].北京:高等教育出版社,2009.

[6] 李洁,周苏,师秀清.计算机基础教育的创新设计与教材建设[J].计算机教育,2010(10):153-158.

[7] 张超,孟莉,耿涛.计算机文化基础教材在高职高专教学实践中的反思[J].宜春学院学报,2010(12):161-162.

[8] 王小刚.基于劳动教育的高职船舶动力工程技术专业课程改革研究[J].教育与职业,2021,997(21):94-97.

[9] 马丁.VR技术应用于教育教学中的思考——评《VR虚拟现实与AR增强现实的技术原理与商业应用》[J].中国教育学刊,2019(11):120.

[10] 王珏,米俊魁."中国制造2025"视域下职业教育研究态势与未来展望——基于2015—2018年CNKI数据库资源统计结果的分析[J].职业技术教育,2020(3):45-50.

[11] 赵长林.新中国成立70年我国劳动教育思想的演进与劳动课程的变迁[J].国家教育行政学院学报,2019(6):9-17.

[12] 朱敏,高志敏.终身教育、终身学习与学习型社会的全球发展回溯与未来思考[J].开放教育研究,2014,20(1):50-66.

[13] 孙毅.国外终身教育立法的经验与启示[J].中国远程教育,2013(10):41-46.

[14] 蒋楠晨,陈丽,郑勤华.中外终身教育立法比较研究[J].现代远距离教育,2013(5):3-9.

[15] 毕结礼.终身职业培训体系建设的再思考——国外终身教育的经验与借鉴[J].中国培训,2014(11):8-9.

[16] JANNA Q A,JAN L B,LEE R,等.互联网对高等教育未来的影响[J].高等工程教育研究,2013(3):38-45.

[17] 宇缨.互联网高等教育教学资源的现状及相关技术分析[J].实验技术与管理,2011, 28(5):222-225,228.

[18] 赵秀强.现代职业教育学生终身体育意识的培养[J].天津职业院校联合学报,2017, 19(8):52-55.

[19] 张乐天.以学生需求为导向高职会计专业教学模式供给侧改革研究[J].天津职业院校联合学报,2017,19(6):97-103.

[20] 杨志坚.泛在学习:在理想与现实之间[J].开放教育研究,2014,20(4):19-23,52.

[21] 王国川.高职专业课程体系建构探究[J].教育与职业,2018(22):101-104

[22] 钟强,刘月秀."互联网+"思维嵌入高职院校创新教育课程建设研究[J].教育与职业, 2018(21):109-112.

[23] 于茜,王琴.融媒体对高职院校思想政治工作生态环境的影响与对策[J].教育与职业,2018(16):87-90.

[24] 杨静丽,胡光永.基于投入学习理论的高职院校混合式教学模式探析[J].教育与职业,2018(10):107-111.

[25] 戴晓云.基于职业发展能力的高职院校师资队伍建设与激励机制[J].教育与职业,2018(19):78-82.

[26] 张曼娟.论现代高职院校教师综合职业素质培育[J].教育与职业,2018(12):74-77.

[27] 高振发.高职教师职业认同与专业发展的相关性分析[J].教育与职业,2018(19):87-93.

[28] 王琪,韩利红,张振.高职院校教师职业适应:结构模型与实证特征[J].教育与职业,2018(13):84-89.

[29] 谭见君,严勇.美国创新教育发展及其对我国高职院校师资队伍建设的启示[J].教育与职业,2018(20):95-98.

[30] 袁潇,高松.职业教育教师协同培养探析[J].教育与职业,2018(11):26-31.

[31] 郭庆军,乔丹."中国制造2025"视角下的职业教育转型与升级探究[J].教育与职业,2018(20):39-44.

[32] 卢书欣.外国思政教育特色、发展趋势以及对我国教育的借鉴意义[J].教育与职业,2013(21):53-54.

[33] 高德毅,宗爱东.课程思政:有效发挥课堂育人主渠道作用的必然选择[J].思想理论教育导刊,2017(1):31-34.

[34] 杨涵.从"思政课程"到"课程思政"——论上海高职院校思想政治理论课改革的切入点[J].扬州大学学报(高教研究版),2018,22(2):98-104.

[35] 何红娟."思政课程"到"课程思政"发展的内在逻辑及建构策略[J].思想政治教育研究,2017,33(5):60-64.

[36] 王晶.应用人才与拔尖人才培养趋向研究——基于美国从STW到STC演进的启示[J].黑龙江教育(高教研究与评估),2016(11):70-72.

[37] 吴砥,尉小荣,卢春,等.教育信息化发展指标体系研究[J].开放教育研究,2014,20(1):92-99.

[38] 何克抗.我国教育信息化理论研究新进展[J].中国电化教育,2011(1):1-19.

[39] 顾小清,郭日发.教育信息化的回顾与展望:本土演进研究[J/OL].电化教育研究,2018(2):1-7.

[40] 易兰华.高职院校顶岗实习教学质量多元化评价指标体系构建——基于利益相关者视角[J].国家教育行政学院学报,2014(7):64-69.

[41] 张玉杰,姜浩,杨启迪.顶岗实习对师范生教师职业道德的影响与对策分析[J].河北师范大学学报(教育科学版),2018(1):114-118.

[42] 刘剑英.高职顶岗实习管理模式研究与实践——以大连职业技术学院为例[J].中国职业技术教育,2012(11):81-84.

[43] 唐金花,谢华.教育经济学视阈下高职教育外包式顶岗实习的价值分析[J].中国职业技术教育,2017(9):74-77.

[44] 吴育红.校企融合下的高职院校管理生态改革与创新[J].现代教育科学,2017(4):61-65.

[45] 殷文娟.校企融合视域下的高职院校文化建设研究[J].职教论坛,2017(11):45-48.

[46] 邓桂兰.高职院校顶岗实习精细化管理模式研究[J].西部素质教育,2017,3(23):15-16.

[47] 刘春梅.高职顶岗实习实效性管理研究——以高职文秘专业顶岗实习为例[J].教育现代化,2017,4(48):320-321.

[48] 李春杰.构建以成果导向现代学徒制"工学结合+校企合作+顶岗实习"渐进式人才培养模式研究[J].现代经济信息,2017(20):423.

[49] 王哲,董衍美.十八大以来中国特色现代职业教育人才培养质量工作报告[J].职业技术教育,2017,38(24):53-59.

[50] 蒋欣哲.高职顶岗实习管理模式设计与研究[J].课程教育研究,2017(22):241-242.

[51] 冯欣悦,王雪松,陈慧文.基于移动终端的高职顶岗实习平台的开发与应用[J].电子世界,2018(12):96-98.

[52] 杨倩,王冀,王玉玺.基于移动终端的高职院校顶岗实习服务平台——"实训云管家"的研究与设计[J].数字技术与应用,2018(8):136-137.

[53] 王威,肖金峰,贾立校.船舶类专业学生顶岗实习中的问题及对策[J].航海教育研究,2018(2):70-72.

[54] 刘甜,张少轩.基于移动互联网的高职院校顶岗实习监控管理平台研究与现实[J].软件工程,2017(4):40-42.

[55] 曾凡涛.基于移动终端的高职立体化顶岗实习平台建设[J].广东职业教育与研究,2017(3):178-181.

[56] 曾一帆.教育生态视域下的应用型本科数字化教学评价与管理研究[J].北京城市学院学报,2017(2):6.

[57] 李美娟,魏寅坤,徐林明.基于灰靶理论的区域协同创新能力动态评价与分析[J].科学学与科学技术管理,2017(8):122-132.

[58] 周靖祥.改造中国哲学社会科学界:深度探析研究与评价之研究[J].重庆大学学报(社会科学版),2015,21(3):90-107.

第三章
船舶动力工程创新与教学模式创新融合研究

第一节 船舶动力工程教学创新方法研究

创造型人才的本质特征就是具备创新能力。研究表明,创新能力是由创新激情、想象力和科学精神这三个基本要素构成的。其中创新激情是创新的前提和动力,想象力是创新的路径和关键,科学精神是创新的保证与归宿。创新激情来源于对人类和时代的强烈的使命感,来源于对事业的强烈的热爱、追求和上进心,来源于对事物的浓厚的兴趣和好奇心。创新激情的培养和激发,需要通过对意志品德、世界观、人生观和价值观的培育来实现。想象力则来源于思维的活跃性和主动性,来源于对事物的思考和探索,来源于对既有知识理论的不满足和质疑。因此教育的任务就是要解除对学生思想的任何禁锢和束缚,营造自由思考、独立思考的环境氛围,鼓励学生在想象的天空自由翱翔。因此,实施创新教育,不但教育本身要创新,而且要落实到各种与教育相关的行为和思想中去。

一、德育要创新

在坚持社会主义办学方向的同时,要面向新时代,针对现状,调整、改进和创新德育工作,着重在培养学生品德、意志、价值观上下功夫。随着我国社会主义市场经济体制的建立,以及经济制度的部分创新,随着新科技革命带来的生产技术和人类社会的质的突变,我国正处在社会转型时期,新旧思想杂糅,观念不一,社会发展与思想震荡同在,功利与道德并存。旧有机制正被打破,新的机制尚未完全建立,一方面沿用旧模式行不通,另一方面新的模式既不完善,又难以得到社会认同。在这种非常时期,要确保社会主义教育本质,提升学生的创新激情,必须根据社会主义市场经济的规律和新技术革命的特点构建新时期德育模式、内容、方法和途径,以适应和满足创新教育的现实需求。在德育创新过程中,要特别注意处理如下几个方面的关系:德育与素质教育的关系;德育与政治教育的关系;德育与智育的关系;德育与社会主义市场经济的关系等。总之,德育创新教育的目的就是要使受教育者能具有面向新的时代的新的品质、好的人格。

二、教育思想要创新

教育思想及在其指导下的教育方针是教育的行动指南,因此思想观念和方针的正确、先进和创新与否,直接影响教育实践的正确性、先进性和创新性。教育的产品是人才,教育的根本目的就是要把人培养为社会所需的人才,培养为能使自身具备充分生存能力和发展能力的劳动者。随着形势的发展,"应试教育"显得越来越不适应当今社会,主要原因是隐藏在"应试教育"后面的功利性。对于教育者来说,这种功利性则表现为对升学率的强调,以便在与别的学校或教师比较时占有一个有利的位置。教育者和被教育者两方面功利要求的结合促成片面追求考分这样一个恶果。教学围着考试转,在追求考试分数的时候,忽视了学生素质的培养、能力的提高,尤其是创新能力的培育。因此在总的教育思想上,应加快实现向素质教育的转变。素质教育和创新教育是一种辩证的关系。创新教育必须以素质教育为基础,素质教育肯定也包含有创新教育内容,但素质教育不能代替创新教育。素质教育的目的有二,一是培养高素质的普通劳动者,二是为培养较强创新能力的人才铺垫较好的素质。因而素质教育的主要对象是中小学生以及高等职业学校的学生,而创新教育的主要对象是高等院校学生。中国有五千多年的灿烂文化,先进的教育思想、教育典例并非少见,然而几千年偏重知识传授的教学传统禁锢了教育者的思维,他们认为学校是传授知识的场所,传授知识是教师的根本任务。知识经济时代,知识固然重要,但知识经济时代人才的特征更体现在创造和运用知识的能力上。因此教师在传授知识的同时,应着重加强学生创新思想和创造性思维能力的培养,注意引导学生用所学知识去分析、思考和解决问题,探求未知世界,进行知识创新,在这一过程中实现由"知识教育"向"能力教育"的转变。教育思想创新,必须要有教育观念的创新,否则创新的思想便难以变成创新的行动。其观念也必须随着教育思想的创新进行创新。

质量观:由"知识中心论"向"素质中心论"转变。长期以来,教育评价有两个误区:一方面,重结果评价,轻过程评价;另一方面,教育评价只注意个体掌握知识的程度,而且一般人认为"知识＝水平＝能力",也就是说,知识多就等于能力强、就等于水平高。这种所谓"知识中心质量观"是带有片面性的,教育评价应从人的全面发展和主体素质全面提高的角度出发,坚持知识、能力和素质协调发展,树立素质教育的质量观,并实现质量观由"知识中心"向"素质中心"的转变。

人才观:由"专才论"向"通才论"转变。中华人民共和国成立后,高等学校教育模式基本是沿用苏联模式,它在一定程度上注重"专",注重专一知识,轻边缘知识和综合知识。从人才长成规律来看,不专精就不能成才,在社会分工越来越细化的情况下尤其如此。但是只注重专门知识的学习,不具备广博知识,不了解相关专业知识,不了解社会发展动态,是无法专深起来的;同时知识面狭窄,势必造成转变能力差,这就难以适应社会、经济和科学技术的飞速变化,难以满足社会对人才的需求。教学既要精讲专业知识,又要介绍与之相关的知识,拓宽专业口径,打牢基础,才能培养好学生学习能力和创造力。简而言之,转变人才观,既要强调知识的复合,又要强调能力的综合。

价值观:由"文凭生存论"向"教育发展论"转变。"应试教育"令人误入"唯文凭论"的歧途;计划经济令人陷入了"取得文凭"就获得"职位"的怪圈。这种歧途和怪圈,导致人们极力追求文凭谋取职位,急功近利。文凭无疑是重要的,它是受教育者成功地接受了某专门领域既有理论知识的标识。但是它不能表明受教育者掌握了在他取得文凭以后日新月异发展着的科学知识,也不能表明他在这一专门领域之外所掌握知识的程度。因此,自20世纪60年代以来,终身教育在联合国教科文组织等国际机构的大力倡导下,作为一种重要的创新教育概念在全世界得到认同并被广泛传播。许多国家在制订教育方针、政策或构建国民教育体系时,均以终身教育的理念为依据,以终身教育的若干基本原则为准绳和基点,把终身教育视为全面提高国民素质、促进本国经济持续发展的重要战略决策之一。由此可见,个人的学习和教育一定要从社会、经济、文化和科学技术发展的高度去认识,实现价值观由"文凭生存论"向"教育发展论"的转变。

三、教育内容要创新

教育内容的陈旧一直是困惑教育的一个突出问题。尤其是一些基础学科的课堂教学内容,到21世纪,仍然与20世纪中叶相差无几。尽管社会、经济、文化和科技发生了重大变化,知识在数量上是以几何级数增长,在质的方面达到了"高、新、精、尖"的程度,然而,教学内容和教材仍然是一副老面孔,处于屏蔽状态,缺乏应有魅力和吸引力,严重滞后于时代。因此,创新教学内容势在必行,其主要应抓住以下三个方面:

第一方面,基于创新驱动的优化课程结构体系。

首先,要加厚加宽基础课,以加强学生认知能力的培养。科技日新月异,知识呈几何级数增长,要适应社会,就必须不断地进行学习,但没有扎实的基本功底是不行的。因此,加厚加宽基础课是日后终身学习的重要保证。

其次,整合和重组课程,创建新课程,重塑课程结构,形成内容先进、观点新颖、结构合理的新型课程体系。

最后,注意选修课与必修课的有机结合。既重视必修课,又要加强选修课,进一步拓宽学生的知识面和综合素质。

总之,创新课程体系的目标就是厚基础(加厚专业和学科基础)、重素养(重视素质与修养)、精专业(精化专业知识与精炼专业技能)、强能力(强调学习能力的培养和增强学生的创造力与适应力)、敢创新(敢于摆脱束缚,敢于挑战,培养敢想、敢干、敢于创新的精神)、宽适应(在宽口径专业的原则下,培养"宽口径人才",增强人才更宽广的适应面)的复合-智能-创造三位一体人才类型的全新课程体系。

第二方面,科学、合理、创造性的教材建设。教材是组织教学的基本依据,没有创新的教材,要实现教学内容的创新会困难重重。

首先,以创新的观点阐明学科内容。尽管有些基础学科的内容比较完善和相对稳定,但仍可找到创新的办法。例如,可以以历史和创新的观点分析学科理论体系的创立、形成和发展过程,把学科史和学科思想史融于教学内容之中,从而达到一种创新。这样,既可掌握该学科基本理论体系的构架和形成过程,又可以了解其创新的思想和方法。

其次,要及时引入和介绍学科新成果,要在教材中及时反应科学理论的新发展、新变化,教材内容必须具有鲜明的时代性。也就是说,在教材编写过程中,把该学科的新概念、新原理、新理论、新方法引入教材中,补充、更新、完善有关教学内容,确保教学内容的新颖性。

最后,结合专业特点和专业培养目标,了解其职业实践中的小发明等创新活动中有关实践性的创新素材。

第三方面,尽管教材内容重点是讲述学科知识,但是不可忽视介绍学科的学习方法。也就是说,授之以鱼,更要授之以渔,从这一点来看,学习方法是至关重要的。学生可以通过科学的学习方法不断去获取知识。因此,编写教材要注意内容与方法结合,突出方法论的思想,重新整合授课内容。过去,在知识教育观念的影响下,教师基本上是"复读机"或者说是"搬运工",即将教材内容原版地再现给学生。而创新式的授课,一方面,教师要根据教材内容和大纲要求,对书本知识进行知识重组;另一方面,根据学生特点,教师要更准确把握内容的广度和深度,突出重点和难点,在结构上重组。

四、教育方法要创新

教育方法的创新要从教学方法与手段的创新入手,着重开发和发展学生的创造性思维能力,培养创造型人才。

首先,充分发挥教师的主导作用,将传授知识与创造能力的培养融为一体。教师的教学方法应根据对象的变化,不断地进行调整、更新和整合。教师的教学应立足于传授基本概念、基本理论和基本方法,着眼于启发学生思维的创造性和想象力的创新性,在教学中运用启发式教学法、研讨式教学法等。这些方法的实质就是在教师的指导下调动学生学习的主动性和积极性,突破惯性思维的框架,启发学生自觉运用创造思维等思维方式去探索新的理论和形成新的概念。在培养学生创造性的逻辑思维时,教师还要注意学生非逻辑思维能力培养,如形象思维、直觉思维等,使两者相互协调与配合。

其次,要突出学生的主体地位,培养学生自我学习和教育的能力。培养学生自主学习的创新能力,充分发挥学生自主学习的主动性、积极性和创造性,是社会发展、知识创新对教育的必然要求,在培养创新型人才上具有重要意义。这里以实验为例,传统的实验教学是让学生按照教师设计程序、要求和方法实施,只要结论正确就行。但这种实验太机械,没有创新。要突出学生主体地位,就要开放实验室,即学生自己提出实验课题,自己设计,亲自去实验。这样,学生可以在摸索过程中进行创造性的工作,有利于学生的创新。那么怎样才能激发和调动学生的内在因素,培养他们的自我学习和教育能力呢?

一是培养学生自我认识能力,形成自我学习的信心和自我教育的信念。

二是树立远大理想,自我激励,激发自我学习和教育的内在动力。

三是通过在社会实践和日常生活中锻炼自我学习和教育的能力。合理利用现代化教学手段。随着信息技术的迅猛发展,多媒体技术、网络技术、虚拟现实技术等教学手段促使教育教学方式向全时空、远距离、交互式和个性化的方向发展,促使学习信息来源多样化,学习方式个性化,有利于充分调动学习者的积极性和创造性,培养学习者的创新能力。因此,必须改变一块黑板、一支粉笔的传统教学方式,合理利用现代教学手段,增强教学内容的形象化和直观化,克服时空限制,因材施教。这样有利知识、信息的迅速传播,提高学习效率;通过智能机的人机对话,可以创造性地学习,有利于创造性能力的培养。

四是改革考核方法。过去,考试的重点在知识的积累,往往是一卷定终身或者是一稿定乾坤。考试方法机械死板,考核的内容陈旧,教育缺乏应有的活力。因此,创新教育的考核方法必须摆脱这种模式,如考核内容要加重能力内容和实际内容;考试题型要突出主观题型;考试方法既要笔试,又要口试,还要有实践操作;此外既要有知识内容考核,又要以论文形式的能力考核,等等。

五、教育环境要创新

要培养创造性人才,还必须要有一种鼓励创新的办学体制和运行机制,营造一种新的教育环境。办学主体的创新就是实行办学主体的多元化。办学体制的创新要打破原有的单一的公办教育体制,建立社会力量或多种形式联合的多元化的办学体制,如校企联办、多种社会力量股份制办学或者私人办学等。办学主体的多元化必然会导致教育的产业化,这是今后教育运作方式的一大趋势。在社会主义市场经济体制下,教育必须按照市场规律运行,保证教育投入到产品(人才)输出的良性循环。为此,首先要引入市场机制,实现教育的产业化,即按市场规律规范和培育教育市场。其次要改指令性计划为指导性计划。教育主管部门要随形势的变化,灵活地实事求是地确定招生计划,学校可根据规模、师资、设备以及生源状况和专业特点自由调剂。总的原则是这种调剂必须与政府的宏观调控协调一致。对于办学思路的创新,过去教育只管培养人,是封闭办学。现在必须改封闭办学为开放办学,必须面向市场、面向社会,走产学研一体化的办学之路,实行教育、人才、经济和社会协调发展。建立产学研结合机制是建立创新教育运行机制的重要内容。

一是建立科研成果向现实生产力转化的机制。产学研结合,教师研究课题直接来自企业生产实际,既有研究经费保证,又有小试验、中间试验和试生产条件。这样,一方面,有利于科研突出其应用性和实践性,另一方面又有利于教师的科研成果向现实生产力转化,使教师的科研保持较好的定向性、稳定性以及较高的成果转化率。

二是构建培养高素质教师的机制。产学研结合可以促进教师素质的全面提高。教师除在校进行教学外,还要同时承担科研院所、生产企业的科研任务,既熟悉科技发展前沿,又熟悉技术开发和企业生产状况,了解企业在产品生产方面的创新要求,反过来又能促进教学内容的更新。还可从科研人员、工程技术人员中聘任教师,为教师队伍补充新鲜血液。改变教师以往的结构,优化教师队伍。

三是形成和造就学生创造能力的机制。产学研结合还可以促进学生素质的全面提高。一方面,它为学生提供了稳定的实习基地,保证了教学实践环节的质量;另一方面,还可由学校、企业的双导师或导师组指导学生开展研究。学生直接参加工程实践和技术开发的实践有助于培养和锻炼他们的创新能力。办学制度的创新,即建立教学管理的弹性和激励机制。市场是变化莫测的,也是富有挑战性和竞争性的,因此管理制度必须富有弹性和具有激励功能。如教学计划与教学大纲是教学工作的基本文件,对教学活动有指导作用,一般情况下,教师必须按照教学大纲的要求组织教学。但是,要教师创造性地教学,取得创造性的教学效果,这就必须把创新教育思想、创新教学内容和方法写入教学大纲,并让其充满弹性,保证教师创新教学的积极性。此外如招生制度(改国家招生为学校单独招生)、学籍管理制度(实行学分制或学年与学分相结合)等都要遵循市场规律,形成适应市场特点的弹性制度。要建立鼓励创新的激励机制,教师在创新教育中,取得了创造性的成果,应给予物质和精神奖励,并在评定职称、晋升职务、提升工资等方面给予优先考虑。学生在学习过程中有创新的,也要给予奖励,在评优秀学生、评奖学金、推荐就业等方面给予优先考虑。总之,建立富有弹性和具有激励作用的制度,不仅是教育创新的重要内容,也是教育创新的重要保证。

第二节　船舶动力工程技术职业教学创新设计研究

一、CDIO 的创新型教育模式

目前学生学习兴趣不高,学习产出不理想,缺乏探索和解决实际问题的能力,他们的创新思维受到了禁锢,缺乏创新意识。随着创新教育理念的提出,教育工作者开展以培养学生创新能力为导向的教学改革研究。付琦将 CDIO 工程(CDIO 代表构思(conceive)、设计(design)、实现(implement)和运作(operate),CDIO 工程是以产品研发到产品运行的生命周期为载体,让学生以主动的、实践的、课程之间有机联系的方式学习的工程)教育理念应用于教学,进行了教学内容和任务设计的改革研究。朱晓东等分析了影响创新与专业教育融合的因素,针对其融合路径给出了指导性建议,为我国创新教育的改革发展进一步明确了方向。顾佩华等研究了基于 EIP-CDIO(EIP 即 ethics,integrity,professionalism,指讲道德、讲诚信和职业化。EIP-CPID 就是注重职业道德和诚信与构思-设计-实现-运作进行有机结合,以培养高级工程专业人才为目标的高等工程教育新模式)的创新教育模式,强调做人与做事并重,在教学过程注重创新精神、人文精神、职业道德的培养,延展了 CDIO 应用范围,为创新教育融入工程教育创造了条件。唐红雨等以培养技能型创新人才为目标,构建从理论、实践到创新意识的培养过程,由浅到深,逐步培养学生的工程意识,提升学生的工程实践技能,激励学生的创新意识。以上 CDIO 创新教育模式教学研究重点解决了"怎么做"的问题,但是缺少具体的衡量标准,而且与专业基础教育结合不紧密,教学过程忽略了理论基础、专业技能与创新能力培养的有机融合,没有从基础性、全面性、整体性的角度去实施创新教育,缺乏促进学生创新意识与能力培养长效机制路径与考核评价。

二、CDIO 教学过程实施及评价体系构建

CDIO 教育模式以产品研发到产品运行的生命周期为载体,通过系统的产品设计培养学生专业技术知识、个人能力、职业能力、团队工作和交流能力,培养学生在企业和社会环境下对产品系统进行构思、设计、实施、运行等能力。针对现阶段 CDIO 创新教育模式研究存在的问题,要以学生为中心,依据企业岗位需求以及学生接受能力,设置教学任务,实施分层、分组、分岗教学。引入实际工程案例,让学生参与产品构思、设计、实施、运行生命周期全过程。教学中重视过程评价,执行过程性考核与学习产出考核并行机制,以企业需求为导向,采用学校考核与企业考核相结合的多元评价模式,从职业技能、创新能力等方面全方位考核评价。这不仅考核学生对专业知识技能的掌握程度,同时注重学生解决实际问题的能力、创新能力、责任感、价值观、团队协作能力等方面的考核评价,提高学生创新能力和职业素养。

三、CDIO 教学课程任务设计

基于构思、设计、实施、运行各环节设计课程教学任务。教学过程以学生为中心,学生

进行自主学习,探索问题、解决问题。教师针对课程教学环节相关实际问题,通过校企合作选取企业实际工程案例设计教学任务模块,注重任务可操作性,将"职业技能、创新能力、职业素养"教育融入教学各环节,在注重学生专业技能培养的同时,注重学生解决实际问题的能力和创新能力的培养。教师在整个教学过程中的任务是指导学生学习,评估学生的学习产出,并且给出反馈。以"创新能力提升"为导向的 CDIO 工程教学改革,通过将创新能力与意识培养融入各教学环节,促进创新思维发展。本书提出了以"创新能力提升"为目标的课程教学任务设计以及实施方法、考核评价方法,并将创新意识与能力纳入学生考核评价体系,有利于为企业培养善于解决问题和具有良好职业素养的创新型高技能人才。

第三节　船舶动力工程技术职业
教学创新实践融合模式研究

面向职业环境开展实践教学创新的核心,是在"以工作引导学习"教学思想的指导下,以职业能力需求为导向,以职业活动为单元组织课程,进行实践教学设计和组织。这种设计和组织,是对传统高等教育的一种颠覆性改革。它强调职业能力是综合的,能力需求不仅多样,而且会因科技进步、产业升级、产业结构调整等因素的影响而多变,所以要以它为导向;任何工作总是以职业活动方式展开的,而传统的课程设置是以学科体系、按知识系统为单元的,所以与工作实际有距离,走上工作岗位之后还要把在学校学到的知识和能力重新"组装"。以职业活动为单元组织课程就有可能缩短学习与工作之间的距离,有可能使学生减少或避免这个到工作岗位之后重新"组装"的过程。当然,现在理论教学的问题一点都不比实践教学少,解决理论问题不是理论知识讲多一点还是讲少一点,重要的是讲什么理论,怎么讲。在强调实践教学创新的同时,也要重视理论教学的创新。

一、面向职业环境的实践教学的思想基础及其意义

"以职业能力需求为导向,以职业活动为单元组织课程"的基础是"以工作引导学习"的教学思想。"以工作引导学习"是教学思想的转变,传统的教育都以教师为中心,学生始终处于被动的、盲目的、被灌输的地位,往往到毕业之后才逐步明白为什么要我掌握那些知识和能力,才逐步知道其中的要领在何处。当今时代的知识更新速度非常快,怎么样才能使我们的学生适应这种情况?办法之一是掌握相对稳定的基础知识,办法之二是让学生"学会学习",即掌握学习能力。如果做到"以工作引导学习",则有可能使学生学到"如何学习"的本领。美国专家提出"工作与学习开始合并""传统的训练、学习、教育和工作之间的区别正在模糊化"的观点,在 2000—2010 年,"学习将变为以工作和创新为本","学生将成为创新者和企业家","将有新的法律服务保障学生的版权和产品专利"。看来,这是一种世界性的改革趋势。以"工作引导学习"的教学思想,其内容包括:不仅让学生尽早接触专业,而且让学生尽早进入"工作情境",甚至结合"创业教育",让学生尽早进入"公司环境",使

学生在工作任务的压力下,积极主动、生动活泼地学习教学计划内和计划外的知识和本领。通过一个一个来自社会交付的工作项目(也是学习项目),让学生在完成任务的过程中激发起主动学习的热情。教师的责任自然包括直接教授给学生一些知识和技能,但更主要的责任是激发起每个学生的职业兴趣,然后以"职业需要你具备怎样的素质"为目标,来强化学生的求知欲望和引导学生学习的正确方向、态度和方法,让他们在与学习环境和工作环境的交互作用中建构起属于他自己的知识框架;这个新的框架不再是一些相互割裂的、不知所用的"死知识",而是按职业活动需求并在职业活动过程中逐步掌握的知识结构。学生始终在一个团队的环境中完成学习任务,使他们不仅获得了专业能力的培养,而且还同时获得合作能力、交往能力、责任心、服务意识等非专业能力的培养。促进课堂教学模式的改革,课堂教学形式仍然不可少,但应以大量的自学和"画龙点睛"式的面授进行课程教学,不是一章不漏、一节不少的句句讲到。教学计划要为"时代进步"和学生的"个性发展"留下充裕的空间;因此,一个专业应该有一个基本的质量标准,即要求每个学生拿毕业文凭所必须达到的标准,但在此基础上,同一个班级出来的学生应该是个性化的。要承认差异,因材施教,让学生自主选择,自主发展,以真正地面向全体,实现每个学生的充分发展。突出高职毕业生应具备的基本素质,主要包括:做人的基本道德和作为一名合格的公民应有的思想行为规范;最基础的人文、科学素养;本专业领域最基本的知识、能力和职业道德;独立学习新知识、新技术的能力;本专业领域某一、二个方向的"一技之长";自我维护身心健康的知识、习惯和能力。总之,不是使学生先分门别类地、相互孤立地获得各种不同的知识,然后到三年级再在实习时进行综合运用,而是一开始就让学生带着综合工作任务的需求,在教师的指导下主动地去索取各种不同的知识,并在工作中综合地掌握各种能力。

二、面向职业环境的实践教学设计

1. 面向职业环境实践教学设计的标准

面向职业环境实践教学的设计是以工作项目来引导学习,这种"工作项目"以真实工作任务为佳。在无法获得真实的工作任务时,也可以用校内设计的"大型作业"替代,关键在于这一系列模拟的"工作(学习)项目"(即"大型作业")的选择和设计,既要逼近"真刀真枪",又要适合学习要求。按照英国和德国的经验,一个专业大体上要设计 15~20 个项目,从初级到高级,由浅入深,对每一个项目都力求符合如下 8 个标准:该工作过程可用于学习一定的教学内容,具有一定的应用价值,具有一个轮廓清晰的任务说明;能将某一教学课题的理论知识和实践技能结合在一起;与企业实际生产过程或现实的商业经营活动有直接的关系;学生有独立进行计划工作的机会,在一定的时间范围内可以自行组织、安排自己的学习行为;有明确而具体的成果展示;学生自己克服、处理在项目工作中出现的困难和问题;具有一定的难度,不仅是已有知识、技能的应用,而且还要求在一定范围内学习新的知识技能,解决过去从未遇到过的实际问题;学习结束时,师生共同评价项目工作成果和工作学习方法,每个项目都划分一定的学习小组进行,各小组完成项目的水平是学业考核的主要依据。

2. 基于"作业包"教学法的课程体系

"作业包"教学法就是把某专业所对应的职业或职业群,分解为若干个职业活动单元,把每一个职业活动单元的核心部分(做成某种产品的全过程)设计成适合于学生学习的作业项目,这种作业项目,我们称其为"作业包"。要说明的是,不能简单地将某一门课程分解成若干个"作业包",而应对整个专业所对应的职业或职业群进行整体分解。

基于"作业包"形成的课程,是高职实践教学改革的重点之一,有利于培养学生的综合职业能力、激发学生的学习动力。"作业包"教学法的探索,是一个对传统课程体系的多学科内容,根据科技、经济、社会、文化、教育的形势变化进行更新、丰富之后,按照职业活动的知识、能力要求进行重组和整合为新课程体系的过程,即是根据高职教育的基本特征和内在规律,进行新旧课程结构体系更替的过程。在"作业包"教学法的探索中,我们可以借鉴德国近年来强调的"行为导向课程观"、英国商业与技术教育委员会(BTEC)教学中的"课业"设计思想、澳大利亚国家职业教育和国家职业资格培训(TAFE)的"学习包"思路等国外经验当中的核心思想和观念,以及国内多年来所积累的职教课程改革经验,然后从专业培养目标要求和当前学生的实际情况出发而设计形成。鉴于从事某一个职业活动单元所需要的知识、能力是多方面的,所以必须围绕"作业包",把与该作业相关的理论知识和其他能力要点,从原来的各有关学科体系中提取出来,加上在社会和市场环境中从事职业活动所需要的其他能力要素,包括从事任何职业都需要的社会活动、市场运作、团队合作等方面的所谓"通用能力",与这个"作业包"共同组成一个"学习模块",以便满足从事该职业活动单元所需之全部知识和能力要求。然后把这个专业有关的所有"学习模块",按照循序渐进的原则,由浅入深地编制成完整的教学计划,即形成新的课程结构体系。"选择相关知识点和通用能力要点"是难度很大、工作量很大的改革任务,它的根据应该是高职教育基本的培养目标,绝不是随意取舍的。值得高度重视和继续探索的是"行为要点"。"行为要点"是比"知识点"更有新意的内容,它是指与完成某项作业相关的意识、行为和能力,如市场调查能力、市情分析和判断能力、法律意识、运用法律的能力、质量意识、服务意识、诚信意识、竞争意识、公共场合的仪表和行为举止、合作意识和能力、承受挫折和压力的能力等。这是过去传统教学中没有的,而又是现实市场运作中不可缺少的通用能力,这些能力往往是在市场竞争的成败得失中比专业能力更具有决定意义的关键因素,所以,德国人把这类能力称为"关键能力"。因此,设计好"作业包"的要领可以归纳为:①以综合职业能力要求为导向。所谓"综合职业能力",包括了专业能力、社会能力和方法能力,以综合职业能力导向的对立面是以知识记忆为导向。②以职业活动为单元组织课程。它的对立面是以学科为本位,在确保学科知识的完整性和系统性前提下组织课程。如何把职业活动的知识能力要求转化为适合学生学习的"作业包"和"学习模块",这是此项探索的关键和难点所在。③要给学生留足自主发挥、自由创造的空间,谨防教师讲得过多、过细,"手把手"地教,防止学生对教师过分依赖或省心省力地"依样画葫芦"。实施"作业包"教学法的效果是多方面的,如学生学习积极性和主动性的发挥、掌握专业知识和能力的牢固程度、学生创造潜能的开发、非专业能力的培养、本课程以外有关知识的索取、学生自信心和进取心的增强等。

3. 学校、老师搭建创新平台必不可少

运用大学生创新性实验计划培养大学生的创新能力,没有学校、老师的支持几乎是不可能的,因而学校、老师需要搭建创新平台。学校应积极支持大学生创新性实验计划,鼓励学生参与这项计划,并为参与这项计划的学生提供良好的硬件条件。如学校可向全体学生开放各类实验室和基地资源,学生可以免费使用各项设施,以此拓宽实践空间;也可统一管理学生的经费,定期检查学生的实验记录本,了解学生实验研究进展和指导教师的批阅情况;还可通过 QQ 群、Email 等方式为学生搭建一个交流平台。此外,学校须建立以注重过程为核心的大学生科技创新成果评价体系,克服重理论、轻实践的教育弊端,降低考试成绩在测评中的占比,注重对学生个人素质、能力的评价,注重对发挥创新作用的学生个体、个性予以尊重和充分发挥,在科技创新中注重对创新程度、创新的实际贡献的评价;还必须坚持求真务实,保证创新成果的原创性,同时对表现好的同学和项目组给予奖励。头脑不是一个要被填满的容器,而是一支需要被点燃的火把。教师要做学生头脑里火种的点火者。传统的灌输式的教学模式下培养出的学生往往缺乏独立思考的能力、实践动手的能力,缺乏自主性和创新性。因此老师授课时也应当注意把书本知识与实际结合起来,改变以“教师为中心”的、枯燥的、单向的灌输式的教学模式,可以采用小组讨论、复述内容、做报告等形式尽量让学生拥有更多的课堂参与。另外,老师可向学生布置课外实践作业,将课外实践与成绩联系起来,努力为学生创造自主动手的条件和氛围。此外,在项目申报时,指导老师应该积极配合学校,本着循序渐进的原则,给学生选择难易适中、方向明确、要求具体的课题,采取鼓励和激励相结合的手段,激发学生的主观能动性。科研过程中,指导老师应本着提出问题、分析问题、解决问题的研究思路来引导学生,逐渐培养学生的创新思维,并定期督促指导学生,帮助学生完成项目。

第四节　现代学徒制探索与实践研究

我国从 20 世纪 80 年代开始开展高级技术技能型人才培养模式研究,政府不断地出台各种与职业教育发展阶段相适应的政策文件。2014 年 2 月 26 日,李克强在主持召开国务院常务会议时明确指示要推进现代学徒制的实施,提出“开展校企联合招生、联合培养的现代学徒制试点”。2015 年 8 月教育部遴选出 165 家单位作为首批现代学徒制试点单位和行业试点牵头单位,这将有力推动现代学徒制模式研究和实践的深入。

现代学徒制是传统学徒制与现代职业教育相结合的产物,它是一种校企双主体育人、协同发展的新机制,是一种教育资源共建共享、优势互补、多方共赢的校企合作新方式。现代学徒制是对传统学徒制传承与发展的一种教育新形态,它以行业企业人才需求和学生就业为导向,在学校和企业的协作下,由专任教师和兼任教师(即企业师傅)联合对学生进行培养和教育,注重“做中学、学中做”,是一种由专兼职教师协作实施的新型现代职业教育人才培养形式。校企融合的现代学徒制人才培养模式有助于不断提高专业教师素质和人才培养质量,实现实训基地共建与共管、人力资源的共育与共用、人才培养模式与课程体系改革的共研与共享、成果效益的共创与共赢,为行业企业创造经济效益,使其与职业院校分享发展成果,激发行业企业参与高职教育办学的积极性和主动性,为高职院校和行业企业“双主体”育人模式持续协调发展提供稳定的推动力。

一、高职院校师资队伍存在的问题

1. 教师数量不足,有待切实降低生师比

教育是施教者与受教者双方主体间的交流活动,施教者数量不足将影响知识传授、技术技能指导和职业精神传递的效果。生师比反映受教者与施教者的数量关系,是衡量高等学校办学规模、办学效益、教育质量的重要指标之一。教育部于 2015 年 9 月 15 日公布的报告显示,近年来专兼结合的"双师型"队伍建设进展明显,高等职业院校生师比为 17.57∶1,与普通本科院校的 17.73∶1 相当,师资队伍结构进一步得到优化。但是,即使与教育部 2004 年发布的《普通高等学校基本办学条件指标合格标准(试行)》(教发 200412 号)相比较,高职院校生师比也仅达到 18∶1 的合格标准,教师数量仍明显不足。上述标准的备注中指出:生师比=折合在校生数/教师总数,教师总数=专任教师数+聘请校外教师数×0.5,但并未界定专任教师和校外教师的含义。专任教师常指具有教师资格、专门从事教学工作的人员,也指学校在编的,具有教师专业技术职务的人员(在岗的教授、副教授、讲师和助教),还有学者认为是指具有专业教师职务的全部工作人员,包括教学、科研及管理岗位上的教师。一些院校为了使生师比的数值降低,可能会利用对专任教师的含义理解上的差异和未对校外教师制订最低课时量标准的漏洞,将具有专业教师职务却未参与或仅兼职参与教学的人员计为专任教师,将参与教学较少或未参与教学的校外人员计为校外教师,这将导致有效从事教学活动的教师总数少于统计量,无法满足教学需求。另外,在现代学徒制人才培养模式实施过程中,实践教学在教学中所占比例较传统培养模式高,并且该类教学一般需由专、兼职教师协作开展,所需教师数量更大,导致教师更趋不足。

2. 教师结构不合理,欠缺实践型的能工巧匠

近年来,"双师型"教师数量和比例得到大幅提高,然而教师的实践教学能力尚需进一步提高。一方面,职业院校选聘专任教师时缺乏弹性,一般会为招聘岗位设置应聘者须具备硕士及以上学历的条款,这会导致技术过硬、经验丰富而学历不高的能工巧匠无法达到基本要求,无法进入教师行列;另一方面,在职业院校传统的人才培养模式下,实践能力和技术创新能力较强的教师往往无用武之地,不能体现应有价值,无法得到应有的回报,极易被企业高薪聘走,导致人才严重流失;再一方面,职业院校为提升兼职教师层次,提高学校在社会上的美誉度,往往聘请知名度较大或职位较高的人士担任兼职教师,而这些兼职教师往往在工作单位中承担重要工作任务,技能生疏或无暇顾及教学需要,不能有效参与教学活动,无法发挥兼职教师应有的作用。

3. 专任教师善理论疏实践,重科研轻教研

专任教师不能很好适应从事职业教育的原因是由内因和外因所导致的。首先,专任教师大多选聘自高学历的应届毕业生,基础扎实,理论丰富,惯于思考,善于从事科学研究,是传统教育的佼佼者。但是,由于未系统地接受过职业教育,职教理念模糊,职业意识淡薄,技能水平不高,不善于开展实践教学,有时甚至会畏惧开展实践教学,难以融入跨越"职业场域"与"教育场域"的职业教育,因此职业教育能力的先天荒芜无疑是导致这些人执着的沿用学历教育模式开展教学的内因。还有,部分教师虽然具有企业从业经历,但是由于忽视更新技能的重要性,未能周期性在企业顶岗实践,导致实践能力在持续衰退,这种轻视行

业企业发展,主观上无视技术技能在持续变迁的事实的心理同样是实践教学能力堪忧的内因之一。另外,科研成果往往在教师绩效考核中占较大比重,以课题经费、专利和论文等为主的考核标准会打消教师从事教学研究的积极性,转而将精力投入科研,以便获取更大收益。这样的教师评价体系是促使教师不断提升科研水平而漠视实践能力价值的外部推动力,不利于促进教师提升教学水平,违背了职业教育的定位,与职教理念背道而驰,有待改进。

4. 兼职教师教学水平不高,教学效果差强人意

兼职教师未接受过系统的教育理论和教育方法学习,往往对人才培养目标和教学计划认识不足,将实践项目与理论内容相融合能力较弱,再加上对高职学生学情分析的能力欠缺,教学手段有限,教学管理经验匮乏,语言不生动等原因,容易导致学生厌学,不能较好胜任高等教育工作。另外,兼职教师流动性较强,归属感和使命感淡薄,再加上日常忙于本职工作,往往不能投入较多精力用于教学。还有,兼职教师大多为企业的工程技术人员,一般未取得教师资格证书。

5. 专、兼职教师沟通不畅,协作教学效果欠佳

首先,专、兼职教师的教育背景、从业经历和职场文化差异较大,导致专、兼职教师之间在做事风格、表达方式和行为习惯上存在明显差异,易引发思维和行为上的冲突。其次,企业是兼职教师的主场,生产是师傅们擅长的领域,师傅在企业实践教学活动中往往居于主导地位,这样会对由专任教师主导的传统教学模式造成冲击,易使专任教师沦于协同地位而引发心理落差。另外,在教学总课时量不变的情况下,企业师傅参与教学必然会导致专任教师课时量下降,可能造成收入减少,引发利益冲突。

二、现代学徒制师资队伍建设策略

1. 学院系统设计,公平考评

创新校企合作机制,夯实师资共建基础,制订互聘人员制度,实施现代学徒制需要持续、稳定的校企合作关系做基础。学校和企业应协商构建合作组织机构,制订符合合作双方及双方人员利益契合点的合作机制,使人力和物力资源配置趋于协调、合理,形成利益共享、责任共担的校企全员积极参与人才培养的氛围,以解决行业企业参与职业教育的积极性不高的问题。其中,互聘人员管理制度是校企共享和共育人才的基石,只有在校企双方制订合理的相关制度后,专任教师和企业技术人员才能明确为自身定位,协调好在学校和企业工作的关系,充分地施展才能,并且能持续锻炼教学和实践能力,使员工的个人发展融于校企合作的成果中,享受投身高职教育发展所带来的收益;互聘人员管理制度须涵盖互聘人员选拔、培养、考勤、考核、薪酬、人事任用和职称评定等方面事宜。

2. 教师培训内外协力,提质增效

成立教师发展规划中心,规划教师成长路径,统筹教师发展,教师成长是外部环境塑造与个体自身积极修炼的共同结果。外界的教育与培训、外部环境的影响是外力,教师追求自身发展的动机是内力。外力只有与内力形成合力时,才会被教师个体所接受,并内化为个体的一部分。教育与培训为教师发展提供了便捷途径,而自身强烈的发展愿望是教师素质得以提高的前提。高职院校须设置教师发展规划中心,专注于教师职业生涯规划,为教

师发展提供外部推动力,激发教师自身成长欲望的内力,引领与引导教师发展。

3.多元交互评价,促进教师发展

多元评价师资状况,以评促建,持续提升建设水平,以生师比、学历比、专兼职教师比和职称比等客观性指标为参考,强化学生评价、毕业生评价、用人单位评价和第三方评价等主观性指标的作用,将定性评价与定量评价相结合,校内评价与校外评价相结合,过程评价与结果评价相结合,构筑多维度立体反馈评价师资的体系,定期客观评判师资队伍建设成果与不足,为针对性制订师资建设计划提供依据。第三方评价因其专业性、技术性、科学性和独立性已受到社会关注和认可,组织具有独立法人资格的第三方专业机构采用适宜的手段对师资予以评价将为师资建设提供客观依据。提高学生在教学评价中的话语权,凸显了高职教育育人的目的,以受教者的评价促进师资队伍发展能确保学生成为实施现代学徒制的最大受益者。

4.教师编制动态调整,激励促进

师资来源多元化,学历与经历并重,选聘适宜的从教者建立符合职教特色的聘任制度,建立职业院校教师编制动态调整机制,以增加选聘教师的灵活性。一方面,将人员选聘专、兼职教师的决定权下放至用人部门,以保证招为所用。另一方面,扩大师资来源,凡是符合学历要求的企业专业技术人员均可竞聘专任教师岗位,并合理放宽具有高级技术职称或职业资格的大龄应聘者的学历要求,吸引能工巧匠来职业院校任教。但是,必须杜绝引进合作企业的技术人员为专任教师,避免挖企业墙角而引起企业不满,影响校企合作关系的稳定。同时,高学历应聘者在自愿到企业顶岗实践一定年限的前提下,也可聘任为专任教师。再者,理性选育兼职教师,要选聘品行端正、专业技能强,且能保证授课学时的技术人员做兼职教师。可以将高级管理人员和知名专家聘为职教发展出谋划策的指导者,但不可聘为兼职教师,以保证将兼职教师的职位留给有精力开展教学和带徒弟的专业技术人员。

5.规范教师入职培训,"系好第一粒扣子"

推行培训制度,持续提高教师素质,提升教学水平,依据专、兼职教师能力特点,参照职教师资所需具备的能力要求,针对性开展以实践为特色的培训活动,包括职前培训和继续教育培训等。职前培训能缩短新教师的成长周期,使之能更快更好地开展教学活动;继续教育培训定期或不定期开展,持续提升师资的教学能力。"能力只有与它所派上的用场联系起来,只有与它必须履行的职责联系起来,才称其为能力"。对于专任教师,企业工作经历不足两年的必须在入职前接受为期一年的入职企业培训,在此期间受训者的人事管理权和使用权移交给企业,按照企业职员标准安排工作和接受考核,全职顶岗从事企业生产,从而熟悉职业工作过程,掌握实践技能。另外,全体专任教师除每年参加两周职教师资素质培训,还需作为企业兼职员工在企业顶岗实践或与兼职教师共同开展实践教学,以适应技术革新和产业升级所引进的新技术、新工艺和新设备,提升教师实践教学水平,从而具备为学生传授最新知识和技能的能力,这恰恰与2016年教育部等七部门联合印发的《职业学校教师企业实践规定》中规定的"职业学校专业课教师根据专业特点每5年必须累计不少于6个月到企业或生产服务一线实践"是相符的。维持兼职教师队伍稳定,使兼职教师专业化是高职师资素质提升的重要途径。新任兼职教师在上岗前要集中参加包括职教理念和教学方法等内容的职教师资素质培训,并参与听课和试讲等教学实践活动。从教后,兼职教师在完成教学任务的同时还需继续参加职教师资素质培训,以强化职业教育的教学论与方法论知识,更新职业教育教学技能,提升教学效果。

6. 改革薪酬体系,突出职教特色

保证师资的合理权益,企业和学校要明确师资的权利和职责,多劳多得,奖优罚劣。

第一,在校内赋予兼职教师与专职教师相同的地位和权利,提高兼职教师从事高职教学的吸引力;打通内聘教师系列职称晋升通道,使兼职教师在获取企业正常收入的同时获得与同级教师相同的教学补贴,促使其参与教学改革实践,把生产实践中最新的知识和技术带到实践性教学中。

第二,定期对兼职教师带徒弟成果予以评定,对于在生产、教学、科研和社会服务活动中表现欠佳的责任人取消其兼职教师资格,予以退除处理。

第三,鼓励专、兼职教师开展实践型研发,对教师在从事生产和实践教学期间所取得的技术服务成果,产生经济效益的要予以认可和额外奖励。

第四,回归职业教育育人的目的,鼓励专、兼职教师开展教学研究,充分肯定教学理论研究和教学改革实践对高职发展的重要性,使教研成果得到与科研成果相似的认可和奖励。

7. 教师团队建设,发挥“传、帮、带”

加强专、兼职教师协作,营造协作氛围,打造优秀团队,鼓励专、兼职教师加强沟通,引导开展互相拜师活动,促使教师与员工协同发展。学校和企业相互给对方的兼职人员予以员工身份,鼓励兼职教师在完成授课任务的同时积极参与教研活动,如拟订人才培育方案、构建课程体系、制订教学计划和开展教学研讨等;邀请教师到企业兼职,参与技术攻关和生产,发挥专任教师理论深厚、研究思路广的优势,为企业技术革新和产业升级献计献策。另外,鼓励专、兼职教师合作申请横向课题,相互交叉参与项目,提升协作能力,打造校企共享的优秀团队;学校和企业还可经常组织教学外的集体活动,增加专、兼职教师接触和交流机会,增加了解,增进感情。

8. 提高认可度,激发荣誉感

注重精神激励,提高社会认可度,激发教师的荣誉感。教师对自身价值的判断来自职业教育相关各方利益主体的评价。

第一,政府须进一步重视职业教育发展,肯定职教发展成果,并持续在主流媒体为职业教育发展开展宣传,以凸显高职教育专业设置多样、培养重实践和就业率高的优势,以及毕业生去向灵活,既可就业,也可多途径升学的特点,这有助于职教事业获得社会肯定,使社会逐渐认可高职教育和高职教师。

第二,职业院校加强自身建设,通过提升师资水平和保证人才培养质量等举措,提升教师为企业提供优质的技术服务和培养急需的技能型人才的能力,这将会促使高职教育和高职教师赢得行业企业和家长的肯定。

第三,学校还应为教师提供与学生和家长沟通技巧的指导,帮助学生建立信念、信心,激发学生潜质,促使学生成才,从而使教师得到学生和家长的肯定。

第四,学校和企业还可通过为兼职教师颁发聘书,协助符合教师标准的兼职人员取得教师资格证书,帮助达到技术标准的专任教师申报工程师系列职称等措施进一步激发专、兼职教师的工作热情和荣誉感,增进社会责任感,从而更好地投身于职教事业。

三、现代学徒制推进实践

坚持以提高船舶动力工程技术人才培养质量为核心,以校企融合、产教一体为导向,充分发挥企业办职业教育的先天优势,遵循学徒(学生)"双身份"、培养"双主体"、育人"双导师"等要求,深入探索实施"招生-招工、学生-学徒、导师-师傅、产业-教学"等多维一体化的现代学徒制工作,构建"双对接"人才培养模式,畅通校企双师队伍互聘互用途径,打造"船舶特色"生产性实训基地,搭建"三联合"教学平台,推行"四阶段"联合培养流程,实现"全方位"校企双元育人长效运行机制。

1. 现代学徒制培养模式实施背景

长期以来,天津海运职业学院紧紧围绕船舶行业、企业和地方经济社会发展对人才的需求,遵循职业教育普遍规律与学院办学实际相结合的原则,以聘用生产一线优秀工程人员承担专业课程教师,以集产学研一体的产业基地作为学生"真枪实弹"训练的场所,以企业兼职教师和专任教师进行岗位互换,以生产项目引领学生毕业设计和教学项目并由生产一线工程人员指导,以企业为主体、学校为主导等校企共同育人的人才培养模式,受到了同行及社会各界的广泛认可和肯定,教育部批准该学院为现代学徒制试点单位。试点工作开展以来,学院严格按照教育部、省教育厅现代学徒制试点工作实施方案的相关精神,深入探索实施"招生-招工、学生-学徒、导师-师傅、产业-教学"等多维的现代学徒制工作。

2. 现代学徒制"双对接"人才培养模式的构建与实践

(1)构建校企"双主体"育人机制

①校企共同成立现代学徒制工作领导小组。

学院与合作企业共同组建现代学徒制工作领导小组,由举办单位、合作企业的党委副书记任组长,学院院长、书记及企业公司组织部,职能部门与合作企业单位负责人任成员。搭建合作与保障平台,定期召开联席会议,确保现代学徒制工作顺利推进。领导小组下设办公室,由学院教务、轮机工程系、招就处、学生处等职能部门及合作企业组织人力资源部,具体负责现代学徒制工作的常规开展。

②校企共同制订现代学徒制人才培养方案。

为了学徒培养目标和规格达到企业的用工要求,校企共同组建现代学徒制试点专业教学指导委员会,成员由船舶动力工程专业负责人、专业带头人、骨干教师等人员组成,一道深入企业进行人才社会需求方面的职业岗位、企业一线和专业发展趋势调研,分析教育成功经验及学生需求,结合岗位实际和区域产业特色,确定典型工作任务,明确岗位技能标准,植入企业文化、管理流程、生产技术及安全规程于课程体系,校企共同确定现代学徒制船舶动力工程技术专业的人才培养目标和培养规格。现代学徒制人才培养方案的确定路径如图3-1所示。

③校企共建现代学徒制生产性实践基地。

按照"相对稳定、集中管理、重点建设"的原则,一是校企共同规划、设计和投资建设了车工、钳工、焊工、电、船舶主机和轴系安装等校内实训中心,基本建成了集专业教学、生产、科学试验、新技术应用与推广、职业技能培训"船舶特色"的考核体系,以及完备的职业技能培训和创新人才培养基地。二是利用在人才、技术、装备方面的优势和先进生产工艺条件，与船舶技术密集、门类齐全、特色鲜明、专业化优势突出的生产企业签订了生产性教学基地共建协议，为学生多岗位轮换、多技能培养提供了真枪实弹的训练场所。两年来，校企共建校内船舶动力理实一体教学中心、船舶主机和轴系安装实训中心2个，共建校外实践基地4个，遴选现代学徒制标准岗位40余个，完成企业员工培训及技能比武1 700人次，承担社会员工和学生的金工、车工、电工教学400余人次，实现了实践教学基地的共建共享。

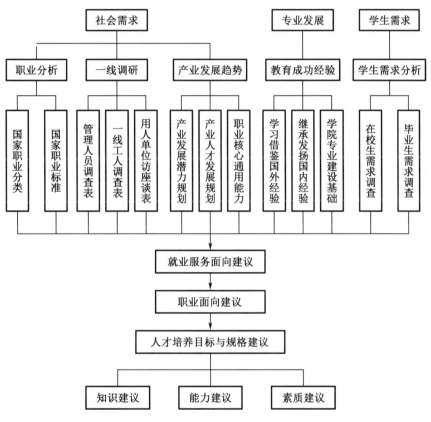

图 3-1 现代学徒制人才培养方案的确定路径

④校企共同打造现代学徒制师资队伍。

在现代学徒制工作推进期间，学院以《船舶类兼职教师管理办法》为依据，以设在学院的"天津市创新人才培养基地""天津市职业技能鉴定""船舶行业特有工种职业技能鉴定""天津市安全技术教育培训中心""船舶安全生产技术培训中心"为平台，实施教学团队"双师"素质教育工程和"双师"结构建设工程。通过对专任教师实施"派（派出参观考察）、培（内外培训）、赛（组织竞赛）、研（参与项目研发）、带（以老带新）"培养工程，组建由"特聘教授、企业学科带头人、企业生产一线优秀技术专家、技术骨干和技术能手"组成的兼职教师资源库等结构工程，不断优化师资队伍结构，提升教师教育教学能力及技术水平，推进以工作过程为导向、工作任务为引领的课程教学改革。通过校企双方的互培互聘，建立了校企双方员工的"身份互认、角色互通、人才共管"，实现了校企师资互聘互用机制。

（2）校企联合开展招生招工一体化

充分发挥校企联合优势，依据校企双方的实际情况与需求，校企共同制订和实施了《现代学徒制招生招工方案》，明确招工招生录取方式、人数、变更等信息，确定现代学徒选拔标准，签订了《校企联合培养框架协议》，建立了规范的院校招生录取和企业用工程序。

①校企共同开展招工招生宣传、招聘工作，学徒招生工作以学校为牵头单位，由学校制订招生计划，与企业共同编制招生工作方案，共同做好宣传工作，介绍专业优势、人才培养、师资力量、办学条件、企业情况、岗位设置、岗位标准和企业情况等。明确现代学徒制的生源主要来源于高中毕业生和三校生统招的船舶动力工程技术专业学生。

②校企共同组建学徒班级。在现代学徒制领导小组的领导下，企业根据自身生产经营需求提供需要的用工种类和数量，学院根据合作企业提出的用工需求和岗位要求制订招生计划。校企共同编制招生-招工实施方案，按照"招生数量与用工需求对接，考生素质与岗位要求对接，考试内容与技能要求对接，录用方法与职工考核对接"的标准开展学徒选拔工作，校企共同组成招生宣讲、面试、考核团队，共同确定成员名单，组建学徒班级。

③企业与学生双向选择，签订协议确立学生、学徒双身份。学校组织校、企、生签订学徒（监护人）、学校和企业三方协议。一是明确校企双方在学徒培养过程中的权责，共同负担学生（学徒）培养的主体责任，全程做好学徒培养工作。二是明确校企双方为学生（学徒）购买人身意外伤害保险、学生（学徒）实习责任保险、工伤保险，确保学生在培养期的安全。三是明确学生、学徒的双重身份，解决学生职业归属问题，增加学生对企业文化和职业的认同感、归属感。现代学徒制班级组建程序及条件如图3-2所示。

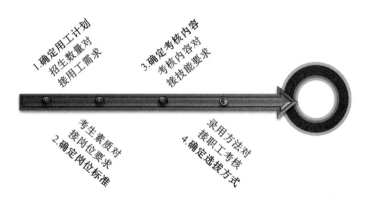

1.确定用工计划
招生数量对
接用工需求

3.确定考核内容
考核内容对
接技能要求

2.确定岗位标准
考生素质对
接岗位要求

4.确定选拔方式
录用方法对
接职工考核

图3-2 现代学徒制班级组建程序及条件

（3）校企共同搭建三联合及教学平台

围绕现代学徒制人才培养目标和规格，依据行业人才需求和岗位要求，科学、合理确定岗位核心技能，对照核心技能解构教学模块，开发学徒制实训项目，编写项目指导书和技能标准。按照"课程模块化、内容项目化、项目岗位化"的课程体系要求，校企共同设计建设了"生产性实训基地、虚拟仿真实训基地、企业真实生产实训基地"三联合教学实训平台，通过校内校外交替互训，多岗轮训的"三平台"联合教学，有效提高了学生的岗位适应能力。

（4）校企共同推行四阶段培养流程

遵循技能习得规律，在学生技能培养过程中推行"初体验、植文化、轮岗位、达标准"四阶段培养方式。即第一学期推行的 2+2 学习，即 2 周在学校，2 周在企业，理实一体，主要是进行企业岗位初步体验；第二学期通过邀请企业专家、工程技术人员、能工巧匠及劳动模范、杰出青年等方式交互开展教学和各类讲座等形式，不断推进企业文化进校园，车间文化进课堂，达到植入文化的目的。第三、四学期主要推行工学交替，岗位轮训，在不同的二级生产企业培养专业核心技能；第五、六学期推行技能达标培养，按照企业岗位标准任务培养学生的岗位能力，推行标准考核，达标的学徒即可留下，从而实现现代学徒制的四阶段培养，四阶段培养流程框架如图 3-3 所示。

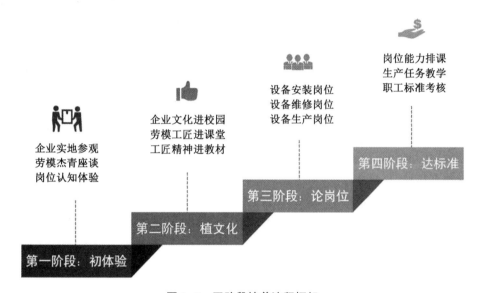

图 3-3　四阶段培养流程框架

3. "双对接"人才培养模式的成效

（1）建立健全各类制度，长效机制逐步形成

学院坚持"搭建平台，项目驱动，协同创新，共享共赢"的原则，创新实践了校企一体办学模式下的现代学徒培养机制；制订了《现代学徒制一体化招生招工实施方案》，并制订了《现代学徒制试点工作实施细则》《"双导师"校企互聘共用管理制度》《现代学徒制企业综合实训流程及双主体育人机制》《"双导师"校企互聘共用管理制度》《现代学徒制试点专业人才培养成本分担试行办法》等制度 20 余个。校企签订了《现代学徒制人才培养协议》《现代学徒制试点三方协议》等协议 4 类。学校制订了试点项目总体实施方案，并制订了校企定期会商制度、现代学徒实习管理制度、安全措施与违纪处理办法等规章制度，明确了指导教师、带徒师傅的工作职责；成立了由学校管理人员、专业教师及企业管理人员、带徒师傅共同组成的现代学徒制试点工作组和船舶动力工程技术专业试点实施团队，具体负责试点任务的推进和实施。校企共同制订了企业师傅聘任标准、双向挂职锻炼、横向联合技术研发的激励制度、考核奖惩制度等各种规章制度，相应地制订了校内实训基地教学实践计

划、企业轮训岗位群实习计划;制订了相应的管理规章制度,构建了完善的组织保障体系,形成了现代学徒制培养长效机制。

(2)校企合作机制完善,产教融合持续深入

通过校企共同组建的专业建设指导委员会和学院二级校企合作管理组织,以及利用船舶党委副书记定点联系学院和企业办学的资源优势,搭建了学院与企业在人才培养、课程、实训基地、教学团队、学生实习、校外实践教学质量保障体系与就业、员工培训和技术服务等核心建设方面的校企一体、产教融合平台。在"船舶实训基地、兼职教师建设管理办法和实训基地共建协议"的基础上,又相继出台了"关于印发《船舶类公司导师制管理办法(试行)》的通知"和"学院'师带徒'考核管理办法",将实训基地、兼职教师队伍的建设与管理、学生的实习实训等校企共建机制纳入了船舶规范化和制度化的管理渠道;通过校企共同制订人才培养方案,在教学过程中融入企业技术标准、职业资格标准、企业制度和文化元素,共同开发课程和教材,共同制订课程标准,共同承担教学任务,共同打造实训基地,共同管理教学过程,共同评价教学质量及共同孕育校园文化等方式,建立了校企合作长效运行管理机制,推进产教融合不断深入。

(3)学生学习兴趣增强,培养质量显著提升

现代学徒制采用校企双方合作提供课程、学校学习与企业岗位培训相结合的方式,更加关注学生"工作体验""做中学""学中做"的感受和获得,使学生在上岗前得到良好锻炼,提前掌握职业技能,提高职业素养,实现"零距离上岗",有效提升了学习兴趣和主动性。企业可以在学徒学生实习期间对其进行较长时间较近距离地观察,对优秀学生进行挑选,真正达到优化用工的目的,学徒学生相对于普通班级学生的操作技能更扎实、专业知识更对口、职业素养更全面、企业认同更自然。试点船舶动力工程技术专业参加船舶主机和轴系大赛 12 人,选拔学徒人数 134 人,考核合格录用学徒 132 人。

(4)师资队伍互聘互用,双师素质有效提升

学院建立健全了双导师选拔、培养、考核制度,形成了校企互聘共用的管理机制;明确了校内导师经二级学院考核选拔,所承担工作计入教师考核,减免相应工作量,校内导师在培训、进修、企业锻炼方面享受优先待遇,在下企业锻炼期间减免教学工作量。合作企业选拔优秀技术技能人才担任师傅,明确师傅的责任和待遇,师傅承担的教学任务纳入考核,并享受相应的带徒津贴。试点专业将指导教师的企业实践和技术服务纳入教师考核并作为晋升专业技术职务的重要依据。学院试点根据教学需要聘请企业工程技术人员为学院兼职教师,企业也根据生产需求聘请学院专业教师担任相关部门技术人员或管理人员,或根据学院要求安排专任教师下企业实践锻炼,以及通过企业高级管理人员或学科带头人与学校教师签订"一对一"的"导师制""师带徒"协议等形式基本建立了校企双方员工的"身份互认、角色互通、人才共管",实现了校企师资互补。

(5)依托企业面向行业,构建多维监控体系

学院构建实施了"3-4-5"校内教学质量监控体系(三大监控系统:教学目标监控、教学过程监控、教学信息监控;四大保障制度:思想保障、制度保障、组织保障、技术保障;五大监控机制:约束机制、监督机制、评估机制、反馈机制、激励机制)和"5 落实 4 环节"(5 落实——计划落实、大纲落实、基地落实、师傅落实、考核落实,4 环节——准备工作环节、初期

安排落实环节、中期开展检查环节、结束阶段的成绩评定及工作总结环节)校外实践教学质量监控体系,确保了培养过程的规范性和时效性。

第五节　数字经济赋能绿色低碳发展研究

新时代,我国在绿色低碳方面做出"大国示范",引领绿色低碳发展。早在 2005 年习近平高瞻远瞩,创造性地提出重要理念"绿水青山就是金山银山",这是保护、尊重、顺应自然的重要论断,体现了"人与自然和谐共存、天人合一、道法自然",共创美好人类家园的创新理念。我国的"30"碳达峰、"60"碳中和,"双碳"目标,纳入"生态文明"建设整体布局,全面开启绿色、低碳、高质量的循环发展。我国以全面绿色转型为引领,支持绿色数字、绿色金融、绿色技术创新,以及数字绿色低碳技术创新成果转化;把生态优势转化为发展优势,使绿水青山产生巨大效益,强化绿色国际合作,共享绿色发展成果;推进"清洁、低碳、安全、高效"的全社会生态环保。我国大力实施"国家大数据战略、互联网+"等,拓展数字经济空间,促进数字经济和经济社会融合发展;强化信息资源深度整合,打通经济社会发展信息的"大动脉";加强信息基础设施建设,推动互联网和实体经济深度融合,加快传统产业数字化、智能化,做大、做强数字经济,拓展经济发展新空间;推动实体经济和数字经济融合发展,推动互联网、大数据、人工智能同实体经济深度融合,继续做好信息化和工业化深度融合这篇大文章,推动制造业加速向数字化、网络化、智能化发展 。

习近平高度重视做大、做强"数字经济",强调要充分发挥数字信息化对经济社会的引领作用。国内学者做了大量研究,缪陆军等研究了"数字经济会提前产生对碳排放的抑制作用"。万晓琼等研究了数字经济"虹吸全球资源、汇聚全球智慧、协同创新"的重构全球价值链。刘翠花研究了"数字经济发展激活劳动力市场机理"。周少甫等通过异质性分析,得出"数字经济能够推动服务业结构升级"。陶爱萍等通过"面板固定效应模型和动态空间杜宾模型",得出数字经济为推动服务贸易发展的重要"助推器"。蒲甘霖通过"耦合协调度模型"得出各省份数字经济与科技创新表现出"跨越式发展态势"。王娟等比较分析研究了我国数字经济与美国和欧盟的优势与劣势,全面优化数字经济结构的重要性。王冲研究了"数字经济引领传统产业发展的效率变革机理",得出"开放共享、广度融合、全要素覆盖的数字经济"。张锁江等通过调研、归纳、分析,提出了数字化和智能化、原料结构调整、工艺流程再造、"绿氢"替代、原料结构调整四方面的低碳化策略。吴朝霞等通过梳理作用机理及路径演化,得出"应创新产品服务、正确处理政府与市场关系的重要性"。陈波等通过总结卡伦堡、蔚山、川崎等国外典型生态工业园区的绿色、低碳化发展模式和路径,提出我国绿色低碳的政策框架的建立、路线图的制订、低碳指标的强化、示范试点的推进等方面建议。郭晓萧等通过文献计量分析,绿色、低碳化创新研究的动态演化、特征及趋势。曲申、师帅、郑洁等分别从绿色低碳的跨学科模型、生态系统质量和稳定性、绿色船舶、中国文化产业等视角研究绿色低碳可持续发展。

本节研究数字经济赋能绿色低碳发展,首先,介绍了基于中国特色的绿色低碳的顶层设计到大国担当;第二,介绍了基于中国特色的数字经济,从数字经济顶层到国内外数字经济的现状研究归纳、总结、研究了数字经济的突破路径;第三,对数字经济赋能绿色发展进行了研究,对国内外现状进行了分析,对数字经济赋能绿色发展进行了展望。研究对促进我国数字经济赋能绿色经济高质量发展,推进"强国梦""中华民族伟大复兴"具有一定参考。

一、中国特色的绿色低碳

1. 顶层设计,绿色低碳

全国坚持一盘棋,加强低碳引领、低碳时尚,积极推进构建绿色低碳循环发展政策,加快推进"全国碳排放权交易市场"建设,加大绿色金融政策支持。我国由工业文明向生态文明发展,最明显的标志是碳达标、碳中和,针对全球气候变化,我国具有积极贡献。国家将提高自身贡献力度,力争在"30"二氧化碳排放达到峰值,"60"实现碳中和。我国将由最大发展中国家,用最短时间,实现"双碳"目标。这是基于构建人类命运共同体的责任担当和实现可持续发展的内在要求做出的重大战略决策。通过"控能、控碳、碳汇"的评估适应能力,参与并引领气候变化国际合作,提出"中国方案",推动"联合国气候变化公约、巴黎协定、南南合作"。

2. 大国担当,效果显著

首先,我国产业结构优化升级,提高了产业绿色低碳发展水平,调整能源结构,实施可再生能源替代行动。狠抓重点领域节能,实施了"能耗双控"制度。目前,随着绿色低碳技术的重大突破、绿色低碳政策体系和市场化机制的完善、生态系统"碳汇"能力的提升、绿色低碳生活新风尚的形成、绿色服务供给模式的创新,中国已经给世界人民交出一份靓丽的生态变化应对答卷,这是中国负责任的大国担当,也是中国为促进人类命运共同体建设,迈出的坚定步伐,把节约能源放在首位,倡导绿色低碳环保生活以及低碳出行。节能降碳,提高能源利用率,减少能源浪费,促进共同降碳,改革技术,以加速低碳科技改革。加大绿色低碳推广技术,使用和购买低碳产品,合理运用市场机制,加速宣传低碳环保理念。循环利用资源,举办低碳示范活动,培育广大干部群众绿色低碳环保的生活方式,创建碳排放法制法规,强化低碳环保意识。优化产业结构,提高低碳绿色发展水平,整改能源结构,实现能源再生,提高修复生态,加强"碳汇"能力。

第二,绿色产业齐头并进。推进终端用能电气化,大力推广太阳能光伏光热项目,着力、严格控制煤炭消费,持续推广新能源汽车、大力发展绿色建筑、加大建筑节能改造力度、提高建筑用能管理智能化水平、推动数据中心绿色化、提升公共机构绿化水平、加大绿色低碳技术推广应用力度、大力采购绿色低碳产品、积极运用市场化机制、加强绿色低碳发展理念宣传、深入开展资源循环利用、持续开展示范创建。推进智能光伏能源产业的发展、风电机组稳步的推进、核心元器件的攻克、节能与新能源汽车的推广、充电桩的建设、换电模式的创新、绿色低碳基础数据平台的建立、"工业互联网+绿色制造"的引领等。"绿色"氢能十分关键,明确氢能产业是国家战略性、新兴产业,我国在氢能加注方面获得新突破,加氢站数量位居世界第一。2022年以来,各省市加快推进氢能项目的落地,全国20多个省份已发布氢能规划和指导意见共200多份。我国是世界上最大的"制氢"国,已成为全球最大的氢燃料电池商用车生产和应用市场。在氢能加注方面,累计建成加氢站超过250座,约占全球总数的 40%,加氢站数量居世界第一。35 MPa 智能快速加氢机和 70 MPa 的"一体式"移动加氢站技术获得突破。我国核电新突破"领跑全球",率先掌握第四代核能技术。"国家名片"我国自主三代核能"华龙一号""零碳"核能技术领先世界。开发研究碳捕集利用与封存技术,积极探索降低成本。

第三,"双碳"目标实现的过程创新。"双碳"目标实现,促进和催生了新行业、新模式,我们应顺应科技革命的变革,抓住机遇,早日实现国家全面绿色低碳环保。产业结构面临转型,新能源技术将引领新的产业能源变革,我们要借此机遇,大力发展环保节能产业。清洁生产和清洁能源,将会有很广阔的前景和发展。低碳环保发展体系与国家低碳发展体系融会贯通,积极推进城市低碳试点工作。各级部门将通过低碳发展计划,优化产业结构,提倡低碳生活等,逐步完善发展体系,为低碳发展奠定基础。伴随我国生态文明的不断推进和发展,绿水青山就是金山银山已经深入民心,这对落实中国倡导的二氧化碳排放下降目标,有很大的助推作用。通过点带面的示范,调动低碳发展的积极性、主导性和创造性,为实现"双碳目标"加入强大的动力。强化国土生态保护,"雄安新区"的开发是具体体现,顶层设计、整体开发、集约利用,实现生态的山清水秀,留给后代天蓝、地绿、水净的美好新家园。

第四,强化绿色发展保障。通过严明责、权、利,兼顾经济发展和生态发展,发挥中国特色社会主义的优势,兼顾人类需要和大自然需要,发展新能源和可再生能源。提倡低碳服务业、绿色金融、节能环保、绿色技术创新,利用数字经济推动能源生产,节约能源消耗,从而构建清洁、高效、低碳的经济体系。发挥中国特色社会主义建设"主人翁"精神,自主创建绿色生活,创建节约型社会,绿色机关、绿色学校、绿色社区、绿色家庭、绿色出行等,发挥中华民族优良传统"勤俭节约",节约水、电、话费。创建绿色生活、绿色环卫,实行垃圾分类,实现经济、环境可持续发展。天津市为了推进经济全面绿色转型,确保实现"双碳"目标,为了绿色发展能达到一个新高度,印发《天津市加快建立健全绿色低碳循环发展经济体系的实施方案》,加快建立健全绿色低碳循环发展的经济体系。

二、中国特色的数字经济

1. 数字经济的顶层设计

党的十八大以来,以习近平同志为核心的党中央高度重视发展数字经济,将数字经济发展提升为国家战略。"数字经济发展速度之快、辐射范围之广、影响程度之深前所未有,正在成为重组全球要素资源、重塑全球经济结构、改变全球竞争格局的关键力量"。数字经济已成为高质量发展的新引擎,把握住数字经济发展先机,就能抢占未来发展制高点。"要把握数字经济发展趋势和规律,加强数字经济发展的理论研究"。我国加快培育数字经济基础制度和标准,规范数据资源权、数据交易、数据流通、数据跨境传输和数据安全等,党中央高度重视数据要素的经济价值,为我国数字经济安全、健康、高质量发展奠定基础。推动数字经济和实体经济深度融合,打造具有国际竞争力的现代化经济体系。习近平强调"数字经济具有高创新性、强渗透性、广覆盖性",数字经济是改造提升传统产业的支点和新的经济增长点,是构建现代化经济体系的"亮点"。

2. 数字经济的现状分析

数字经济新业态的模式初步形成，包括人工智能、5G 技术、数字媒体、智能家居、远程办公、在线教育、智慧医疗、电子政务等数字经济技术。当下"疫情防控"中凸显了数字技术和数字经济服务的重要性，数字经济具有广阔前景和充足的、强劲的发展动力。

首先，我国的制度优势"集中力量办大事"，使得政府能够在数字经济上大有作为，数字经济的"治理"成效显著，形成"包容宽松"的政策、法规体系。"数字政府"建设大力推进，各级政府机构服务线上"一站式""掌上办""一网办理"等政务平台加速上线，便民措施、"为人民服务"能力显著增强，"联动服务"能力加强，数字经济促进跨地区、跨部门业务快速响应。目前我国电子政务发展指数排名取得历史新高，在线服务指数跃升。数字经济强有力地推动着国家的治理，每个行业都受到数字经济的影响，各种理念都在发生着变化。个人判断、经验主义逐步转变为细致准确、数据驱动。大数据、云计算等与传统公共服务相融合更是增强了体系的完善和科学的决策，同时也提高了风险防范和应急处理能力。数字经济的进步和完善，大大提高了数字化公共服务的水平。

其次，我国数字经济的数据价值化加速推进。我国政府非常重视数字经济在发展中数据的应用，它可以很好地为很多行业提供便利服务，加快数据要素市场培育，数据与土地、资本、技术等其他要素一起，成为数字经济的基础，提升为国家的战略性资源和重要生产力。为了这些数字经济的应用，国家、地方还专门出台了很多政策文件，市场有效、企业有利、个人有益等。我国"东数西算工程"，东西部协同联动，构建"数据中心、云计算、大数据"一体化的数据布局，进行"上云用数赋智"行动、"数字化转型伙伴"行动等。

再次，推进数据价值化。我国数字经济市场空间宽广，市场规模大，海量数据有保障，我国互联网普及率高，网民达 9.89 亿人，"数字经济"消费市场庞大，数字经济的应用、渗透率都位于世界前列，满足消费者的"个性化、定制化、精准化"独特且多变的需求，互联网公司创建"独特的生态战略"，打通线上、线下全场景，强化沟通力，提供更多新产品和新服务。数字经济的创新发展是第一要务，有利于数字经济发展。数字经济能降低市场交易、协调成本，能让市场效率提升。针对"消费者痛点"，数字经济"供给"创造性的解决方案，"满足人民日益增长的美好生活需要"，实现跨越式发展。数字经济核心领域有世界前列的数字平台、电子商务、移动支付、共享经济等方面企业，具备一定的国际话语权优势，通过数字经济国际规则的制订，为我国更多数字经济创新企业"走出去"奠定良好的基础，推进数字经济的数据价值化、国际化。

最后，我国数字经济发展后劲十足，通过培育"跨界整合的高端人才"，大力推进"人才培养专项"计划，培养勇闯科技创新"无人区"人才，培育数字经济、前沿数字科技创新型的"领军"人才和具备数字技术与产业经验的"跨界核心"人才。快交叉学科、新工科、新文科建设，各学科互促共进，保障高素质技术技能人才、能工巧匠、大国工匠，不断补充数字技能人才，实现高层次数字化人才的扩容、提质。通过现代化职业教育方式，更多、更好服务节能环保、数字中国和数字经济建设，并"以赛促研、以赛促学"，进行与数字技能相关的创新创业大赛、职业技能竞赛。基于数字经济的人力资源视角，数字经济亟须人才支撑，要加强人才引进工程，对国际、国内人才提供便利、优化条件，包括研究经费和家人的关怀，吸纳优秀人才投身于数字经济发展中，提升我国数字经济国际竞争力。当下，应加强数字人才培育模式创新,培育数字科技创新人才工程持续优化,并取得积极发展,人才优势不断增强,"劳动者"逐步向"高素质技能型人才"转化,数字经济的人才数量、质量提升,促进数字经济发展,让数字经济成为"保就业"的新牵引,引领高质量发展。

3. 数字经济的突破路径

首先,跨越式发展是数字经济新兴业态,为数字经济突破提供强大支撑与保障。目前华为的 5G 技术全球领先,我国建成世界最大的宽带光纤的 4G 网络,实现全国村覆盖、完成信息 LTE 网络 IPv6 改造升级。基础数据的云计算平台加速构建,形成多方向、高速度、大容量国际网络架构。工业"4.0"产业数字化进程提速,人工智能、深度学习、大数据、云计算等数字技术领域研发新突破,助推工业企业的数字化稳步提升,工业企业数字化、智能化、自动化不断增强。

其次,数字经济发展新动能,通过国内大循环、国内国际双循环,推进新型数字经济基础设施建设,推动数字经济的融合创新,壮大数字经济。构建"政、产、学、研、用"结合的数字科技创新机制,推动数字科研技术水平全面提升。布局国家级创新中心,鼓励企业依托互联网+环保、云计算+智能、"双创"平台,促进数字科技"原创"新成果落地,更多、更快用于"数字经济"的主战场。

最后,推进数字经济与行业高度融合,构建绿色交通、绿色医疗、数字造船、数字航运等,加速与 5G 技术、人工智能技术、3D 打印技术、智能机器人等领域的前沿科技融合。"数字造船"使船舶工业提升了智能制造供给力,创建数字化车间、数字智能工厂,构建数字孪生系统,推进基于模型的系统工程规模应用,面向装备全生命周期,基于工业互联网平台,实现船舶装备的健康管理,"视情维护"。造船业与数字技术企业融合攻关,加大培育智能船舶、新型智能船舶产品,船舶导架数字化模拟项目,数字化造船成为现代造船模式的核心,实现数字化造船创新。航运业数字智控,航运企业管理"数字化"、船舶营运管理"可视化"、安全管理"清单化"、数据共享"实时化"、缺陷"一表清"、智能服务"一机办"、动态监管"一窗明"、数据交换"一网通"等实现了数字航运经济质的飞跃。推进各行业数字经济的深刻变革,促进创新创业浪潮再创新高。

三、数字经济赋能绿色发展

1. 国内外现状分析

数字经济赋能绿色发展,从全球视角来看,中国、美国和欧盟分别占据了重要位置,成为引领国际数字经济赋能绿色发展的中流砥柱。数字经济赋能绿色发展是新一代产业深度融合的新经济形态,具有深度影响力、发展速度快、辐射范围广等特点,成为重组全球资源要素、重塑经济结构、竞争力提升的关键。目前从规模格局来看,全球形成了美国、欧盟、中国三足鼎立的数字经济格局;从结构格局来看,美国和欧盟要比中国的数字经济更具优势,中国处于"大而不优"的状态,具有高创新性和高价值部分的信息服务业和数字媒体业潜能未能释放。

数字赋能绿色经济发展应从产业、流通、能源、运输等结构优化开始,数字经济赋能绿色经济,提高绿色比重,降低碳排放强度,以市场主导的数字经济赋能绿色发展更完善,制度更健全。企业数量继续增多,数字经济赋能绿色发展"原生"动力增强。数字赋能绿色产业新突破,重点行业、重点企业、重点产品、能源利用率达国际先进水平,加快建设生态宜居、人民满意的数字赋能绿色产业。

2.数字经济赋能绿色发展展望

首先,立足中国经济社会高质量发展,数字经济赋能绿色发展,从政策视角,强化政策的支撑,大力发展绿色金融,加大财税扶持力度,健全绿色收费,培育绿色交易,完善绿色标准、绿色数字化检测、绿色数字化统计、绿色低碳技术成果落地,培育高质量发展新支点、新动力。对外促进数字化、绿色化和产业化的深度融合,对内增强产业链、供应链韧性。

其次,推动产业绿色、协调、可持续发展,数字赋能低碳转型升级。基于数字化、低碳化、创新化要素驱动,使产业数字化、绿色化高质量发展。从宏观层面,经济社会的"数字经济赋能绿色发展创新"转型,实现经济社会高质量发展。从纵观层面,产品供给绿色化转型,产业数字、绿色低碳科技创新。增加环保装备、低碳产品的供给,创新数字赋能绿色服务,引导数字赋能绿色消费。完善创新体系,加强数字赋能绿色基础研究,推动能源、船舶、航运等传统行业绿色低碳转型,挖掘绿色低碳科技创新与数字经济融合的潜力,加快新兴数字赋能绿色低碳产业快速发展。

再次,壮大绿色低碳技术企业群体,高校、科研院所、企业的"数字绿色产业联盟"的融通创新。打造绿色低碳产业集群,强化区域合作,强化知识溢出,促进数字绿色产业分工协作,提升创新体系效能。推动重点行业、重点领域数字绿色改造升级,畅通数字绿色产业循环、构建现代数字绿色产业体系、提升社会经济发展韧性、连续性和创新性。数字经济赋能绿色低碳科技,创新"碳资产"管理,提升碳排放信息化统计、监测、管控能力。加强"碳排放权""用能权"等交易绿色金融创新,提高产业链、供应链的韧性重塑。数字化和绿色化深度融合,发展智能制造、个性定制、网络协同、数字管理等新业态、新模式。构建"全生命周期"的绿色低碳管理,产品、供应、物流、数据、消费全链条的数字绿色低碳闭环管理,完善、健全"大数据"在绿色节能减排方面的共享,加大在重点"碳排放领域"的能耗统计和"碳排放"的监测。

最后,基于5G技术、人工智能、大数据、数字孪生、元宇宙、互联网、物联网等新兴技术与绿色发展融合,低能成本,高效产出,构建数字、清洁、低碳、安全、高效的中国特色数字赋能绿色低碳发展"美好蓝图"。为全球数字赋能绿色低碳发展贡献"中国方案",彰显"中国智慧"、体现"中国担当"。当下,处在"百年变局"的世界、疫情交织叠加的世纪,我国坚定不移推动构建"人类命运共同体",在中国特色的数字赋能绿色低碳发展的社会环境优化形势下,加强数字经济赋能绿色低碳发展的创新。数字赋能绿色低碳发展政府效能的增强,将为全球数字赋能绿色合作格局的构建,为筑牢数字赋能绿色低碳的发展提供安全屏障。数字经济赋能绿色低碳发展将为世界人民造福。

参 考 文 献

[1] 张芹,何彦虎,王秦越.基于创新能力提升的CDIO工程教学改革研究[J].教育教学论坛,2020(9):139-140.

[2] 付琦,聂明.基于 CDIO 的创新型教育模式在应用型高职院校数学课程改革中的应用研究[J].山东农业工程学院学报,2018,35(1):4.

[3] 朱晓东,顾榕蓉,吴立保.基于 CDIO 理念的创新创业教育与专业教育融合发展研究[J].创新教育,2018(2):77-80.

[4] 顾佩华,沈民奋,等.从 CDIO 到 EIP-CDIO———汕头大学工程教育与人才培养模式探索[J].高等工程教育研究,2008(1):12-20.

[5] 唐红雨,黄海峰,王红林.基于 CDIO 的技能型创新人才培养模式研究[J].天津职业大学学报,2014,23(4):28-32.

[6] 相成娣,陈雪亭.基于模拟仿真的太阳能电池制备实验教学创新[J].实验技术与管理,2020,37(8):195-199.

[7] 杜学元.大学素质教育应重视学生实践能力的培养[J].高等教育研究,2000(3):25-26.

[8] 刘丰韬.学生参加大学生科技创新研究的体会[J].中国科教创新导刊,2007(11):107-108.

[9] 陈洋.国家级大学生创新性实验计划实施的实践与思考[J].北京理工大学学报(社会科学版),2009(4):93-95.

[10] 赵晓华.导师制下本科生创新能力培养模式的探索与实践[J].中国电力教育,2009(8):45-46.

[11] 左家哺,屈中正,邱运亮.突出专业特色,强化教学质量,改革人才培养模式———湖南环境生物职业技术学院专业教学改革与实践[J].高等农业教育,2002(1):71-74.

[12] 牛红军,李赫宇.基于现代学徒制人才培养模式的高职师资队伍建设研究[J].西北成人教育学院学报,2017(5):34-38,49.

[13] 游美琴.现代师徒制与高职校本教师专业发展[J].教师博览(科研版),2014(5):11-12.

[14] 王宇苓,雷沪,胡娜.产教融合人才培养中现代学徒制的价值探析[J].天津职业院校联合学报,2016,18(8):26-29.

[15] 赵威.现代师徒制视角下高校创新创业教育探析[J].创新创业理论研究与实践,2022,5(3):97-99.

[16] 熊蕾,黄强,杨威.以应用型人才培养为导向的计算机专业第二课堂建设[J].南方农机,2021,52(3):123-124.

[17] 康斌.中职汽车维修实训课程现代师徒制人才培养模式分析[J].现代职业教育,2020(12):208-209.

[18] 朱梅娟.现代学徒制人才培养模式下的师资队伍建设研究[J].教育现代化,2019,6(76):119-120.

[19] 王国川.高职专业课程体系建构探究[J].教育与职业,2018(22):101-104

[20] 钟强,刘月秀."互联网+"思维嵌入高校创新创业教育课程建设研究[J].教育与职业,2018(21):109-112.

[21] 于茜,王琴.融媒体对高职院校思想政治工作生态环境的影响与对策[J].教育与职业,2018(16):87-90.

[22] 杨静丽,胡光永.基于投入学习理论的高职院校混合式教学模式探析[J].教育与职业,2018(10):107-111.

[23] 缪陆军,陈静,范天正,等.数字经济发展对碳排放的影响——基于278个地级市的面板数据分析[J].南方金融,2022(2):45-57.

[24] 万晓琼,王少龙.数字经济对粤港澳大湾区高质量发展的驱动[J].武汉大学学报(哲学社会科学版),2022,75(3):115-123.

[25] 刘翠花.数字经济对产业结构升级和创业增长的影响[J/OL].中国人口科学,2022(2):112-125,128.

[26] 周少甫,陈亚辉.数字经济对经济高质量发展的影响研究——基于服务业结构升级的视角[J].工业技术经济,2022,41(5):111-121.

[27] 陶爱萍,张珍.数字经济对服务贸易发展的影响——基于国家层面面板数据的实证研究[J/OL].华东经济管理,2022(5):1-14.

[28] 蒲甘霖.中国数字经济与科技创新耦合协调发展测度[J].技术经济与管理研究,2022(4):25-29.

[29] 王冲.数字经济与传统产业融合发展的理论、机制与策略[J].商业经济研究,2022(8):190-192.

[30] 张锁江,张香平,葛蔚,等.工业过程绿色低碳技术[J].中国科学院院刊,2022,37(4):511-521.

[31] 吴朝霞,张思.绿色金融支持低碳经济发展路径研究[J].区域经济评论,2022(2):67-73.

[32] 陈波,石磊,邓文靖.工业园区绿色低碳发展国际经验及其对中国的启示[J].中国环境管理,2021,13(6):40-49.

[33] 郭晓萧,李平.绿色发展理念下低碳化创新研究的动态演化、特征及趋势[J].贵州社会科学,2021(11):130-138.

[34] 曲申.以跨学科模型体系支撑经济社会绿色低碳发展[J].中国环境管理,2021,13(3):5-7.

[35] 师帅,臧发霞,池佳.新时期我国低碳经济发展面临的机遇与挑战[J].理论探讨,2021(2):115-119.

[36] 郑洁,柳存根,林忠钦.绿色船舶低碳发展趋势与应对策略[J].中国工程科学,2020,22(6):94-102.

[37] 李凤亮,古珍晶."双碳"视野下中国文化产业高质量发展的机遇、路径与价值[J].上海师范大学学报(哲学社会科学版),2021,50(6):79-87.

第四章
基于 TRIZ 创新理论的船舶动力工程实践研究

第一节　TRIZ 创新理论

TRIZ 是依据技术进化理论,指导人们循序渐进地进行创新的方法。它是由俄罗斯专利研究专家阿奇舒勒及其带领的研究人员在分析研究世界各国 250 万件专利的基础上总结出的一套发明问题解决理论。TRIZ 的主要内容包括技术系统进化理论、分析方法、冲突解决原理、物场分析、效应、ARIZ 发明问题解决算法等。因为 TRIZ 是阿奇舒勒于 1946 年提出的,在处理世界各国的发明专利过程中,他总在思考这样一个问题:当人们进行发明创造、解决技术难题时,是否有可遵循的科学方法和法则,从而能迅速地实现新的发明创造或解决技术难题呢? 在研究了成千上万例专利后,他发现了蕴含在发明背后的奥秘——TRIZ。TRIZ 是基于知识的、面向人的发明问题解决系统化方法学。TRIZ 的核心是技术进化原理。按照这一原理,技术系统一直处于进化之中,解决冲突是其进化的推动力。进化速度随技术系统一般冲突的解决而降低,其产生突变的唯一方法是解决阻碍其进化的深层次冲突。阿奇舒勒在发明专利的基础上研究了消除冲突的方法,提出了消除冲突的发明原理,建立了消除冲突的基于知识的逻辑方法——发明原理、发明问题解决算法和标准。

首先,TRIZ 是从数百万发明专利分析中得出的创新理论,发明专利是人类发明智慧和方法的最前沿体现。

其次,TRIZ 总结了技术系统进化发展的规律,指导人们按照规律创新。

再次,TRIZ 将技术系统的常见问题进行了分类,并根据不同类型的问题总结了解决问题的方法,指出了创新的途径。

最后,TRIZ 将各行业的普遍真理、普遍发明原则提取并精化,提供跨行业的解决技术问题的通用方法。

TRIZ 是在专利分析的基础上归纳总结而成的,蕴含着创新的科学思想和思维。如矛盾的对立与统一思想,TRIZ 中指出,普遍存在的矛盾的解决是推动系统进化的唯一途径。如系统论的观点,TRIZ 认为系统应相对其环境独立,与环境有一定的边界,并保持稳定。系统得到输入量,经过系统内部处理,向外输出需要输出的量。系统内部有功能组元和物理组元,物理组元是功能组元的载体,组元间网络状的联系和互动构成复杂而有序的系统,以达到最终有目的地改变输入量的目标。又如 TRIZ 理论中蕴含了比较分类法、归纳法、分析法等逻辑理论的方法。因此,TRIZ 是一种面向人而非面向机器的、基于知识的系统化的方法。相对于传统的创新方法,如试错法、头脑风暴法等,TRIZ 具有鲜明的特点和优势。它成功地揭示了创造发明的内在规律和原理,着力于澄清和强调系统中存在的矛盾而不是逃避矛盾;它的最终目标是完全解决矛盾,获得最终的理想解,而不是采取折中或者妥协的做法;它基于技术的发展演化规律研究整个设计与开发过程,而不是随机的行为。

技术系统进化理论是 TRIZ 的重要理论之一。阿奇舒勒提出技术系统的进化并非随机的,而是遵循着一定的客观进化模式,所有的系统都向"最终理想化"方向进化。系统进化的模式可以在过去的专利发明中发现,并可以应用于新系统的开发,从而避免盲目的尝试和浪费时间。阿奇舒勒的技术系统进化论主要有 8 个进化法则,这些法则可以用来解决难题,预测技术系统,创造性地解决问题。

1. 技术系统

技术系统由多个子系统组成,并通过子系统间的相互作用实现一定的功能,简称为系统。子系统本身也是系统,是由元件和操作构成的。系统的更高级系统称为超系统。例如,船舶动力工程作为一个技术系统,船体、主机、辅机、舵机、甲板机械、日用系统等是船舶动力工程的子系统。而船舶动力工程都是整个海运系统的组成部分,因此对于船舶动力工程而言,海运系统就是船舶动力工程的超系统。

2. TRIZ 的理论体系

TRIZ 的理论基础和基本思想主要包括下面 4 个方面:

一是产品或技术系统的进化有规律可循;

二是生产实际中遇到的工程技术矛盾往复出现;

三是彻底解决工程矛盾的创新原理容易掌握;

四是其他领域的科学原理可解决本领域技术问题。

TRIZ 的理论体系:其理论基础是以辩证法、系统论和认识论为哲学指导,以自然科学、系统科学和思维科学的分析和研究成果为支柱。运用 TRIZ 理论,可大大加快人们创造发明的进程,而且得到高质量的创新产品。它能帮我们系统地分析问题情境,快速发现问题本质或者矛盾,能够准确确定问题探索方向,突破思维障碍,打破思维定式,以新的视角分析问题,进行系统思维,能根据技术进化规律预测未来发展趋势,帮助我们开发富有竞争力的新产品。

基本概念:技术系统、技术过程、矛盾、资源、理想化。

问题分析工具:物场分析、价值分析、矛盾分析、资源分析。

问题求解工具:发明问题标准解法、科学原理知识库、技术矛盾创新原理、物理矛盾分离。

解题流程:发明问题解决算法。

理论来源:专利分析。

现代 TRIZ 体系主要包括下面 6 个方面的内容:

(1)创新思维方法与问题分析方法

TRIZ 理论中提供了如何系统分析问题的科学方法,如多屏幕法等。而对于复杂问题的分析,它提出了物场分析法,从而帮助创新者快速确认核心问题,发现根本矛盾所在。

(2)技术系统进化法则

针对技术系统进化演变规律,TRIZ 理论提出 8 个基本进化法则。利用这些进化法则,可以分析确认当前产品的技术状态,并预测未来发展趋势,开发富有竞争力的新产品。

（3）技术矛盾解决原理

不同的发明创造往往遵循共同的规律,TRIZ 理论在总结提炼出 39 个工程参数的基础上,将这些共同的规律归纳成 40 个创新原理。针对具体的技术矛盾,根据创新原理、结合工程实际寻求具体的解决方案。

（4）创新问题标准解法

TRIZ 提供了 76 个标准解法,针对具体问题的物场模型的不同特征,提出分别对应标准的模型处理方法,包括模型的修整、转换、物质与场的添加,等等。

（5）发明问题解决算法（ARIZ）

ARIZ 主要针对问题情境复杂、矛盾及其相关部件不明确的技术系统,是对初始问题进行一系列变形及再定义等非计算性的逻辑过程,是对问题进行逐步深入分析直至问题解决的过程。

（6）知识库

TRIZ 中的知识库是基于物理、化学、几何学等领域的数百万项发明专利的分析结果构建的,可为技术创新提供丰富的方案来源。

创新从最通俗的意义上讲就是创造性地发现问题和创造性地解决问题的过程,TRIZ 的强大作用在于它为人们创造性地发现问题和解决问题提供了系统的理论和方法工具。经过近 70 年的发展,这一方法学体系在实践中不断丰富和完善,在一些具体项目中获得了良好的经济效益。船舶动力工程创新理论应用 TRIZ 理论如图 4-1 所示。船舶动力工程创新理论应用 TRIZ 理论解决难题步骤如图 4-2 所示。

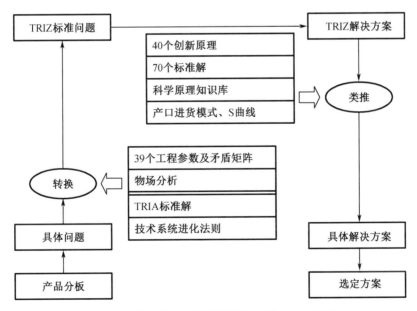

图 4-1　船舶动力工程创新理论应用 TRIZ 理论

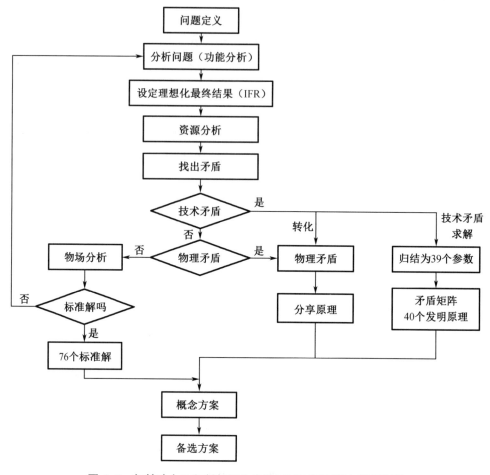

图 4-2　船舶动力工程创新理论应用 **TRIZ** 理论解决难题步骤

该模型说明了如何运用最重要的 TRIZ 理论特征去解决问题（图 4-3），由 5 个步骤构成。

第一步，描述冲突的概念。

第二步，在模型中添加资源地图。

第三步，形成理想的最终结果的概念。

第四步，将形成模型的内部框架。

第五步，应用进化模式和创新原理来构造模型。

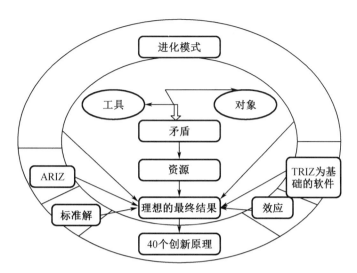

图4-3 创新理论特征去解决问题步骤

第二节 船舶工程创新-绿色造船评价研究

绿色造船以环境价值为尺度,运用机械化、自动化、工装化、智能化等建造技术,在确保船舶产品的基本功能、质量和经济成本的条件下,不断减小船舶建造活动对生态环境的负面影响。综合考虑资源、能源、环境、职业健康与安全等多种因素,涵盖船舶建造活动对环境产生影响的各个因素,对船舶建造活动的经济合理性、环境协调性、技术先进性等进行分析和评价。焊接操作工启动焊接后,焊接过程直至结束全部由焊机自动完成,一般无须操作工监视或调整,或仅需偶尔调整,这样的焊接方式包括埋弧自动焊、自动 TIG 焊、自动 MIG 焊、垂直气电焊、机器人焊接、自适应控制焊接以及其他自动化焊接方式。船舶生产企业绿色造船评价指标体系由指标属性类别、一级评价指标和二级评价指标组成。指标属性类别包括环境属性、能源属性、资源属性、技术属性、管理属性5个维度。一级评价指标包括废弃物、水排放物、噪声排放、大气排放物、能源消耗、材料资源、设施设备资源、设计技术、建造技术、管理技术、管理措施和安全管理等 12 项指标,二级评价指标根据绿色造船特点由 38个具体评价项目所构成。表4-1为绿色造船评价指标及评价权重。

表 4-1　绿色造船评价指标及评价权重

指标属性类别(权重)	一级评价指标(权重)	二级评价指标(权重)
A1 环境属性 指标(28%)	B1 废弃物(6%)	C1 人均生活垃圾产生量(2%) C2 单位修正总吨工业固体废物产生量(2%) C3 单位修正总吨危险废物产生量(2%)
	B2 水排放物(9%)	C4 人均废水排放量(3%) C5 企业厂界 COD 排放达标率(2%) C6 企业厂界氨氮排放达标率(2%) C7 单位工业增加值用水量(2%)
	B3 噪声排放(4%)	C8 室内噪声排放达标率(2%) C9 厂界噪声排放达标率(2%)
	B4 大气排放物(9%)	C10 大气污染物排放达标率(4%) C11 企业 SO_2 单位产量排放量(2%) C12 单位工业增加值碳排放量(3%)
A2 能源属性 指标(12%)	B5 能源消耗(12%)	C13 造船万元增加值耗电量(4%) C14 万元增加值综合能耗(4%) C15 单位修正总吨综合能耗(4%)
A3 资源属性 指标(20%)	B6 材料资源(10%)	C16 钢材一次利用率(3%) C17 钢材综合利用率(4%) C18 涂料消耗系数(3%)
	B7 设施设备资源(10%)	C19 自动化设备占有率(3%) C20 设备利用率(3%) C21 单位船坞、船台面积产出率(4%)
A4 技术属性 指标(21%)	B8 设计技术(8%)	C22 三维设计建模率(2%) C23 三维数字建模设计信息完整率(2%) C24 信息自动提取率(2%) C25 数字化设计工具功能模块使用率(2%)
	B9 建造技术(13%)	C26 关键工艺流程数控化率(3%) C27 分段无余量制造率(2%) C28 焊接自动化率(3%) C29 壳舾涂一体化生产达标率(3%) C30 下水(出坞)前舾装工程完整率(2%)

表 4-1(续)

指标属性类别(权重)	一级评价指标(权重)	二级评价指标(权重)
A5 管理属性 指标(19%)	B10 管理技术(4%)	C31 造船生产效率(2%) C32 节能改造投资占比率(2%)
	B11 管理措施(5%)	C33 管理制度(2%) C34 管理体系(2%) C35 清洁能源使用情况(1%)
	B12 安全管理(10%)	C36 企业重大伤亡事故的件数(3%) C37 千人伤亡率(3%) C38 伤亡人数(4%)

表中重要参数说明：

人均生活垃圾产生量是指企业在统计年度内造船产生的生活垃圾量与造船从业人员数的比值。

单位修正总吨工业固体废物产生量是指企业在统计年度内造船产生的工业固体废物数量与造船完工修正总吨的比值。

单位修正总吨危险废物产生量是指企业在统计年度内造船产生的危险废物数量与造船完工修正总吨的比值。

人均废水排放量是指企业在统计年度内造船产生的废水量与造船从业人员的比值。

企业厂界 COD 排放达标率是指企业在统计年度内企业厂界化学需氧量排放限值的达标数占厂界化学需氧量排放监控点总数量的百分比。

企业厂界氨氮排放达标率是指企业在统计年度内企业厂界氨氮排放限值的达标数占厂界氨氮排放监控点总数量的百分比。

单位工业增加值用水量是指企业在统计年度内用水总量与工业增加值的比值。

室内噪声排放达标率是指企业噪声排放低于排放限值的工作场所监控点数量占应进行测试的工作场所监控点总数的百分比。

厂界噪声排放达标率是指企业厂界噪声排放低于排放限值的监控点数量占厂界噪声排放监控点总数量的百分比。

大气污染物排放达标率是指企业低于大气污染物排放限值的大气污染物项数占应进行测试的大气污染物项数的百分比。

企业 SO_2 单位产量排放量是指企业在统计年度内造船业务的 SO_2 排放总量与造船产量的比值，其造船产量按载重吨和修正总吨各占 50% 的比例进行计算。

单位工业增加值碳排放量是指企业在统计年度内二氧化碳的排放量与造船完工修正总吨数的比值。

造船万元增加值耗电量是指企业在统计年度内用于造船业务的耗电总量与造船业务万元增加值的比值。

万元增加值综合能耗是指企业在统计年度内用于造船业务所消耗的能源与造船业务

万元增加值的比值。

单位修正总吨综合能耗是指统计年度内用于造船业务所消耗的综合能耗与造船完工量修正总吨的比值。

钢材一次利用率是指单船船体结构设计理论质量占单船船体结构钢材实际领用量的百分比。

钢材综合利用率是指统计年度内企业完工船舶产品中配套完整的分段、自制完成的铁舾件及工装件的理论质量之和占完工船舶产品的钢材实际领用量的百分比。

涂料消耗系数是指单船涂料实际消耗量与单船涂料理论消耗量的比值。

自动化设备占有率是指企业自动化设备的资产总额占企业所有设备资产总额的百分比。

设备利用率是指统计年度内企业所具有的设备实际利用时间与计划利用时间的比值。

单位船坞、船台面积产出率是指统计年度内造船完工的修正总吨与企业用于造船的全部船坞、船台面积之和的比值。

三维设计建模率是指已建模的船体结构、舾装件、工艺工装件的模型件数占全船船体结构、舾装件、工艺工装件模型总数的百分比。

三维数字建模设计信息完整率是指企业应用的各类中间产品三维数字建模信息的种类与产品完整性三维数字建模信息种类数的比值。

信息自动提取率是指企业已实现的各类中间产品信息自动提取的个数占全船中间产品三维建模信息种类数之和的比值。

数字化设计工具功能模块使用率是指企业已实施的数字化设计工具功能模块数量占数字化设计工具功能模块总数量的百分比。

关键工艺流程数控化率是指在船舶建造工艺流程中,船舶企业已实施运用计算机辅助手段或数控设备进行关键工艺流程控制的个数占应实施运用计算机辅助手段或数控设备进行关键工艺流程控制总数的百分比。

分段无余量制造率是指无余量制造的分段个数占全船分段总数的百分比。

焊接自动化率是指统计年度内船舶企业采用自动化焊接所消耗的焊接材料总量占船舶焊接材料消耗总量的百分比。

壳舾涂一体化生产达标率是指单船壳舾涂一体化达标的分段、总段、单元、模块个数与单船分段、总段、单位、模块总数的比值。

下水(出坞)前舾装工程完整率是指船舶下水(出坞)前已经安装完成的舾装工程量(以实动工时计)占全船舾装工程量(以实动工时计)的百分比。

造船生产效率是指统计年度内完工船舶产品实动工时与完工船舶产品修正总吨的比值。

节能改造投资占比率是指统计年度内企业在节能改造方面的投入占企业投资总额的百分比。

管理制度是指企业应建立与绿色造船相关的管理制度,包括节能减排制度、设施设备管理制度、能源管理制度等。

管理体系是指企业应建立环境管理体系和能源管理体系,拥有通过具有资质的第三方认证机构颁发的环境管理体系和能源管理体系认证证书,且在有效期内。

清洁能源使用情况是指企业应尽可能使用太阳能、风能等清洁能源。

企业重大伤亡事故的件数按照统计年度内企业造船业务中发生的重大伤亡事故的件数统计,包括外包工。

千人伤亡率是指统计年度内企业造船业务发生的伤亡人员总数与造船从业人数的比值。

伤亡人数按照统计年度内企业因造船业务发生的伤亡人员的总数统计,包括外包工。

船舶生产企业的生活垃圾主要有以下几类:

可回收物,包括纸类、塑料、金属、玻璃、织物、瓶罐等。

有害垃圾,包括对人体健康或自然环境造成直接或潜在危害的电池、灯管和日用化学品等。

大件垃圾,包括家电和家具等。

可燃垃圾,包括落叶、木竹以及不宜回收和资源化利用的纸类、塑料和织物等。

可堆肥垃圾,包括餐厨垃圾、落叶等。

舾装件模型主要包括管子、管系附件(主要为连接附件、阀件、检查和测量及液位指示附件)、其他附件(例如滤器、泥箱、吸入口、空气管头、测量管头、排水口、液流观测器、管子吊架和密封材料等)、电舾件(主要为电缆支承件、电缆贯通件等)和其他铁舾件等。

三维数字建模信息种类:设计信息、定额信息、工艺信息、管理信息。其中工艺信息包括工艺文件、数控文件、生产物量、制造流程、精度控制、检验标准、物流流向、安措方案、工具工装等。管理信息包括工时定额、作业部门、开完工时间等。造船企业数字化设计工具主要包括 17 个功能模块,见表 4-2。

表 4-2　造船企业数字化设计工具

序号	功能模块
1	船体平面板架三维建模设计工具
2	船体曲面板架三维建模设计工具
3	全船三维建模设计工具
4	工艺工装三维数字化设计工具
5	电缆敷设数字化设计工具
6	涂装专业数字化设计工具
7	型材套料数字化设计工具
8	线型光顺数字化设计工具
9	舱室布置数字化设计工具
10	电气专业数字化设计工具
11	风管数字化设计工具
12	铁舾件数字化设计工具

表 4-2(续)

序号	功能模块
13	管系数字化设计工具
14	船体焊接数字化设计工具
15	船体装配数字化设计工具
16	板材套料数字化设计工具
17	结构零件生成数字化设计工具

关键工艺流程及其实施运用的计算机辅助手段或数控设备见表 4-3。

表 4-3　计算机辅助手段或数控设备

关键工艺项目	计算机辅助手段或数控设备要求
钢材预处理	钢材预处理自动化流水线
船体板材下料	板材数控下料设备
船体型材下料	型材数控下料设备或型材自动化生产线
型材成型加工	型材数控加工设备
部件装焊	部件自动化焊接设备或部件自动化生产线
平面分段装焊	平面分段装焊自动化生产线
管子加工	数控弯管设备或管子自动化生产线
管子焊接	管子自动化焊接设备或管子自动化生产线
分段涂装	环境自动监控的涂装设施
精度控制	船体数字化精度测量和分析工具

企业可自行评价或由第三方评价,评价工作坚持客观、公正、透明,多家企业同时评价时,评估工作坚持标准统一、流程规范,杜绝徇私舞弊,企业或第三方评价过程中,指标数据统计坚持以事实数据为基础,数据收集全面、有效。各船舶生产企业按标准要求自行考评。通过对各要素的评估确定船舶生产企业绿色造船水平和差距,找出薄弱环节,提出改进措施。第三方机构可组织相关专家对船舶生产企业进行考评,可采用专家打分方式采集数据。以基于事实数据,充分发挥数据的分析价值为基本准则,协同考虑定性和定量因素。在考评的基础上,提出相应的对策建议。

评价的实施过程包括:评价准备、评价方案撰写、评价指标数据获取与计算、专家打分、综合评定。建立专家评审小组,负责开展船舶生产企业绿色造船水平的评价工作。查看报告文件、统计报表、原始记录,根据实际情况,开展实地调查、抽样调查等工作,确保二级评价指标相关数据的完整和正确。对企业是否满足评价指标和要求进行综合评审,并提出相应的改进措施。

创新方法综合实施能力评价指标见表 4-4。

表4-4　创新方法综合实施能力评价指标

级别	创新方法应用	行业工程实践	综合管理推进	能力背景要求
一级	具备较强的独立运用创新方法解决实际问题的能力,达到创新方法应用能力三级水平	具有扎实的板块行业基础知识和丰富的实践经验;能够将创新方法与板块行业实践相结合,指导课题承担人员在具体工作场景中选择和运用创新方法;能够提供课题所需专业知识和专家支持,帮助课题承担人员识别、分析和解决问题	能够指导课题承担人员制订具体的课题分析与解决计划;能够及时发现课题进展过程中,进度、成本、质量、目标之间的矛盾与风险,以及团队协作、个人能力等问题;能够指导课题承担人员争取资源、合理调整计划、激励团队、提高个人能力,以保障课题的进展	已达到创新方法应用能力三级的要求;辅导完成的成功课题不少于 10 个,其中发明级别三级以上的技术难题或相应难度的管理难题不少于 1 个;辅导的课题中获得专利的课题不少于 10 个;担任项目经理并已完成的项目或课题不少于 3 个,其中发明级别三级以上的技术难题或相应难度的管理难题不少于 1 个
二级	具备很强的独立运用创新方法解决实际问题的能力,达到创新方法应用能力三级以上水平	能够将创新方法与板块行业实践密切结合,完成产品优化设计、生产优化、工程设计、工程施工、服务改善等项目;在研发与生产一线有很强地指导他人选择和运用创新方法的能力;拥有深厚的专业知识和专家网络,能够快速提供课题所需的相关支撑	能够快速识别机构面临的问题与发展需求之间的矛盾,并筛选出重要、急迫、具有影响力的课题集合;能够在机构中得到最高管理层的支持,获取所需要的资源,以支撑运用创新方法解决课题集合;能够制订合理、平衡的总体执行计划;能够定期、事件驱动式地跟踪所有课题的执行状况,及时发现其中的问题和风险;能够采取适当的应对措施,解决课题集合执行中的资源问题,减轻或消除风险,以保障总体计划的有效执行	总体达到创新方法综合实施能力一级要求,其中解决发明级别三级以上的技术难题或相应难度的管理难题不少于 3 个;领导并完成机构层面课题集合的实施:1 次;参加过跨地区工程、咨询项目,并取得实际效果,能够基于行之有效的一系列课题成果,在机构内有效地引导创新方法的学习和实践,宣传和推广创新方法的成效,形成创新文化氛围

表4-4(续)

级别	创新方法应用	行业工程实践	综合管理推进	能力背景要求
三级	具备极强的独立运用创新方法解决实际问题的能力,达到创新方法应用能力三级以上水平	具有丰富的跨板块行业的知识和经验;能够创造性地将创新方法与跨板块行业的实践相结合,指导课题承担人员在重大工程第一线准确选择和成功运用创新方法;能够极快地运用自身专业知识和拥有的专家网络,帮助他人精确识别、分析和解决问题	能够跨板块行业地按照项目群管理的方式,根据机构的发展战略诊断、选择有影响力的课题集合,并应用创新方法主导策划和有效推动这些课题的完成;能够高效地在机构中获取支持、制订计划、获取资源、管控推进、发现问题、消除风险、集成成果、宣传推广、营造氛围	总体达到创新方法综合实施能力二级要求,其中解决发明级别三级以上的技术难题或相应难度的管理难题不少于6个;在跨板块行业,领导并完成机构层面课题集合的实施:1次;参加过国际工程、国际合作科研、国际咨询项目,并取得实际效果

第三节　某工程船舶系统优化设计及实施方案

问题调研汇总:××年8月14日—16日进行了实船考察研究,在调研过程中得到某公司领导和船舶一线操作人员的大力支持,在调研过程中重点对如下几方面进行分析研究。

一、液压油温度不稳定应对策略

液压油高温危害分析,主要包括:基于设备效率视角,设备动作变慢、无力,降低做功效率,增加了液压油的油耗;从液压油性能视角,黏度降低,润滑性能下降,温度对液压油黏度的影响很大;液压油氧化速度加快,导致液压油变质,降低液压油使用寿命;加速密封件老化,密封性能降低,外漏出现,到处渗油,难以清除,进而不满足环保要求和青山绿色环保发展总规划方针。

解决方案:通常情况下,控制液压油温度的模式有水冷和风冷两种,针对该公司的船舶,如果采用风冷,存在缺点是须安装室外风机,其运行环境相对较为恶劣,在维护性及可靠性方面均不如水冷模式,并且夏季高温冷却效果差,不能满足液压设备要求,额外增加更多的成本,故采用水冷改进模式。

水冷控制油温模式有两种,一是通过三通控制液压油进入冷却器的油量,一部分经过冷却器液压油和一部分未冷却液压油混合后获得合适油温;另一种是通过控制冷却器的海水流量,以达到控制油温的目的。经综合考虑,最优方案是控制海水流量模式,冷却器管路优化位置如图4-4所示。

图4-4　冷却器管路优化位置

控制设计要点:通过检测液压油温信号(采用进口高灵敏传感器检测),输入控制器(控制器采用分布式控制器(DPU)控制、采用离散算法的比例积分(PI)规律),输出执行器采用模拟量控制的水量调节阀(调节阀开的可以在2%~98%位置稳定工作),根据热负荷的大小,对海水流量精准控制,实现液压油温度控制。控制海水流量模式的控制系统与原船系统共存,万一自动控制失灵,迅速转化到原船手动控制模式。为了满足冷却器海水控制要求,该系统执行器(海水量调节阀)与冷却器出口阀并联安装,以提高控制精度。

二、板式换热器连接法兰处海水管易腐蚀锈穿应对策略

法兰腐蚀原因分析:法兰连接完整性对流体输送管道系统极其重要,一旦连接处泄漏必将造成非常严重的环境和经济影响,甚至带来巨大的安全风险。法兰如果没有保护措施,当裸露于腐蚀性及被污染的环境时,将会加速腐蚀。浸入海水中的金属法兰,表面会出现稳定的电极电势。由于金属有晶界存在,物理性质不均一,实际的金属材料总含有些杂质,化学性质也不均一,加上海水中溶解氧的浓度和海水的温度等可能分布不均匀,因此金属表面上各部位的电势不同,从而形成了局部的腐蚀电池或微电池。其中电势较高的部位为阴极,较低的为阳极。当电势不同的两种金属在海水中接触时,也形成腐蚀电池,发生接

触腐蚀。

拟采取的技术方案:针对法兰腐蚀机理,有效的途径是隔离和调节电位。目前最有效的途径采用新材料防腐,但其成本太高。目前最可行的方案是采用隔离模式,改进密封形式,采用新工艺螺栓安装固紧法兰,减少电位差,防止法兰腐蚀。

三、压载舱液位变送器

故障分析:压载舱液位变送器的压力感应膜片易损坏,造成液位显示失常。如图4-5所示为液位传感器,它是船舶常见的易损件,这是由于海水的特性决定的,因此也就增加了一线员工的工作量。

解决方案:在原传感器基础上进行研发改进,拟采用国外先进的隔离型的高精度、隔离式敏感组件,采用先进组装工艺,提高精度同时提高寿命,经改进后传感器最少比目前传感器提高1倍以上的寿命。

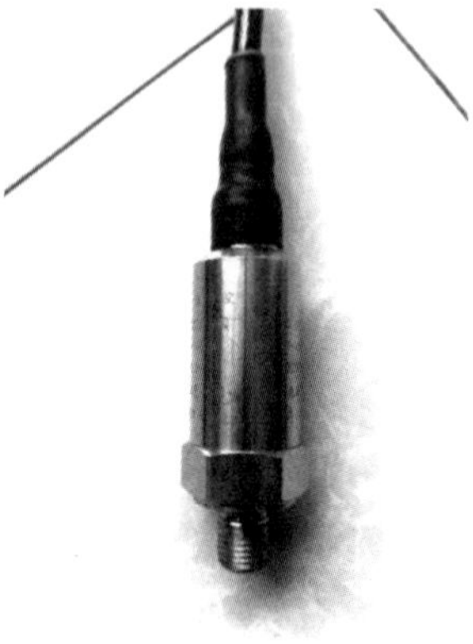

四、日用淡水加热棒易生水垢

故障分析:该故障表面上是加热棒故障,换新就解决了,其实是一个重要的项目,是关乎民意的民生工程。当一线员

图4-5 液位传感器

工工作很累,下班想洗澡时结果没有热水,夏天时员工意见不是太大,如果是冬天员工就该抱怨了。船员日用设备的好坏体现公司领导对一线员工的关心、关爱,另外水垢对日用管路腐蚀严重,高盐分淡水对人的健康不利。

解决方案:为了彻底解决日用淡水加热棒易生水垢问题,拟从淡水水质改善角度,在日用淡水系统增加淡水净化、软化设备,经过净化、软化的淡水进入日用系统。该系统的工作原理:水的硬度主要由其中的阳离子钙离子(Ca^{2+})、镁离子(Mg^{2+})构成,当含有硬度的原水通过交换器的处理材料时,水中的钙离子、镁离子被吸附,同时释放出钠离子,这样交换器内流出的水就是去掉了硬度离子的软化水,当处理装置吸附钙离子、镁离子达到一定的饱和度后,出水的硬度增大,此时软水器会按照预定的程序自动进行失效处理装置的再生工作,利用较高浓度的氯化钠溶液(盐水)通过处理材料,使失效的处理材料重新恢复至钠型处理材料。

五、研发设备技术指标

1.基于液压油系统特性、系统温度惯性等因素选择研发的改进型传感器

特点:精度高、稳定性好、抗折断、高绝缘、耐海水、易拆装、屏蔽可靠。由于电压和温度间是非线性关系,因此需要为参考温度(T_{ref})做第二次测量,并利用测试设备软件或硬件在仪器内部处理电压-温度变换,以最终获得热偶温度(T_x)。其技术参数要求见表4-5。

表4-5 技术参数

技术参数	参数范围
测量准确度	0.01级;分辨率0.1 μV和0.1 mΩ
扫描开关寄生电势	≤0.4 μV
温度范围	海水:(4~35)℃
控温稳定度	优于0.01 ℃/10 min
总不确定度	热电偶检定,测量不确定度优于0.7 ℃,重复性误差<0.25 ℃
工作电源	AC 220 V±10%,50 Hz,并有良好保护接地
多路低电势自动转换开关	寄生电势≤0.4 μV
线制转换	可进行二线制、三线制、四线制
功能扩展	可进行远程扩展功能的二次开发

2. 基于系统惯性和控制精度开发的温度控制器

特点:采用最先进的DPU分布式控制器,采用模块化设计,由DPU单元和底板组成,DPU模块带有标准插座,可独立插拔,安装、更换十分方便、安全。它能执行工程师组态的控制策略,既可实现离散梯形逻辑控制,也能实现连续调节控制;能实现数据采集、标度变换、报警限值检查、操作记录、顺序事件记录等功能;其控制算法丰富,集连续控制、顺序控制和批处理控制于一体,可实现串级、前馈、解耦、自适应和预测控制等先进控制,并可方便地加入所需的特殊控制算法。其技术参数要求见表4-6。

表4-6 技术参数

技术参数	参数范围
电压	冗余宽范围DC 18~72 V,额定24 V/48 V
功耗	小于10 W
纹波	不大于5%
CPU	300 MHz奔腾级低功耗CPU
RAM	64 M 32 M Compact Flash
以太网口	2个冗余,10 M/100 M自适应,RJ45双绞线接口
I/O通信	I/O通信网络双网,符合HDLC协议,半双工,外同步
通信电缆	底座内印制板走线或4对双绞线(数据线,时钟线)
电气接口	RS-485协议
通信波特率	2 Mbps,1 Mbps,500 kbps,125 kbps,4速可选
主副机切换时间	20 ms,40 ms,80 ms,320 ms,4速可选
网络隔离电压	500 V
串口1	RS232标准,DB9针接口

表 4-6（续）

技术参数	参数范围
串口 2	RS232/422/485 标准，DB9 针接口或端子接线
串口 3	RS232 标准，DB9 针接口，监控接口
键盘接口	PS2 接口键盘
显示器接口	DB15 VGA 接口
环境温度	0~50 ℃（风扇）
相对湿度	5%~90%
DPU 尺寸	80 mm（宽）×190（高）×170 mm（深）
底座尺寸	190 mm（长）×244（宽）×30 mm（高）

3. 基于海水特性和控制精度的模拟量驱动的调节阀

特点：采用平衡式阀结构，具有阀稳定性好、不易产生震动、噪声低、敏感性小、可靠性高等特点。其技术参数要求见表 4-7。

表 4-7　技术参数

技术参数	参数范围
公称通径	25~300 mm
公称压力	PM 1.6,4.0,6.4 MPa
连接形式	法兰 JB78-59、JB79-59
阀体材料	ZG0Cr18Ni12Mo2Ti
压盖形式	螺栓压紧式
填料	V 形聚四氟乙烯填料、柔性石墨、不锈钢波纹管
阀芯形式	上导向单座套筒或双座套筒柱塞型阀芯
流量特性	等百分比特性、线性特性融合
阀芯材料	1Cr18Ni9Ti、0Cr18Ni12Mo2Ti

4. 基于海水介质的改进型舱液位变送器

特点：超微功耗设计，采用先进船舶设计，并采用不锈钢隔离膜的硅压阻或者微熔压力传感器传感元件，耐水锤冲击、耐击穿。设备具有实时采样、定时发送、超限动态预警自动切换功能。其技术参数要求见表 4-8。

表 4-8　技术参数

技术参数	参数范围
通信方式	GPRS

表 4-8(续)

技术参数	参数范围
通信协议	Mqtt、GB26875 等
压力量程	0~100 m
测量精度	0.5%
上传周期	配置(30~65 535 s)
采集周期	配置(默认 14 400 s)
阈值设置	配置(默认:30~200 cm)
供电电压	7.2 V
存储条数	大于 50 000 条
防护等级	IP68
工作温度	-40~85 ℃
防爆等级	ExdllCT6Gb
安装接口	多种安装方式

5. 基于船舶淡水质量的改善装置

特点:该设备使用程序控制装置,具备高效、省工、省电、无毒、无害等优点,实现离子交换、树脂再生过程的自动化。高效设计合理,使树脂有效工作交换容量充分发挥。无须专人操作,无毒无害阀体为无铅黄铜或工程塑料,处理水率 98% 以上,由于采用虹吸原理,再生无须盐泵,可根据需要调整再生周期和时间,操作方便,罐体防腐采用不锈钢。其技术参数要求见表 4-9。

表 4-9 技术参数

技术参数	参数范围
进水温度	5~50 ℃
出水硬度	≤0.03 mmol/L
处理流量	超过 3~5 t/h
工作电压	220 V、50 Hz
pH 值	6.5~8.5
硬度	(以碳酸钙计)450 mg/L
硫酸盐	250 mg/L
氯化物	250 mg/L
溶解性总固体	1 000 mg/L
细菌总数	100 个/mL
总细菌总数	游离性余氯在与水接触 30 min 后应不低于 0.3 mg/L

第四节　基于创新原理的船舶
船壳外板修理工装研究

技术领域:本发明涉及船体修理设备技术领域,具体为一种船壳外板修理工装。

背景技术:船舶在航行中因碰撞、触礁、搁浅或船壳腐蚀等造成船体破漏,船体破损后进水,会使船丧失浮性和稳性,甚至翻沉,为保持船舶漂浮状态,须采取堵塞紧急措施对船体破漏处进行堵漏,因此船上要装设排水系统,并配备各种堵漏器材,一旦船体破损进水,可以立即进行船体补漏。

目前对船壳外板进行堵漏时大多是从船体内侧进行堵漏,然后,由于船体外部水压的影响,给修补人员的修补工作带来了极大的不便,不能实现充分利用船外水压能量进行快速减少船板破损处的进水量,不能实现在进水过程中堵漏,同时现有的堵漏件密封性较差,不能实现利用电磁成型器和铁磁性粉粒根据船体破损形状自动成形,无法通过利用现场调配的快固型水泥,来对修补组件进行很好的密封,需要修补人员花费大量的修补时间,从而给人们的船体修补工作带来了极大的不便。

本节所研究的船壳外板修理工装,可实现从船壳外板的外侧进行堵漏,很好地解决了传统内侧堵漏所带来不便的问题,达到了充分利用船外水压能量进行快速减少船板破损处进水量的目的,实现了在进水过程中堵漏,很好地利用了电磁成型器和铁磁性粉粒根据船体破损形状自动成形,同时通过利用现场调配的快固型水泥,来对修补组件进行很好的密封,大大提高了密封效果,并缩短了修补时间。

一种船壳外板修理工装如图4-6所示,包括机箱1和修补组件2,所述机箱1的一侧固定连接有防护箱3,且防护箱3内壁的一侧通过连接块固定连接有加压泥浆泵4,所述加压泥浆泵4的出泥浆口连通有导料软管5,其特征在于:所述修补组件2包括中心支杆,201,所述中心支杆201的顶端固定连接有固定板202,所述固定板202的底部且位于中心支杆201的外侧通过销钉转动连接有弧形骨架203,且弧形骨架203的外表面与固定板202的底部之间固定连接有柔性外体204,所述柔性外体204的内部填充有铁磁性粉粒205,所述中心支杆201顶端的外表面固定连接有电磁成型器206,所述中心支杆201的外表面且位于电磁成型器206的底部套设有滑动环207,且滑动环207的外表面通过转动块转动连接有连接杆208,所述连接杆208远离滑动环207的一端通过转动块与弧形骨架203的内表面转动连接,且电磁成型器206的底部与滑动环207的顶部之间固定连接有拉伸弹簧209,所述固定板202的顶部固定连接有排泥头2010。所述机箱1内壁的两侧之间固定连接有分隔板6,且分隔板6的顶部固定连接有搅拌电机7,且搅拌电机7输出轴的一端贯穿分隔板6并延伸至分隔板6的底部,所述搅拌电机7输出轴延伸至分隔板6底部的一端固定连接有搅拌组件8,且机箱1内壁的顶部从左至右依次固定连接有水泥存储箱9、快固剂存储箱10和储水箱11。

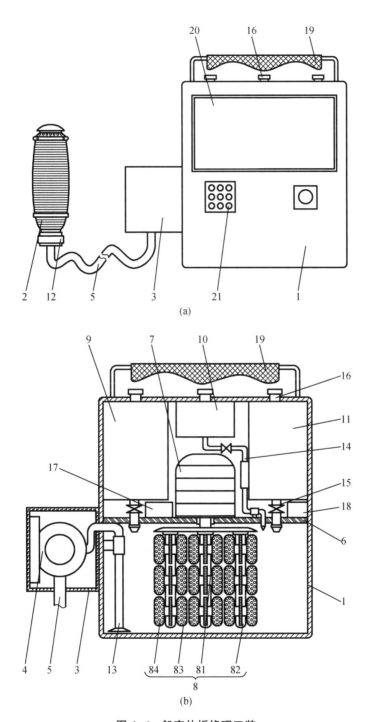

图 4-6　船壳外板修理工装

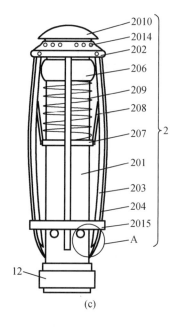

(c)

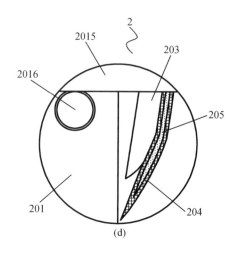

(d)

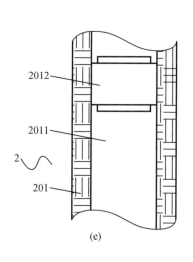

(e)

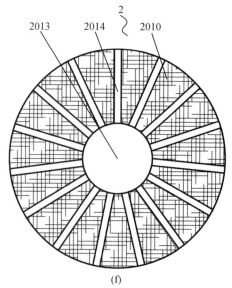

(f)

1—机箱;2—修补组件;201—中心支杆;202—固定板;203—弧形骨架;204—柔性外体;205—铁磁性粉粒;
206—电磁成型器;207—滑动环;208—连接杆;209—拉伸弹簧;2010—排泥头;2011—导料孔;2012—单向节流阀;
2013—安装槽;2014—辐射型排泥孔;2015—箍紧环;2016—弹扣件;3—防护箱;4—加压泥浆泵;5—导料软管;
6—分隔板;7—搅拌电机;8—搅拌组件;81—旋转板;82—搅拌杆;83—搅拌叶片;84—通孔;9—水泥存储箱;
10—快固剂存储箱;11—储水箱;12—快速接头;13—进料管;14—加料管;15—电磁比例阀;16—补料管;
17—单片机;18—蓄电池;19—提手;20—显示器;21—控制按键。

图4-6(续)

  所述导料软管 5 远离加压泥浆泵 4 的一端贯穿防护箱 3 并延伸至防护箱 3 的外部,且导料软管 5 延伸至防护箱 3 外部的一端通过快速接头 12 与修补组件 2 的底端连通。

所述中心支杆 201 的轴心处开设有导料孔 2011,且导料孔 2011 的底部通过快速接头 12 与导料软管 5 的一端连通,所述导料孔 2011 的内部固定安装有单向节流阀 2012。

所述排泥头 2010 的底部设有与中心支杆 201 相适配的安装槽 2013,所述排泥头 2010 的内部设有辐射型排泥孔 2014。

所述搅拌组件 8 包括旋转板 81,所述旋转板 81 的顶部与搅拌电机 7 输出轴的一端固定连接,且旋转板 81 的底部通过轴承转动连接有搅拌杆 82,所述搅拌杆 82 的外表面通过固定环固定连接有搅拌叶片 83,且搅拌叶片 83 上设有通孔 84。

所述加压泥浆泵 4 的进水口连通有进料管 13,所述进料管 13 远离挤压泥浆泵 4 的一端依次贯穿防护箱 3 和机箱 1 并延伸至机箱 1 的内部。

所述水泥存储箱 9、快固剂存储箱 10 和储水箱 11 的底部均连通有加料管 14,且加料管 14 的内部固定安装有电磁比例阀 15。

所述柔性外体 204 外表面的底端包覆有箍紧环 2015,且中心支杆 201 底端的正面固定安装有与箍紧环 2015 相适配的弹扣件 2016。

所述水泥存储箱 9、快固剂存储箱 10 和储水箱 11 的顶部均连通有补料管 16,且补料管 16 的顶端通过密封件进行密封。

所述分隔板 6 的顶部且位于搅拌电机 7 的两侧分别固定连接有单片机 17 和蓄电池 18,且机箱 1 的顶部固定连接有提手 19,所述机箱 1 的正面分别固定安装有显示器 20 和控制按键 21。

船舶目前堵漏情况分析:

船舶在航行中因碰撞、触礁、搁浅或船壳腐蚀等造成船体破漏而采取堵塞紧急措施,以保持船舶漂浮状态。船体破损后进水,会使船丧失浮性和稳性,甚至翻沉。因此,船上要装设排水系统,并配备各种堵漏器材,一旦船体破损进水,可以立即组织抢险堵漏。

抗沉措施:

发现船体破损进水,要立即查明破损部位和范围,必要时应停车,以减少进水量和冲击力。船员要反复测量进水舱和相邻舱的水位,确定进水速度和漫流情况,并计算进水量。从漏洞中进入船内的水量可近似地按下式计算:

$$Q = 272C \times A \sqrt{H - h}$$

式中,Q 为每分钟的进水量(t);C 为进水系数(海水为 0.6);A 为破洞面积(m^2);H 为破洞中心至水面的距离(m);h 为破洞中心至破损舱内水面的距离(m)。

同时应关闭甲板下方的全部水密门窗,利用舱底排水系统排出进入破舱的水。如进水后船体发生过大的横倾或纵倾,会使船舶失稳而发生倾覆,要及早采取措施,以保持船体平衡。通常有三种方法:

第一,移载船上燃料和压载水,调整纵横倾。

第二,排出倾侧一舷的油、水以恢复平衡。

第三,在倾侧相反一舷的对称舱内灌注海水,此法收效较快,但会损失储备浮力。必要时,而且条件许可,可在附近冲滩搁浅,以免沉没。

在排水的同时,应组织船员使用各种器材进行堵漏。如破洞较小,可选用各种轻便器材,如木塞、木板、木楔、木柱、钩头螺栓等,从舷内堵塞;如破洞较大,可将帆布制的轻型堵漏毯或用钢索制的重型堵漏毯悬挂在舷外遮挡破洞,以阻止大量进水,然后再从舷内设置水泥箱,防止海水渗入。当邻舱进水,水密舱壁受到巨大压力时,为防止舱壁变形或破裂,须用木柱、木板等加以支撑。

堵漏器材应存放在船上易取用的安全处所,并由专人负责保管,不得移作他用。铁质部件要防止生锈,活动部件要经常加油润滑。纤维材料应经常通风,保证干燥,不使霉烂。专用水泥要定期检查,防止受潮硬化。

为使抢险堵漏工作及时有效,船上编制有堵漏应急部署表,规定有关船员在堵漏工作中的任务。平时按部署表定期演习,使船员熟悉职责,临危不乱,迅速、熟练地完成抢险任务。

第五节　应急止漏检漏的船舶海水阀门结构创新研究

技术领域:涉及阀门技术领域,具体为一种应急止漏检漏的船舶海水阀门结构。

背景技术:阀门是控制流动的流体介质的流量、流向、压力、温度等的机械装置,阀门是管道系统中基本的部件,阀门管件在技术上与泵一样,常常作为一个单独的类别进行讨论,阀门可用手动或者手轮、手柄及踏板操作,也可以通过控制手轮来改变流体介质的压力、温度和流量变化。

船舶上的阀门在使用的过程中,因为阀门长时间浸泡在海水中,而海水对阀门具有腐蚀性,现有技术中船舶所使用的阀门抗腐蚀性较差,阀门在使用一段时间后遭受海水的腐蚀会对阀门的密封性造成严重的破坏,同时大大地降低了阀门的使用寿命。另外,现有技术中船舶海水阀门结构在紧急情况下,当在阀门关闭不严密时无法进行应急处理,无法进行应急止漏,对于船舶阀门的维修操作较为困难。

一种应急止漏检漏的船舶海水阀门结构如图4-7所示,包括底阀壳1、顶阀壳2和支架3,所述底阀壳1的顶部与顶阀壳2的底部之间通过第一螺栓4固定连接,所述顶阀壳2的表面与支架3的内部固定连接,其特征在于:所述底阀壳1内壁的两侧之间固定连接有双环阀座5,所述双环阀座5内壁的底部固定连接有隔网6,所述双环阀座5的内部固定连接有阀门导向杆7,所述阀门导向杆7的顶端固定连接有阀盘8,所述阀盘8的顶部开设有活动槽9,所述活动槽9的内壁滑动连接有阀塞10,所述阀塞10的顶部固定连接有活动杆11,所述顶阀壳2的内部固定连接有阀密封盘根12,所述阀密封盘根12的内部与活动杆11的表面滑动连接,所述活动杆11的顶端固定连接有联轴器13,所述联轴器13顶部固定连接有阀杆14,所述阀杆14的表面螺纹连接有套筒15,所述套筒15的表面与支架3的内部固定连接,所述阀杆14的顶端固定连接有阀门手轮16,所述阀门手轮16的左侧固定连接有阀位指示器17。

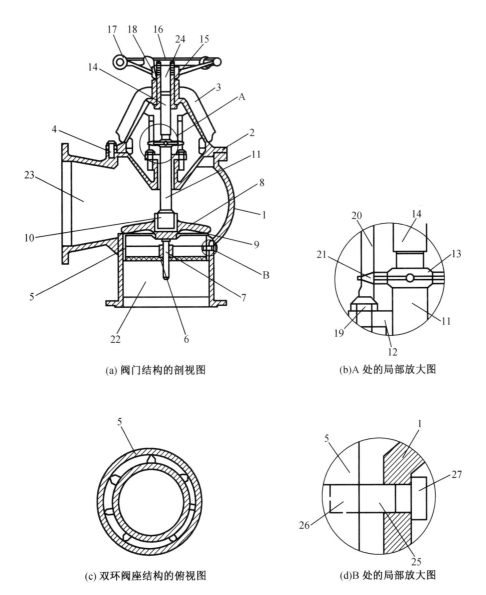

(a) 阀门结构的剖视图　　　　　　　　(b)A 处的局部放大图

(c) 双环阀座结构的俯视图　　　　　　(d)B 处的局部放大图

1—底阀壳;2—顶阀壳;3—支架;4—第一螺栓;5—双环阀座;6—隔网;7—阀门导向杆;8—阀盘;
9—活动槽;10—阀塞;11—活动杆;12—阀密封盘根;13—联轴器;14—阀杆;15—套筒;16—阀门手轮;
17—阀位指示器;18—连接块;19—第二螺栓;20—固定杆;21—滑块;22—阀门进口;23—阀门出口;
24—阀杆螺纹;25—第一检测孔;26—第二检测孔;27—检测阀。

图 4-7　应急止漏检漏的船舶海水阀门

所述阀门手轮 16 的底部固定连接有连接块 18,所述连接块 18 的内部与阀杆 14 的表面固定连接。

所述阀密封盘根 12 的底部与顶阀壳 2 的顶部之间通过第二螺栓 19 固定连接。

所述阀密封盘根 12 的顶部与支架 3 的底部之间固定连接有固定杆 20。

所述联轴器 13 的两侧均固定连接有滑块 21,两个所述滑块 21 的内部均与固定杆 20

的表面滑动连接。

所述底阀壳 1 的底部开设有阀门进口 22,所述底阀壳 1 的左侧开设有阀门出口 23,所述阀杆 14 表面的顶部设置有阀杆螺纹 24。

所述底阀壳 1 表面的底部设有第一检测孔 25,所述双环阀座 5 的侧面开设有与第一检测孔 25 相对应的第二检测孔 26,所述第一检测孔 25 的内部设置有检测阀 27。

创新内容:针对现有技术的不足,本实用新型提供了一种应急止漏检漏的船舶海水阀门结构,解决了现有技术中所使用的船舶海水阀门结构抗腐蚀性较差,使用寿命短,遭受海水的腐蚀后密封性较差,当阀门关闭不严密时无法进行应急处理的问题。

海水阀是专门为应对海水腐蚀而设计生产的一种特殊阀门。通常在其金属表面涂上或包上防腐蚀的覆盖层,同时涂以环氧树脂类的涂料,将金属与海水隔离;除此以外还涂以含氧化亚铜或氧化汞等有毒物质的防污漆,防止海洋生物的污损;海水阀采用特殊的合金材料制造阀体,例如镍铝青铜、超级双相不锈钢等。其中应用最普遍的材质为镍铝青铜,它具有优异的耐应力腐蚀、耐空泡腐蚀、耐冲蚀和抗海洋生物污损等性能,镍铝青铜在耐海水腐蚀疲劳方面远远超过不锈钢和黄铜,比锰青铜还好。

海水蝶阀是一种结构简单的调节阀,可用于低压管道介质的开关控制。蝶阀是指关闭件(阀瓣或蝶板)为圆盘,围绕阀轴旋转来达到开启与关闭的一种阀。

截止阀又称截门阀,属于强制密封式阀门,所以在阀门关闭时,必须向阀瓣施加压力,以强制密封面不泄漏。当介质由阀瓣下方进入阀门时,操作时所需要克服的阻力,是阀杆和填料的摩擦力及由介质的压力所产生的推力,关阀门的力比开阀门的力大,所以阀杆的直径要大,否则会发生阀杆顶弯的故障。其连接方式分为三种:法兰连接、丝扣连接、焊接连接。从自密封的阀门出现后,截止阀的介质流向就改由阀瓣上方进入阀腔,这时在介质压力作用下,关阀门的力小,而开阀门的力大,阀杆的直径可以相应地减少。同时,在介质作用下,这种形式的阀门也较严密。我国阀门"三化给"曾规定,截止阀的流向一律采用自上而下。截止阀开启时,阀瓣的开启高度为公称直径的 25% ~ 30% 时.流量已达到最大,表示阀门已达全开位置。所以截止阀的全开位置,应由阀瓣的行程来决定。

截止阀的启闭件是塞形的阀瓣,密封上面呈平面或锥面,阀瓣沿阀座的中心线做直线运动。阀杆的运动形式,也有升降旋转杆式可用于控制海水介质的流动。因此,这种类型的截流截止阀非常适合作为切断或调节以及节流用。由于该类阀门的阀杆开启或关闭行程相对较短,而且具有非常可靠的切断功能,又由于阀座通口的变化与阀瓣的行程成正比例关系,非常适合于对流量的调节。

截止阀的分类:

①直通式截止阀。

②直流式截止阀:在直流式或 Y 形截止阀中,阀体的流道与主流道呈斜线,这样流动状态的破坏程度比常规截止阀要小,因而通过阀门的压力损失也相应地小了。

③角式截止阀:在角式截止阀中,流体只需改变一次方向,以至于通过此阀门的压力降比常规结构的截止阀小。

④柱塞式截止阀:这种形式的截止阀是常规截止阀的变型。在该阀门中,阀瓣和阀座通常是基于柱塞原理设计的。阀瓣磨光成柱塞与阀杆相连接,密封是由套在柱塞上的两个

弹性密封圈实现的。两个弹性密封圈用一个套环隔开,并通过由阀盖螺母施加在阀盖上的载荷把柱塞周围的密封圈压牢。弹性密封圈能够更换,可以采用各种各样的材料制成。该阀门主要用于"开"或者"关",但是备有特制形式的柱塞或特殊的套环,也可以用于调节流量。

按阀杆上螺纹的位置,截止阀还可分为:

①上螺纹阀杆截止阀:截止阀阀杆的螺纹在阀体的外面。其优点是阀杆不受介质侵蚀,便于润滑,此种结构采用比较普遍。

②下螺纹阀杆截止阀:截止阀阀杆的螺纹在阀体内。这种结构阀杆螺纹与介质直接接触,易受侵蚀,并无法润滑。此种结构用于小口径和温度不高的地方。

波纹管截止阀与普通截止阀相比:

①有双重的密封设计(波纹管+填料),若波纹管失效,阀杆填料也会避免泄漏,并符合国际密封标准。

②没有流体损失,降低能源损失,提高工厂设备安全。

③使用寿命长,减少维修次数,降低经营成本。

④坚固耐用的波纹管密封设计,保证阀杆的零泄漏,提供无须维护的条件。

⑤耐高温(≤425 ℃),阀座采用锥面硬密封,且达到气密性能零泄漏。

随着人工成本的不断上涨,减轻劳动力是越来越多的企业所希望的,有这样的波纹管截止阀可以让工人开关更轻松、产品使用的寿命更长、密封性能更好,因此有理由相信它的前景会越来越广阔。

国内生产截止阀的厂家比较多,连接尺寸也大多不统一。主要分以下几个大类:以 JB/T 2203—2013《弹簧直接载荷式安全阀 结构长度》为主的通用类。目前国内大多数截止阀生产厂家均按本标准设计生产。但本标准也不尽完美,规格不全,单闸板截止阀最大公称通径为 DN1 200,双闸板截止阀最大公称通径为 DN1 500。根据厂家所生产的截止阀规格及掌握的资料来看,目前角式截止阀公称通径最小为 DN15,Z 形直通式截止阀公称通径达到 DN2 000。经考证,各厂家连接尺寸也不尽统一。为了有一个统一的标准,用户在选用及安装时同一规格能够互换,建议中国通用机械研究所对 JB/T 2203—2013《弹簧直接载荷式安全阀 结构长度》进行修订,建议设计院及用户按标准选用,截止阀生产厂家按标准设计制造。

第六节　船用主机艉轴轴系调整支撑工装创新研究

应用领域:船用主机艉轴安装领域,特别涉及一种船用主机艉轴轴系检修、调整支撑工装。

背景技术:目前,船用主机艉轴是轴系中最末的一段轴;前端与发动机输出轴传动连接,尾端用以安装螺旋桨。现有技术中,艉轴调整支撑设备占用空间、位置过大,质量过重,固定不方便,使用起来调整步骤烦琐,设备运输移动困难等问题较为突出,且保证精度的同时会带来成本过高等诸多问题。

实用新型内容：本实用新型的目的是提供一种船用主机艉轴轴系调整支撑工装，能够对船用主机艉轴与发动机输出轴的同轴度进行调整，配合船舶理论中心线进行调整，调整精度高，组装、使用方便，提高了工作效率。

艉轴支架包括传动轴固定架和支架，支架一端与传动轴固定架相连接，其特征在于支架另一端设有安装架，安装架上设有连接孔，安装架设有封盖，安装时先在船底安装艉轴支架处制作开口槽，再将艉轴支架安装在船底开口槽内，并进行艉轴支架定位，然后在艉轴支架连接孔处插入木棒，并以安装架为模具进行糊制艉轴支架安装壳，拔出木棒用连接螺栓将艉轴支架与艉轴支架安装壳相连接，并通过调节连接螺栓调节艉轴支架与艉轴支架安装壳的位置和角度，以调节艉轴支架上、下位置和艉轴支架的安装角度。

一种船用主机艉轴轴系调整支撑工装如图 4-8 所示，包括底座 1 和支撑架 4，底座 1 的左右两侧均铰接有液压撑杆 2，支撑架 4 支撑在两液压撑杆 2 的工作端上，液压撑杆 2 的工作端通过球头 3 与支撑架 4 相连接，支撑架 4 设置为向下凹的弧形，艉轴 5 支撑在支撑架 4 上侧，支撑架 4 上设有至少 1 对左右对应的微调机构。每对所述微调机构包括 2 个左右对称设置在支撑架 4 上侧的顶丝块 6，顶丝块 6 上连接有顶丝螺栓 6a，顶丝螺栓 6a 与支撑架 4 螺纹连接，顶丝螺栓 4 的头部位于支撑架下侧。顶丝块 6 表面设置有防护垫 7。所述微调机构设有 2 对，2 对微调机构沿艉轴 5 长度方向间隔设置。所述支撑架 4 上的两个球头 3 左右对称设置。液压撑杆 2 包括液压缸体 2a，液压缸体 2a 内设置有活塞 2b，活塞 2b 上连接有伸出液压缸体 2a 的活塞杆 2c，液压缸体 2a 与止回阀 2d 相连。底座 1 由通过连接螺栓 8 相连的两块组成。

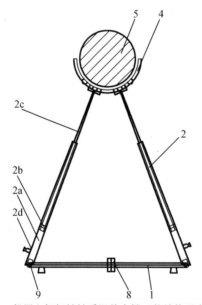

(a) 船用主机艉轴轴系调整支撑工装结构示意图

图 4-8　船用主机艉轴轴系调整支撑工装

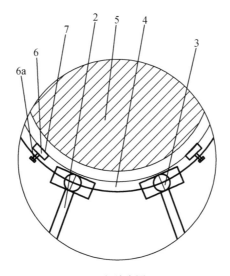

(b) 局部放大图

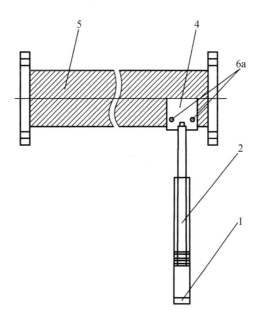

(c) 调整支撑工装左视图

1—底座;2—液压撑杆;2a—液压缸体;2b—活塞;2c—活塞杆;2d—止回阀;3—球头;
4—支撑架;5—艉轴;6—顶丝块;6a—顶丝螺栓;7—防护垫;8—连接螺栓;9—销。

图 4-8(续)

组装本工装时,用连接螺栓 8 将两块底座固定连接;使用销 9 将底座 1 与液压撑杆 2 的液压缸体 2a 相铰接;再通过球头 3 把支撑架 4 与液压撑杆 2 的活塞杆 2c 相连接。使用本工装时,在艉轴 5 长度方向上设置多个本工装,将艉轴 5 水平支撑在各工装的支撑架 4 上,两个液压撑杆 2 摆动至相同的倾斜角度,液压撑杆 2 的活塞杆 2c 伸出至相同高度,由于活塞杆 2c 通过球头 3 与支撑架 4 连接,艉轴 5 在支撑架 4 上可以自由调整到合适位置,然后以支撑架 4 为依托,通过转动顶丝螺栓 6a,顶丝块 6 可上下移动,对艉轴 5 的位置进行高精度微量调节,使得艉轴 5 调整到与发动机输出轴同轴位置。完成艉轴 5 一个角度的调整后,可将艉轴 5 转动一个角度,再用本工装进行调整,减少调整过程中的重复劳动,提高工作效率。本工装的优点在于:采用模块设计,液压撑杆 2 和支撑架 4、底座 1 之间均可拆卸,携带、运输方便;适用于快速组装的场合,提高工作效率。本工装的整体摆放以船体肋板作为基准,本工装应用于各类船舶主动力及发电类柴油机的轴系调整支撑,调整精度更高。

第七节　船舶管路对焊施工辅助工装创新研究

技术领域:涉及一种钢管焊接工装,特别涉及一种船用管路焊接施工中使用的辅助设备。

背景技术:现有船舶建造中,其甲板等位置设置有大量的水管、油管等管路,这些管路有的相互平行设置,有的相互穿插设置,现场焊接困难,其主要问题在于管路焊接过程中并非全部采用法兰连接,有些管路是直接采用对焊方式连接在一起,在焊接时,需要使对焊连接的管口具有较好的平整度,同时其焊接角度要相互对应,此外,焊接工艺中也要求焊接位置具有坡口才能使焊接更加牢固。而现有技术中,钢管端头需要预先加工,现场安装,导致其精度不够,现场焊接施工困难。中国专利数据库中公开了一种钢管焊接定位工装,其公开号:CN205764686U,公开日:2016-12-07,该装置包括:支架、滑轨以及夹具,所述滑轨有两条,分别固定在支架上;所述夹具包括定夹具和动夹具,定夹具和动夹具均包括上下相对设置的上"V"形块和下"V"形块,所述上"V"形块和下"V"形块通过螺栓连接;定夹具固定安装在两根滑轨上,动夹具中的下"V"形块中开有螺纹孔,所述螺纹孔内安装与螺纹孔相啮合的丝杠。动夹具上固定设置定位销,定夹具上与动夹具相同的位置设置定位孔。丝杠的一端固定连接摇柄,两根导轨间还固定安装固定块,摇柄安装在固定块上的孔内。其不足之处在于:管路在焊接过程中,对焊的钢管端头可能不平整,需要进行打磨处理,另外,对焊位置需要事先加工出坡口。该装置同样不适用于船舶管路的现场焊接。

本研究的目的是提供一种船舶管路对焊施工辅助工装,使其能方便地在焊接施工现场对焊接的管路进行预先处理,从而可以更方便地进行现场焊接作业。

普通焊接工装是一套柔性的焊接固定、压紧、定位的夹具,主要用于各种可焊接材料的焊接,大、中、小型材料的焊接,一般应用中小批量的生产。三维柔性焊接工装广泛适用于钢结构、各种车辆车身制造、轨道交通焊接、自行车摩托车制造、工程机械、框架和箱体、压力容器、机器人焊接、钣金加工、金属家具、设备装配、工业管道(法兰)等焊接以及检测系统。

焊接工装的一般要求:

①焊接工装夹具应动作迅速、操作方便,操作位置应处在工人容易接近、宜操作的部位。特别是手动夹具,操作高度应设在工人易用力的部位,其操作力不能过大,操作频率不能过高,当夹具处于夹紧状态时,应可自锁。

②焊接工装夹具应有足够的焊接空间,不能影响焊工观察和焊接操作,不能妨碍焊件

的装卸。所有的定位元件和夹紧机构应与焊道保持适当的距离,或者布置在焊件的下方或侧面。夹紧机构的执行元件应能够伸缩或转位。

③夹紧可靠,刚性适当。夹紧时不破坏焊件的定位位置和几何形状,夹紧后既不使焊件松动滑移,又不使焊件的拘束度过大而产生较大的应力。夹紧时不应损坏焊件的表面质量,夹紧薄件和软质材料的焊件时,应限制夹紧力,或者采取压头行程限位。

④接近焊接部位的夹具,应考虑操作手把的隔热和防止焊接飞溅物对夹紧机构和定位器表面的损伤。

焊接平台设计的基本要求:

①焊接平台工装应具备足够的强度和刚度。焊接平台在生产中投入使用时要承受多种力度的作用,所以焊接工装夹具应具备足够的强度和刚度。

②夹紧的可靠性。夹紧时不能破坏工件的定位位置,应保证产品形状、尺寸符合图样要求。既不能允许工件松动滑移,又不使工件的拘束度过大而产生较大的拘束应力。

③焊接操作的灵活性。使用焊接平台生产应保证足够的装焊空间,使操作人员有良好的视野和操作环境,使焊接生产的全过程处于稳定的工作状态。

④使用焊接工装便于焊件的装卸。操作时应考虑制品在装配定位焊或焊接后能顺利地从夹具中取出,还要制品在翻转或吊运时不受损害。

⑤焊接平台工装夹具应具有良好的工艺性。所设计的焊接平台工装夹具应便于制造、安装和操作,便于检验、维修和更换易损零件。设计时还要考虑车间现有的夹紧动力源、吊装能力及安装场地等因素,降低焊接工装夹具制造成本。夹具体是夹具的基本件,它既要把夹具的各种元件、机构、装置连接成一个整体,而且还要考虑工件装卸的方便。因此,夹具体的形状和尺寸主要取决于夹具各组成件的分布位置、工件的外形轮廓尺寸以及加工的条件等。

一种船舶管路对焊施工辅助工装如图4-9所示,包括底座1,底座1上侧平行设置有支撑板一2和支撑板二21,支撑板一2和支撑板二21之间呈矩形分布有四根导杆3,滑座刀架7和滑座二23套装在四根导杆3上,与滑座刀架7相对应的四根导杆中的一根局部设有齿条18,与齿条18对应设有驱动齿轮19,驱动齿轮19可转动地设置在滑座刀架7的侧面,驱动齿轮19与驱动手柄20相连;滑座二23的上端铰接有下转臂22,下转臂22上端铰接有上转臂14,上转臂14上端铰接有电机13,电机13轴端连接有主动齿轮10,与主动齿轮10啮合设置有从动齿轮9,主动齿轮10和从动齿轮9的轴端可转动地设置在壳体11上,从动齿轮9的转轴从壳体11两侧伸出并分别连接有滑座刀架7,滑座刀架7上连接有刀头8;支撑板一2、支撑板二21和滑座刀架7的上端分别设有下压板26,与下压板26相对应设有上压板6,上压板6和下压板26之间设有弧形压板25,弧形压板25形成用于夹持钢管的环形空腔,支撑板一2、支撑板二21和滑座刀架7对应环形空腔位于同一轴线上,上压板6和下压板26之间经锁扣5相连。弧形压板25包括从中部剖分的上下两部分,每一部分包括有叠合在一起的多层瓦形板。瓦形板堆叠在一起时,具有多种不同直径规格,可根据焊接钢管的直径进行取舍,选择符合尺寸要求的瓦形板,取下直径更小的瓦形板,该方案使得本装置能用于焊接更多不同规格的钢管。为方便调整刀头8的位置,在滑座二23和下转臂22之间、下转臂22与上转臂14之间、上转臂14与电机13之间的铰接位置分别设有锁紧手轮

15。其进一步改进在于,电机 13 上侧设有提梁 12。手持提梁 12 可更方便地调整刀头 8 的位置。导杆 3 为圆形或方形。进一步地,四根导杆 3 中的上部两根为圆杆,下部两根为方杆。方杆可更加方便地在其局部设置齿条 18。为减少灰尘、切屑卡入齿条 18,驱动齿轮 19 位于相应导杆 3 下侧。为能固定滑座二 23,滑座二 23 上设有用于将滑座二 23 锁定的在导杆 3 上的锁紧手柄 24。

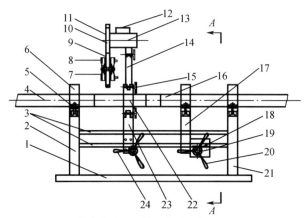

(a) 船舶管路对焊施工辅助工装示意图

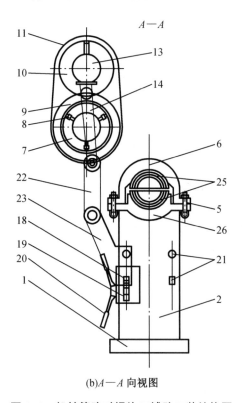

(b) A—A 向视图

图 4-9　船舶管路对焊施工辅助工装结构图

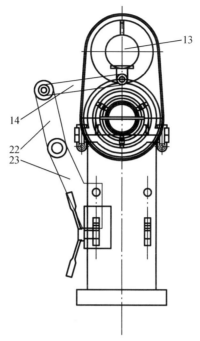

(c) 管口加工时的结构

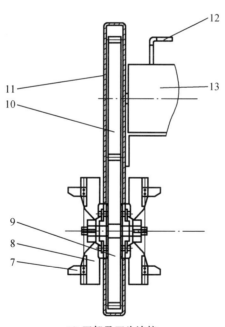

(d) 刀架及刀头连接

1—底座;2—支撑板一;3—导杆;4—钢管一;5—锁扣;6—上压板;7—滑座刀架;8—刀头;9—从动齿轮;
10—主动齿轮;11—壳体;12—提梁;13—电机;14—上转臂;15—锁紧手轮;16—钢管二;17—滑座一;18—齿条;
19—驱动齿轮;20—驱动手柄;21—支撑板二;22—下转臂;23—滑座二;24—锁紧手柄;25—弧形压板;26—下压板。

图 4-9(续)

工作时,将需要焊接连接的钢管一4和钢管二16分别夹持在支撑板一2和滑座刀架7上端的弧形压板25上,夹持钢管二16时,需要将钢管二16穿过支撑板二21上的弧形压板25形成的环形空腔,保持该位置的锁扣5不锁定,其余锁扣5锁定,此时,钢管一4和钢管二16仍处于同轴状态,通过驱动手柄20可驱动钢管一4和钢管二16的端头相互靠近,以检验两钢管的同轴度及钢管端头的对应状态,必要时,可进行微调,使其同轴。随后,适当让出钢管一4和钢管二16之间的距离,通过上转臂14和下转臂22的转动,可使得刀头8运动到钢管一4和钢管二16之间,调整刀头8位置,使刀头8旋转轴线与钢管一4、钢管二16同轴,此时,通过驱动手柄20可移动钢管二16,使其轴向向刀头8移动,并可进一步推挤刀头8向钢管一4的端头移动,此时,刀头8转动,可将钢管一4和钢管二16的端头铣切平整,同时,可在钢管一4和钢管二16的端头切出焊接坡口,随后,通过上转臂14和下转臂22转动,使刀头8、壳体11及电机13整体移出,再通过驱动手柄20,使钢管二16的端头移动到与钢管一4的端头相互靠近,此时,锁紧支撑板二21对应的锁扣5,两根钢管之间的位置被固定,然后再进行焊接,可使得焊接更加方便,焊接变形小,焊接质量得以提高。该装置能方便地在焊接施工现场对焊接的管路进行预先处理,从而可以更方便地进行现场焊接作业,其尤其适用于具有多管路的船舶管路焊接作业中。

附录 A
智能船舶规范(中国船级社 2020)(节选)

第 1 章 通 则

1.1 一般要求

1.1.1 本规范适用于申请 CCS 智能船舶附加标志的船舶。

1.1.2 智能化系指由现代通信与信息技术、计算机网络技术、智能控制技术等汇集而成的针对某个对象的应用,这些应用通常包括但不限于评估、诊断、预测和决策等。智能一般具有如下特点:

(1)具有感知能力,即具有能够感知船舶自身和设备、外部世界、获取外部信息的能力;

(2)具有记忆和思维能力,即能够存储感知到的外部信息及由思维产生的知识,同时能够利用已有的知识对信息进行分析、计算、比较、判断、联想、决策;

(3)有学习能力和自适应能力,即通过与环境的相互作用,不断学习积累知识,使自己能够适应环境变化;

(4)具有行为决策能力,即对外界的刺激作出反应,形成决策并传达相应的信息。

1.1.3 智能船舶系指利用传感器、通信、物联网、互联网等技术手段,自动感知和获得船舶自身、海洋环境、物流、港口等方面的信息和数据,并基于计算机技术、自动控制技术和大数据处理和分析技术,在船舶航行、管理、维护保养、货物运输等方面实现智能化运行的船舶,以使船舶更加安全、更加环保、更加经济和更加高效。

1.1.4 智能船舶的功能按照由局部应用到全船应用、由辅助决策到完全自主的方向发展,其功能一般分为智能航行、智能船体、智能机舱、智能能效管理、智能货物管理、智能集成平台、远程控制和自主操作。

1.1.5 除本规范另有明文规定外,申请 CCS 智能船舶附加标志的船舶还应满足 CCS 相应的规范和船旗国主管机关的适用要求。

1.2 等效与免除

1.2.1 对于具有新型结构和新型特性的任何船舶,如应用 CCS 的相关规定会妨碍这些船舶对其特性的应用或这些船舶的使用时,经 CCS 批准,可免除 CCS 规范的任一要求。

1.2.2 船上安装的任何装置、材料、设备或器具可以代替 CCS 规范要求的装置、材料、设备或器具,条件是经试验和其他方法证明认定这些装置、材料、设备或器具至少与 CCS 规范要求具有同等效能。

1.2.3 若对规范要求的计算方法、评定标准、制造程序、材料、检验或试验方法,能提供相应的试验、理论依据、使用经验或有效地公认标准,经 CCS 批准,可以接受作为代替和等效方法。

1.2.4 CCS 鼓励新技术的应用。当新技术超出现有规范规定的范围,应经风险评估和试验,证明采用新技术的系统和设备能够达到 CCS 规范要求的同等安全水平。

1.2.5 风险评估可按照 CCS《船舶综合安全评估应用指南》或相关国际、国家标准规定的方法进行。

1.2.6 新技术的批准可按照 CCS《船舶替代设计和布置应用指南》进行。

1.3　变更与修理

1.3.1 已经获得智能船舶附加标志的船舶,当对智能船舶功能相关的设备和系统进行变更或修理后,应根据具体情况进行检验以确认其满足原有附加标志的技术要求。

1.4　智能船舶附加标志

1.4.1 根据申请,经 CCS 审图与检验,确认船舶在智能航行、智能船体、智能机舱、智能能效管理、智能货物管理、智能集成平台、远程控制和自主操作方面已符合本规范要求,可按下列方式授予如下智能船舶附加标志:

i-Ship(Ai,Ri,Nx,Hx,Mx,Ex,Cx,I)

其中括号内的字母是智能船舶的功能标志,可根据船舶实际具有的功能授予,功能标志可根据技术的发展增加。

1.4.2 功能标志的含义如下:

Ai—自主操作标志,应满足本规范第 9 章的要求;

Ri—远程控制标志,应满足本规范第 8 章的要求;

Nx—智能航行功能标志,应满足本规范第 2 章的要求;

Hx—智能船体功能标志,应满足本规范第 3 章的要求;

Mx—智能机舱功能标志,应满足本规范第 4 章的要求;

Ex—智能能效管理功能标志,应满足本规范第 5 章的要求;

Cx—智能货物管理功能标志,应满足本规范第 6 章的要求;

I—智能集成平台功能标志,应满足本规范第 7 章的要求;

i—为数字 1,2,3,表示远程控制和自主操作的范围和程度,根据船舶的具体功能,只能选择一个对应的数字;

x—可选功能补充标志,一个小写字母表示一个功能补充标志,一个功能标志可有多个功能补充标志,并用","分开,具体详见本规范第 2 章至第 7 章的要求。

1.4.3 如果一个功能标志已涵盖另一个标志的功能,则不重复授予。功能标志可按下述原则组合:

(1)Nx、Hx、Mx、Ex、Cx、I 可根据船舶实际具有的功能授予;

(2)Ai 和 Ri 之间,根据船舶实际情况只能选一个;

(3) R1 可以和 Nx、Hx、Mm、a、p、Ex、Cx 同时授予;

(4) R2 可以和 Hx、Mm、a、p、Ex、Cx 同时授予;

(5) A 可以和 Hx、Mm、a、p、Ex、Cx 同时授予。

1.4.4 智能船舶附加标志的授予、保持、暂停、取消和恢复应符合 CCS《钢质海船入级规范》第 1 篇第 2 章第 9 节的规定。

1.5 计算机系统

1.5.1 本规范所涉及的智能系统的相关硬件和软件应满足 CCS《钢质海船入级规范》第 7 篇第 2 章第 6 节的适用要求,并经 CCS 审图和检验。

1.5.2 软件开发应满足 CCS《船用软件安全及可靠性评估指南》的要求。

1.5.3 应对计算机系统进行风险评估。在系统设计评估时,应确定相关的失效状态,以及系统对这些失效状态的响应,并通过对有关设备中的软件和硬件设计来清除或限制故障的相互影响,并提供故障的检测和容错。另外,在软件测试中,除了要做正常范围的测试之外,还要做异常范围的测试,以保证设备和软件对异常输入和状态的正确响应能力。

1.6 人员要求

1.6.1 船东或船舶管理公司应制定与智能系统相关的管理办法、培训计划、操作程序等,以明确智能系统相关操作和使用人员的职责、资质、培训等要求。

1.6.2 相关人员在上岗前应经培训合格,并熟悉智能系统的操作。

1.7 网络安全要求

1.7.1 获得《智能船舶规范》附加标志的船舶,应在船舶设计和运行中采取措施将船舶的网络安全风险降低到最低程度,并满足 CCS《船舶网络系统要求及安全评估指南》要求,获得 Cyber Security(S)附加标志。

1.8 保安系统

1.8.1 远程控制或自主操作的船舶(具有 Ri 或 Ai 功能标志),其保安系统除满足主管机关的适用要求外,还应满足下列要求:

(1) 通道控制;

(2) 探测、监视和报警;

(3) 保安通信;

(4) 身份识别。

1.8.2 通道控制

1.8.2.1 船体、上层建筑和甲板室的外界面的开口数量应降到满足用途的最低需要。船上任何出入通道门应能自动关闭,门和出入口(如小舱口)的锁闭装置应设计成仅由授权者开启或关闭,并能由远程控制站远程关启。

1.8.3 探测、监视和报警

1.8.3.1 船上探测和监视系统的监视范围应包括船舶舷外周围、进入船舶通道和船上限制区域,探测能力应保证能辨认船舶周围的疑似目标,以及其移动方向和速度。

1.8.3.2 船舶及其保安系统应满足如下要求:

(1)船舶设置的探测系统应能在探知到疑似目标接近船舶时自动向远程控制站和船上控制站(如适用时)发出预警。

(2)船内处所和船舶进入通道应配备适当照明。探测、监视和照明设备应能由远程控制站和/或船上控制站(如适用时)控制。

1.8.4 船舶应安装满足 SOLAS 公约 XI-2/6 要求的保安警报系统,船上有人时,由船上人员根据实际情况起动向主管机关、船东和远程控制站报警。船上无人时,探测到疑似保安事件时,通知远程控制站,由远程控制站根据实际情况采取进一步措施。

1.8.5 保安通信

1.8.5.1 船上和远程控制站的通信系统应具备随时保持船舶保安通信、信息和设备畅通的能力,并能保存保安通信记录。

1.8.6 身份识别

1.8.6.1 船舶采取适当的措施对上船人员进行身份识别,以防止非授权人员登船。

第 2 章　智　能　航　行

2.1　一般要求

2.1.1 本章要求适用于申请 CCS 智能航行功能标志的船舶。

2.1.2 智能航行系指利用先进感知技术和传感信息融合技术等获取和感知船舶航行所需的状态信息,并通过计算机技术、控制技术进行分析和处理,为船舶的航行提供航速和航路优化的决策建议。在可行时,船舶能够在开阔水域、狭窄水道、进出港口、靠离码头等不同航行场景和复杂环境条件下实现船舶的自主航行。

2.1.3 智能航行的基本功能为航路与航速设计和优化。

2.1.4 除 2.1.3 规定的基本功能外,智能航行还可具有以下进阶功能:

(1)开阔水域自主航行;

(2)全航程自主航行。

2.2　智能航行功能标志

2.2.1 经申请,并经 CCS 审图和检验合格,可授予智能航行功能标志:Nx

其中　N——船舶具有航路与航速的设计优化功能;

　　No——在航路航速设计优化功能的基础上,船舶在船上人员监视下具有开阔水域自主航行能力;

　　Nn——在满足No基础上,船舶在船上人员监视下,具有在狭窄水道、复杂环境下自主航行、自动靠离泊功能,以实现全航程自主航行。

2.3　功能要求

2.3.1　航路航速设计及优化(N)

2.3.1.1 航路航速设计和优化是根据船舶自身的技术条件和性能、特定的航行任务、吃水情况、货物特点和船期计划,并考虑风、浪、流、涌等因素,在保证船舶、人员和货物安全的条件下,设计和优化航路、航速,实现航次优化目标,并在整个航行期间不断优化。

2.3.1.2 航路航速设计和优化一般由船载系统和岸基支持中心共同实现。

2.1.3.3 性能计算模型应基于船舶实际设计参数构建。在可得到的情况下,通常应考虑下列数据:

　　(1)船舶总布置图;

　　(2)船体型线图、船中横剖面及舭龙骨细节;

　　(3)静水力曲线;

　　(4)主机参数及轴带发电机(如设有)细节;

　　(5)主机工厂试验结果;

　　(6)船模试验和船舶试航报告;

　　(7)以往航线典型航速、转速、功率和燃油消耗情况(该数据可以通过第5章相关系统获得);

　　(8)船舶抗风浪等级;

　　(9)船舶装载手册,当缺乏数据时,可采用理论分析和经验曲线建立模型,并基于实船获得的数据不断地完善。

2.3.1.4 船舶性能计算模型应具有动态调整功能。能够根据实际营运情况,对模型进行调整,体现船舶的实际性能,保障航路与航速设计优化的效果。

2.3.1.5 航路与航速设计和优化应考虑航线上的短期和长期气象数据,并进行更新。船舶应定期获得下列数据:

　　(1)风向、风速;

　　(2)有效波高;

　　(3)风浪高度、平均周期;

　　(4)涌高、涌向和平均周期;

　　(5)流速、流向;

　　(6)热带气旋(或台风):最大风速、阵风风速、七级风圈半径等;

　　(7)温带气旋:中心气压、移动路径与速度等;

　　(8)强冷高压(寒潮大风)预警;

(9)冰情(适用时)。

2.3.1.6 气象数据应具备实时性和足够的准确性。短期气象数据(1~5天的气象预报数据)精度应不低于 1.5 deg×1.5 deg,长期气象数据(6~14 天的气象数据)精度应不低于 3 deg×3 deg。

2.3.1.7 气象数据的时间跨度应能覆盖船舶目标航次的剩余航行时间。如气象预报时长无法完全覆盖船舶航行天数,应说明航行天数超出气象预报时长情况下的合理的处理方法。

2.3.1.8 船舶的航路航速设计优化功能,应能在设定航次最大风浪等级和航次航行时间的约束下,实现以下一项或多项优化功能:

(1)航行时间优化;

(2)油耗优化;

(3)总成本优化。

2.3.1.9 航次风浪等级不应超过船舶的设计抗风浪等级。

2.3.1.10 船舶航路航速设计优化应以船舶的航行安全为前提,经优化后的航线应能够规避障碍物、浅滩等航行危险区域。

2.3.1.11 航路航速设计优化应考虑船舶的推进与操舵能力,优化航线的转向点和航速应与船舶的推进与操舵性能相匹配。

2.3.1.12 应能输出并显示以下航路航速设计与优化结果:航线、转向点、各航段航速。

2.3.1.13 船舶应能储存航路航速设计优化结果与船舶的实际航行情况,用于优化效果分析和评估。

2.3.2 开阔水域自主航行(No)

2.3.2.1 船舶具备在开阔水域自主航行的能力。其间,船上人员监视船舶的航行操作,必要时船上人员可随时介入并获取船舶驾驶控制权,操纵船舶航行。

2.3.2.2 船舶应满足智能航行基本功能要求。

2.3.2.3 在开阔水域航行场景下,船舶应能根据感知和获得的航行场景信息进行分析决策,按预定航线,对推进和操纵系统进行控制,实现自主航行;并能按《1972 年国际海上避碰规则》要求实施避碰决策和操作。

2.3.2.4 开阔水域自主航行船舶应能够全天候感知、获取以下场景信息,并用于自主航行决策:

(1)船舶航行中的实时环境气象数据:

①风速、风向;

②海面能见度。

(2)如下本船实时信息:

①船位、航速、航向信息;

②船体运动响应,应至少包括:横摇、纵摇、艏摇;

③船首、船舯、船尾左右舷吃水。

(3)水上目标 AIS 的数据。

（4）电子海图数据及更新。

（5）海上其他目标如下实时信息：

①其他船舶的位置、运动方向、运动速度、大小尺寸、实际距离、与我船相交角度、航行信号和航行状态；

②水面其他固定障碍物及运动物标信息。

（6）船舶所在位置的实测水深。

2.3.2.5 场景感知系统和自主航行系统应具有自检及报警功能，能在设备正常运行时提供持续监测，当监测到设备故障时应能向航行控制系统及远程控制站发出提示报警信息及故障信息，并生成记录。

2.3.2.6 场景感知系统和自主航行系统的设备和部件应具有充分的可靠性，以最大程度降低故障发生的概率，且设备的配备与布置应确保在设备发生单一故障时，船舶感知、通信与航行控制能力不受影响或者能够尽快恢复。

2.3.2.7 当感知系统或自主航行系统的故障最终导致船舶自主航行能力受损时，应发出报警，由船上人员介入并接管船舶航行操作。

2.3.2.8 船舶上应设置数据服务器，存储船舶航行相关设备和系统的状态信息、操作信息。服务器的容量应至少能连续存储单航次但不低于30天所产生的数据，当服务器容量达到极限时，最新的数据可覆盖最老的数据。

2.3.2.9 自主航行控制及感知功能设计或设备选用如不满足本章的规定，CCS可接受替代或等效的设计，但应通过风险评估的方法（如FMEA方法）充分识别并分析在所有航行场景下船舶智能航行系统设计所存在的风险，提出风险控制措施，在经过验证后，完善系统设计。

2.3.3 全航程自主航行(Nn)

2.3.3.1 船舶应满足开阔水域自主航行(No)的所有要求。

2.3.3.2 船舶具备在开阔水域、狭窄水道、进出港口等所有场景下自主航行的能力，以及具备自主靠离泊的功能。其间，船上人员监视船舶的航行操作，在必要时可随时介入，获取船舶驾驶控制权，操纵船舶航行。

2.3.3.3 在所有航行场景下，船舶均应能根据感知和获得的场景信息进行分析决策，按预定航线，对推进和操纵系统进行控制，实现自主航行和靠离泊操作；并能按《1972年国际海上避碰规则》要求实施避碰决策和操作。

2.3.3.4 除了2.3.2.4的场景感知要求，船舶还应能获取以下场景信息，用于航行操作决策：

（1）实时感知船艏、船舷与岸的间距及船岸间的角度；

（2）获得港口航道潮汐、流速、流向变化信息及其他相关环境信息。

2.4 设备配备及性能要求

2.4.1 通用要求

2.4.1.1 智能航行相关系统与设备应经 CCS 型式认可及产品检验。

2.4.2 航路航速设计与优化

2.4.2.1 申请航路航速设计优化功能标志的船舶,应配备下列设备:
(1)数据通信设备:在整个航程期间能与岸基建立通信连接,以便相互转送信息;
(2)电子海图信息与显示系统;
(3)电子定位仪;
(4)风速风向仪;
(5)电罗经或其他船舶艏向系统;
(6)航速和航程测量装置;
(7)测深仪;
(8)航路航速设计与优化系统。
2.4.2.2 航路航速设计优化系统应至少由主电源供电。
2.4.2.3 航路航速设计和优化系统应符合 II 类计算机系统的要求,满足 CCS《钢质海船入级规范》第 7 篇第 2 章的适用规定。

2.4.3 自主航行

2.4.3.1 申请自主航行功能标志的船舶,应至少配备以下设备:
(1)自主航行系统。
(2)场景感知设备,包括:
①带有 ARPA 功能的船用雷达;
②船舶自动识别系统(AIS);
③船舶定位导航与授时系统(PNT);
④电子海图显示与信息系统;
⑤独立电罗经或其他船舶艏向系统;
⑥测深仪;
⑦航速航程测量装置;
⑧船舶运动传感器;
⑨风速风向仪;
⑩能见度传感器。
2.4.3.2 对于申请全航程自主航行功能标志的船舶还应配备近距离探测设备,如激光雷达。
2.4.3.3 场景感知系统和自主航行系统应由独立的两路电源供电,当一路电源故障时,实现自动转换。

2.4.3.4 自主航行系统应符合Ⅲ类计算机系统的要求,满足 CCS《钢质海船入级规范》第 7 篇第 2 章的适用规定。

2.4.3.5 近距离探测设备的量程范围、测量精度和测量延时应能满足船舶的靠离泊决策要求,并能够实现连续监测。

2.4.3.6 雷达应具备辨识 2.5 n mile 范围内水面航海危险物的探测能力。

2.5　检验与试验要求

2.5.1 申请智能航行功能标志的船舶,应将以下图纸资料提交 CCS 批准:

2.5.1.1 航路航速设计与优化

(1)航路航速设计及优化系统图(含气象数据清单);

(2)航路航速设计及优化系统布置图;

(3)航路航速设计及优化功能实现方案;

(4)航路航速设计及优化系统说明书(备查);

(5)其他必要的图纸资料。

2.5.1.2 自主航行

(1)自主航行设计方案说明,包括:感知系统设计方案、自主控制方案;

(2)感知设备系统图;

(3)感知系统设备布置图;

(4)自主航行系统图;

(5)自主航行系统设备布置图;

(6)自主航行功能故障应急响应计划;

(7)船舶自主航行风险评估报告,风险评估范围应覆盖所有的自主航行及操作场景;

(8)设备安装工艺;

(9)设备维护保养计划;

(10)场景感知与自主航行系统产品说明书(备查);

(11)其他必要的图纸资料。

2.5.2　初次检验

2.5.2.1 确认相关图纸业经审查。

2.5.2.2 确认智能航行相关系统持有相应的证书。

2.5.2.3 对于不同的智能航行功能,确认船舶驾驶人员已完成相应培训,并具备正确履行其职责的能力。

2.5.2.4 确认智能航行系统的输入、输出及通信功能。

2.5.2.5 根据不同的输入条件,通过模拟测试航路和航速设计与优化功能,验证航行辅助决策功能。

2.5.2.6 确认相关海图进行了相应的更新。

2.5.2.7 通过实船试验验证开阔水域自主航行、全航程自主航行的场景感知功能、航行控制及自主避碰功能、人员介入及接管的功能。

2.5.3 建造后检验

2.5.3.1 对于授予智能航行功能标志的船舶,航路与航速设计优化的实际效果应通过船舶营运验证,在第一年年度检验时,应根据上一年的营运数据提交报告,详细说明航路航速优化功能的使用效果,验证辅助决策功能的有效性。

2.5.3.2 应结合年度检验、中间检验和特别检验,查阅系统以往的使用情况,确认处于正常状态,并检查智能航行涉及的航路航速设计及优化系统、场景感知系统、自主航行系统功能正常。

2.5.3.3 当设备和系统进行修理和更新时,应重新验证功能。当对自主航行系统进行换新或对其核心部件维修或换新后,需重新进行航行试验。

第3章 智 能 船 体

3.1 一般要求

3.1.1 本章规定适用于申请 CCS 智能船体功能标志的船舶。

3.1.2 船体维护保养相关的系统软件应满足Ⅰ类计算机软件的要求。

3.1.3 船体监测及辅助决策相关的系统软件应满足Ⅱ类计算机软件的要求。

3.2 智能船体功能标志

3.2.1 经申请,并经 CCS 审图和检验合格,可授予下列智能船体功能标志:

Hx

其中 Hh——船体维护保养;

Hm——船体监测及辅助决策。

3.3 船体维护保养

3.3.1 一般要求

3.3.1.1 基于船体数据库系统及船体三维结构尺寸模型的建立与维护,为船舶营运阶段的船体和甲板机械维护保养、结构换新提供辅助决策。

3.3.1.2 船体维护保养包括下列功能:

(1)船体检查保养计划制订;

(2)甲板机械检查保养计划制订;

(3)船体结构状态记录与评估;

(4)结构换新方案制订。

3.3.1.3 船体数据库系统应能集成船体三维结构尺寸模型数据、船体和甲板机械检查保养数据、结构测厚数据和结构修理数据。

3.3.2 船体三维结构尺寸模型

3.3.2.1 应建立船体三维可视化结构尺寸模型,将船体营运阶段产生的数据以标准化的电子数据形式存储和传输,并在船舶营运周期内得到及时维护与更新。

3.3.2.2 船体三维结构尺寸模型应能充分描述实际船体结构,通常应至少包含板(含厚度、材料等属性)、骨材(含结构尺寸、材料等属性)、大肘板(含厚度、材料等属性)等。

3.3.2.3 基于船体三维结构尺寸模型,记录船体结构厚度变化,预测腐蚀趋势。

3.3.2.4 基于船体三维结构尺寸模型,记录船舶营运过程中的船体结构修理数据。

3.3.3 船体检查保养计划制定

3.3.3.1 船体检查保养计划是采用计算机系统,根据营运中船级/法定检验要求以及船公司的需求,制订船体结构的定期检查保养计划,指导船员进行日常检查维修保养。该系统应满足3.3.3.2至3.3.3.6的要求。

3.3.3.2 根据船体结构特点,制订船体结构的一般检查项目、重点关注区域、典型缺陷示意图等。

3.3.3.3 记录船舶舱室各结构区域的涂层及结构检查结果,以直观的方式显示涂层及结构检查结果、结构腐蚀状况、缺陷及修理历史等,并包括以下内容:

(1)设定"涂层、均匀腐蚀、点腐蚀、凹槽腐蚀、变形、裂纹"的检查标准和级别评定原则,级别一般分为 GOOD、FAIR、POOR;

(2)根据船舶舱室各结构区域的检查结果,评定每一结构区域和舱室总体的状况级别,级别一般分为 GOOD、FAIR、POOR;

(3)对于评定级别为 FAIR 或 POOR 的结构区域,系统应能给予必要的提醒和跟踪。

3.3.3.4 查询船体结构检验历史、船体结构构件尺寸信息、测厚历史数据、缺陷及修理历史。

3.3.3.5 计算船舶修理中的涂装面积、构件质量,评估维修工程量。

3.3.3.6 除定期检查保养计划外,结合结构厚度记录与评估,综合分析船舶的实际状况和可靠性,制订临时的船体结构检查保养计划。

3.3.4 甲板机械保养计划制订

3.3.4.1 甲板机械检查保养计划是采用计算机系统,结合甲板机械特点,根据营运中船级/法定检验要求以及船公司的需求,制订甲板机械的定期检查保养计划,指导船员进行日常检查维护保养。

3.3.5 船体结构状态记录与评估

3.3.5.1 船体结构厚度记录与评估是采用计算机系统,基于船体三维结构尺寸模型,记录船舶从建造完工到退役之间完整营运周期内的结构厚度数据,并满足3.3.5.2至3.3.5.3要求。

3.3.5.2 记录构件历次测量的厚度数据及更换历史,统计分析历次测量的厚度数据,以直观的方式显示船体结构腐蚀状况评级,并基于构件厚度变化和所处环境等因素,预测腐蚀趋势,输出测厚数据分析报告。

3.3.5.3 基于采集的测厚数据,按如下要求或其他等效方法对测厚数据进行分析及评级:

(1)将船体结构划分为多个舱室/处所/区域,如压载舱、货舱(包括空舱、泵舱等)和外部结构(露天强力甲板和船体外板)等。对每个舱室/处所/区域的测厚数据,采用90%可靠性的统计分析方法(S-Curve方法)进行分析。

(2)基于90%的水平线(如下图中的水平虚线)与测厚曲线交点所在的评级区间来确定厚度测量评级结果(如下图中甲板结构厚度测量评级为2级)。

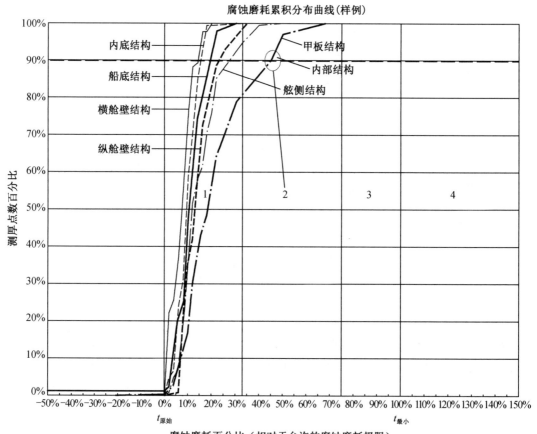

腐蚀磨耗累积分布曲线(样例)

腐蚀磨耗百分比(相对于允许的腐蚀磨耗极限)

(3)每个舱室/处所/区域的边界及其结构构件在评级时一般划分为多个结构单元(包括板及其附连的骨材),如甲板结构、舷侧结构、船底结构、内底结构、横舱壁结构、纵舱壁结构和内部结构(如适用,还应包括舱口盖及舱口围板)。对每一结构单元按如下标准分为1至4级:

	等级			
	1	2	3	4
腐蚀磨耗百分比	$r \leqslant 33\%$	$33\% < r \leqslant 75\%$	$75\% < r \leqslant 100\%$	$r > 100\%$

(4)对于具有公共边界的舱室/处所,其公共边界的测厚值在两侧的舱室/处所中分别计入。

3.3.6 结构换新方案制定

3.3.6.1 基于测厚数据及腐蚀趋势预测结果,制订并输出结构换新方案报告,包括换新范围、换新钢料统计计算、工作量评估等。

3.3.7 图纸资料

3.3.7.1 应将下列图纸资料提交 CCS 批准:
(1)船体三维结构尺寸模型组成及说明;
(2)系统组成及功能说明。

3.3.7.2 船上应备有下列资料:
(1)最近一次的船体测厚报告;
(2)最近一次的船体测厚数据分析报告;
(3)与船体、甲板机械检查保养计划有关资料。

3.3.8 检验与试验

3.3.8.1 在船舶建造完工前初次检验至少包含如下项目:
(1)检查系统软件认可证书;
(2)船体检查保养计划、甲板机械检查保养计划系统已安装上船并能正常运行;
(3)船体检查保养计划的一般检查项目、重点关注区域、检查间隔期满足要求;
(4)执行船体检查保养、甲板机械检查保养的船上人员经过 CCS 或 CCS 接受的组织进行的培训。

3.3.8.2 年度检验/中间检验/特别检验至少应包含如下项目:
(1)船上备有 3.3.7.2 资料;
(2)船体数据库中记录的构件厚度数据及更换历史与实际情况一致;
(3)船体测厚数据分析报告满足 3.3.5.3 条要求;
(4)执行船体和甲板机械检查保养的船上人员经过 CCS 或 CCS 接受的组织进行的培训;
(5)船上人员在验船师的见证下,任意选择至少两个压载舱进行内部检查,准确判定所检查结构区域的涂层及结构状况,并正确将发现的问题和评定的级别录入计算机系统;
(6)船体和甲板机械检查保养计划计算机系统中的记录完整并与实际情况一致。

3.4 船体监测及辅助决策

3.4.1 一般要求

3.4.1.1 船体监测及辅助决策系统应对船体结构应力、船舶运动状态、船舶装载以及海况、航向、航速等数据进行采集、存储、分析、显示,当这些数据的变化超过预设临界值时,该系统发出警告,并提供船舶操作的辅助决策。

3.4.1.2 船体监测及辅助决策系统应包括下列功能:

(1)对涉及船体安全的相关重要参数进行采集与监测;

(2)存储采集数据;

(3)根据监测系统采集的数据进行计算与异常分析;

(4)当分析结果出现异常时能够及时报警;

(5)根据报警参数,提出船舶操作的决策建议;

(6)与装载仪、电罗经和风速仪等相关联,分析和记录船舶的海况信息以及船舶航行参数。

3.4.1.3 船体监测应符合CCS《钢质海船入级规范》第8篇第21章船体监测系统的有关规定。

3.4.2 参数监测

3.4.2.1 船体监测应能够获取如下数据:

(1)海洋环境数据,如风力、风向、波浪;

(2)船舶航行参数,如航向、航速;

(3)船舶运动和加速度,至少包括横摇、纵摇、垂荡;

(4)船舶浮态,包括船首、船舯和船尾的吃水(左右舷)。

3.4.2.2 根据船型结构应力分布特点的需要,船体结构监测的参数通常包括:

(1)船体结构总纵强度;

(2)结构关键区域的应力;

(3)受高温或低温影响的船体结构的温度;

(4)艏部砰击压力(适用船型);

(5)液舱内液体晃荡(适用船型);

(6)冰区加强船舶的冰带区结构的应力;

(7)根据船舶实际情况和安全需要,确定或进一步增加相关的监测参数。

3.4.2.3 船体监测应能获取船舶装载状态,通常包括:

(1)货舱装载量(适用时);

(2)压载舱装载量(适用时);

(3)燃油、淡水。

3.4.3 辅助决策

3.4.3.1 船体监测及辅助决策系统应能根据在航行、码头装卸货和压载水交换过程中船体监测报警,提供相应的辅助决策。通常应考虑下列要求:

(1)航行过程中船体监测及辅助决策系统应能够实现以下功能:

①船体总纵强度监测,当发生异常时,及时发出报警信息,并进行原因分析,提供相应操作建议,如调整压载水、航向、航速等,以保证船舶总纵强度处于安全状态;

②船体局部强度监测(包括结构关键区域),当发生异常时,及时发出报警信息,并进行

原因分析,提供相应操作建议,如调整压载水、航向、航速等,以保证船舶局部强度处于安全状态。

(2)码头装卸货过程中船体监测及辅助决策系统应能够实现以下功能:

①船舶稳性计算(或从装载仪获取),当发生异常时,及时发出报警信息,并进行原因分析,提供相应操作建议,如调整压载水或调整装卸货等,以保证船舶稳性处于安全状态;

②船体总纵强度监测,当发生异常时,及时发出报警信息,并进行原因分析,提供相应操作建议,如调整压载水、调整装卸货等,以保证船舶总纵强度处于安全状态。

(3)压载水交换过程中船体监测及辅助决策系统应能够实现以下功能:

①船舶稳性计算(或从装载仪获取),当发生异常时,及时发出报警信息,并进行原因分析,提供相应操作建议,如调整压载水等,以保证船舶稳性处于安全状态;

②船体总纵强度监测,当发生异常时,及时发出报警信息,并进行原因分析,提供相应操作建议,如调整压载水等,以保证船舶总纵强度处于安全状态。

(4)可根据船舶实际情况和安全需要,增加相关的安全评估分析与辅助决策要求。

3.4.4 图纸资料

3.4.4.1 应将下列图纸资料提交 CCS 批准:

(1)传感器的布置图。

3.4.4.2 应将下列图纸资料提交 CCS 备查:

(1)系统原理图;

(2)系统操作手册;

(3)系统硬件规格说明;

(4)系统说明书;

(5)系统试验程序。

3.4.4.3 船上保存的文件:

(1)船体监测及辅助决策系统操作手册,操作手册至少应包括下列说明:

①操作;

②传感器和系统的设定和校准;

③故障识别;

④修理;

⑤系统维护和功能测试(表明组件和系统的测试方法以及测试观察的内容);

⑥测试结果的解释说明。

(2)船体监测及辅助决策系统的维护和校准日志。

3.4.5 检验与试验

3.4.5.1 在船舶建造完工前,船体监测及辅助决策初次检验至少包含如下项目:

(1)确认相关图纸已审查;

(2)确认系统硬件(包括传感器)持有相应的证书;

(3)确认软件系统经认可;

（4）系统及设备安装完毕后，应按照试验程序进行检验与试验，验证系统功能及有效性。

3.4.5.2 年度检验/中间检验/特别检验，船体监测及辅助决策至少应包含如下项目：

（1）系统是否有效运行；

（2）系统的详细工作记录；

（3）检查系统设备的修理记录；

（4）确认系统的历史数据、分析数据等资料保留完整，并对部分报告内容进行抽查；

（5）确认操作人员熟悉船体监测与辅助决策系统，并确认其执行情况；

（6）检查和确认船体监测与辅助决策系统相关仪器仪表按规定的程序和计划进行了校准。

3.4.5.3 如船体监测与辅助决策系统出现故障，或者设备损坏、修理和换新，或监测手段等发生较大变化，船东或船舶管理公司应申请进行临时检验。

第4章 智能机舱

4.1 一般要求

4.1.1 本章规定适用于申请 CCS 智能机舱功能标志的船舶。

4.1.2 智能机舱能综合利用状态监测所获得的各种信息和数据，对机舱内设备与系统的运行状态、健康状况进行分析和评估，为设备与系统的使用、操作和控制、检修、管理等方面的决策提供支持。

4.1.3 智能机舱应具有如下基本功能：

（1）对机舱内主推进相关的设备与系统运行状态进行监测；

（2）基于状态监测数据，对设备与系统的运行状态、健康状况进行分析和评估；

（3）根据分析与评估结果，提出合理建议，为设备与系统的使用、操作和控制、检修、管理等方面的决策提供支持；

（4）主推进装置应能由驾驶室控制站远程控制，机器处所包括机舱集控站（室）周期无人值班；

（5）无人值班周期内，机舱内的设备及系统应能连续正常运行。

4.1.4 除具有4.1.3规定的基本功能外，智能机舱还可基于设备与系统运行状态和健康状况的分析和评估结果，制订相应的视情维护保养计划，作为智能机舱的补充功能。

4.1.5 小船或其他非货物运输用途船舶，设计者可与 CCS 共同协商确定智能机舱的基本功能及相应要求。

4.1.6 机舱设备及系统的状态监测范围可通过风险分析予以确定，并征得 CCS 的同意。

4.1.7 对于传统主推进柴油机直接推进船舶，申请智能机舱 M 功能标志时，至少应对表4.1.7中所列的设备及系统进行状态监测。

状态监测设备及系统清单(表4.1.7)

序号	设备/系统名称	监测范围 (如设备/零部件/性能等)	监测目的 (如状态、功能、性能等)
1	主柴油机(直接推进)		
1.1		气缸燃烧	燃烧状态
1.2		气缸套	密封、换热
1.3		活塞头(含活塞环)	密封、换热
1.4		气缸盖(含进、排气阀)	密封、换热
1.5		燃料喷嘴/阀	喷射、雾化
1.6		摩擦部件,如主轴承、曲柄销轴承、十字头轴承(如设有)、凸轮轴轴承等	磨损、润滑状态
1.7		曲轴箱	防爆
1.8		增压器	增压性能
2	推进和/或辅助发电用柴油机		
2.1		气缸盖(含进、排气阀)	密封、换热
2.2		气缸套	密封、换热
2.3		燃料喷嘴/阀	喷射、雾化
2.4		摩擦部件,如主轴承	磨损、润滑
2.5		增压器	增压性能
3	推进轴系		
3.1		齿轮箱(如设有),如轴承	磨损
3.2		轴和轴承	磨损、密封性能
4	辅助系统		
4.1	燃油(料)系统		
4.1.1		燃油(料)泵	燃油(料)供应能力
4.1.2		滤器	杂质过滤
4.1.3		换热器(如设有)	换热性能
4.2	滑油系统		
4.2.1		滑油泵	供油能力
4.2.2		滤器	杂质过滤
4.2.3		换热器	换热性能
4.3	冷却系统		
4.3.1		泵	冷却介质供应能力
4.3.2		换热器	换热性能
4.3.3		滤器	杂质过滤

（续）

序号	设备/系统名称	监测范围 （如设备/零部件/性能等）	监测目的 （如状态、功能、性能等）
4.4	液压(伺服)油系统		
4.4.1		液压油泵	供油能力
4.4.2		滤器	杂质过滤
4.5	起动和控制空气系统		供气能力
4.6	进气(四冲程)/ 扫气(二冲程)系统		气缸燃烧空气质量
4.7	排气系统		排气性能
4.8	控制安全报警系统动力源 （电力、气动、液压）		能量供应能力

4.1.8 对于电力推进船舶,申请智能机舱 M 功能标志时,推进或辅助发电用柴油机、辅助系统应按表4.1.7中的适用要求进行状态监测。此外,还应对表4.1.8规定的设备及系统进行监测。

状态监测设备及系统清单(表 4.1.8)

序号	设备/系统名称	监测范围 （如设备/零部件/性能等）	监测目的 （如状态、功能、性能等）
1	发电机		综合工作状态
1.1		定子	定子状态,如绕组匝间绝缘
1.2		转子	转子状态,如转子平衡、 匝间状态、偏心状态
1.3		轴承	磨损
1.4		励磁装置及自动电压调节器(AVR)	励磁及调压能力
2	配电板		综合工作状态供电 质量绝缘状态
2.1		母排及各主断路器	开关状态、母排过流能力等
3	电力变压器		
3.1		绕组	绕组工作状态
4	变频器		
4.1		功率器件模块	工作状态
4.2		制动电阻	制动电阻过载
5	主推进电动机		

（续）

序号	设备/系统名称	监测范围 （如设备/零部件/性能等）	监测目的 （如状态、功能、性能等）
5.1		定子	定子状态，如绕组匝间绝缘
5.2		转子	转子工作状态，如匝间状态 （同步电机）、平衡状态、偏心状态、 转子断条状态（异步电机）
5.3		轴承	磨损
6	辅助系统		
6.1		冷却系统（水冷、风冷）	冷却性能
7	推进器		
7.1		密封装置	密封
7.2		轴承	磨损

4.1.9 状态监测与健康评估系统应经 CCS 认可。

4.1.10 如健康评估结果拟用于制订机舱设备与系统的维护保养计划，申请者应提供足够的证据，证明通过状态监测确定的状态至少可等效于直接检验确定的状态，经 CCS 批准后可实施视情维护。

4.1.11 已实施视情维护的设备与系统的拆检项目可按视情维护计划执行，未纳入视情维护的设备及其部件仍应按计划维护保养系统（PMS）实施维护保养及检验。

4.1.12 状态监测、健康评估、辅助决策（包括视情维护）除满足本章规定外，还应满足 CCS《钢质海船入级规范》第 1 篇第 5 章附录 22 状态监测（CM）和视情维护（CBM）、CCS《船舶智能机舱检验指南》的有关要求。

4.1.13 状态监测与健康评估系统在船上安装完成后，应按本章 4.5.1 的规定进行初次检验，验证船舶可按批准的程序和计划实施状态监测与健康评估，相关系统可按设计有效运行。

4.1.14 本章所用定义如下：

（1）状态监测（CM）：系指用于指示设备状态的信息和数据的获取和处理过程。如发生故障或失效，则设备的状态恶化。

（2）健康评估：系指根据状态监测数据对设备和系统的运行状态、健康状况进行分析和评估的过程。

（3）辅助决策：系指基于设备与系统的状态监测与健康评估结果提出建议，为设备与系统的使用、操作与控制、检修、管理等方面的决策提供支持。

（4）视情维护（CBM）：系指根据设备与系统的状态监测与健康评估结果实施维护保养。

（5）基准数据：系指设备及其部件的性能达到或处于初始健康状态的条件下，测量获取的数据，作为设备及其部件健康状况分析比较的基准，基准数据一般在船上测量。

（6）参考条件：系指规定的监测数据采集条件，包括被监测设备的运行状态（如温度、压力、转速等)、船舶的运行状态(如航速、吃水)以及相关的环境条件(如气温、气压、海况、风速等)。

4.2 智能机舱功能标志

4.2.1 经申请,并经 CCS 审图和检验合格,可授予如下智能机舱功能标志:

式中　M——代表船舶具有 4.1.3 规定的智能机舱基本功能;

　　　　x——补充功能标志,具体采用以下小写字母表示:

　　　　m——表示主推进发动机及其部件实施视情维护;

　　　　a——表示辅助发电用发动机及其部件实施视情维护;

　　　　p——表示推进轴系实施视情维护。

4.2.2 申请智能机舱功能标志 M 的船舶,应符合如下条件:

(1)满足 CCS《钢质海船入级规范》第 7 篇 AUT-0 附加标志的相关要求;

(2)设有用于状态监测、健康评估、辅助决策的相关系统及设备。

4.2.3 申请智能机舱功能标志 Mx 的船舶,除符合 4.2.2 规定外,还应符合如下条件:

(1)满足 CCS《钢质海船入级规范》第 1 篇第 5 章附录 16 船舶机械计划保养系统(PMS)指南的相关要求;

(2)相关设备与系统实施视情维护。

4.3 图纸资料

4.3.1 申请智能机舱功能标志的船舶,应提交如下适用的图纸资料:

(1)状态监测与健康评估系统图。

(2)状态监测与健康评估系统主要设备船上安装布置图。

(3)被监测设备与系统清单及说明,至少包括每个设备及其部件的如下信息:

①监测状态和/或故障,如气缸内燃烧状态、轴承磨损状态、增压器性能等;

②监测参数及其工作范围,如温度、压力、流量、振动等;

③监测装置/传感器;

④监测程序;

⑤状态分析/评估方法;

⑥可接受衡准。

(4)状态监测与健康评估系统有关的详细资料,一般应包括如下方面的内容:

①系统原理、功能及使用维护说明;

②系统硬件说明,如传感器、数据采集装置、数据存储/备份装置等;

③软件说明,如数据处理与分析方法、故障诊断方法、状态评估方法等;

④输出数据/信息的种类和内容。

(5)实施视情维护的系统与设备清单及说明。

(6)状态监测、健康评估、辅助决策实施相关的程序和计划,包括:

①船上试验程序;

②数据收集程序和计划;

③数据存储/备份程序和计划；

④数据分析的程序和计划；

⑤评估结果/报告输出；

⑥监测装置的校准程序和计划。

(7)公司相关资料(如适用)，至少包括：

①公司相关岗位(职责)结构框图；

②工作流程，包括目标、方法和策略；

③执行辅助决策和视情维护相关人员的培训计划和资格要求。

4.4 系统要求

4.4.1 一般要求

4.4.1.1 本章涉及的计算机系统应按Ⅱ类计算机系统的要求进行设计、制造、检验和试验。

4.4.1.2 状态监测与健康评估所需的相关参数应选用合适的测量技术/方法进行收集，这些参数值应适合展示设备及系统一段时间内的状态变化趋势。测量数据应以标准的格式予以文件记录，以适合读取和使用。

4.4.1.3 基于监测数据进行趋势分析应方便可行，所得到的趋势数据应能清晰展示状态变化。分析与评估结果应能以直观的方式说明。

4.4.1.4 状态监测所使用的传感器一般应为固定型，如安装固定式传感器不可行，经CCS同意，也可采用等效的其他测量方式。如采用便携式仪器，相关测点位置、测量方向(与方向相关的参数)应进行永久标记，传感器与测点的连接应能排除任何人为因素的影响；测量结果应能按规定的程序和计划输入状态监测系统用于健康评估。

4.4.1.5 状态监测系统可通过船舶报警系统收集数据，但不应影响船舶报警和安全系统的正常功能。

4.4.1.6 状态监测数据应按规定的程序和计划进行存储，需要时可随时进行回放和显示。

4.4.1.7 应设有必要的数据备份设备。

4.4.1.8 对于采用新颖设计的状态监测与健康评估系统，设计者可与CCS共同协商确定系统设计、安装、测量、试验和检验等方面的要求。

4.4.2 辅助决策

4.4.2.1 应能基于监测数据对机舱内设备与系统的运行状态和健康状况进行分析与评估，并结合系统已建立的知识库提出合理建议，为设备和系统的操作、管理提供决策依据。

4.4.2.2 用于决策的知识库应能随着系统运行经验的积累、知识的更新，予以不断地更新和完善。

4.4.2.3 应能输出设备与系统运行状态和健康状况的评估报告及决策建议。

4.4.2.4 设备与系统运行状态和健康状况的历史数据应能方便地查询，并能输出检验需要的相关记录。

4.4.2.5 如采用岸基支持的方法进行分析、评估、决策等，岸基相关系统也应作为决策支持系统的一部分，提交的图纸资料中应包含岸基相关系统的功能、设计、操作、维护等信息。

4.4.3 视情维护

4.4.3.1 应能基于设备及系统的健康评估结果，制订视情维护计划。

4.4.3.2 实施视情维护的船舶应能基于营运过程中的监测信息更新维护计划。

4.4.3.3 船上备件应考虑视情维护计划的需要。

4.4.3.4 视情维护相关系统应能生成如下记录：

（1）执行视情维护设备的检查项目清单；

（2）视情维护服务、检查和故障修理记录。

4.4.3.5 视情维护相关的数据和信息应进行存储，并能输出检验所需要的相关信息。

4.4.3.6 视情维护计划的历史数据应能进行查询。

4.4.3.7 如采用岸基支持的方法实施视情维护，其相关计划和程序应提交 CCS 批准。

4.4.4 状态监测

4.4.4.1 应根据监测对象、目标和用途，选择一种或多种适用的监测技术，所采用的每种监测技术应提供详细说明。

4.4.4.2 如采用油液分析技术对柴油机和螺旋桨轴进行状态监测和健康评估，应分别满足 CCS《钢质海船入级规范》第 1 篇第 5 章附录 15 柴油机滑油状态监控系统检验指南、附录 14 螺旋桨轴状态监控系统指南的要求。

其他设备如采用油液分析技术进行状态监测，也可参照上述指南的要求实施，至少应考虑如下要求：

（1）所有的油样由指定人员采集；

（2）代表性油样一般在设备正常运转期间提取；

（3）根据设备的型号、转速、工作条件和性能制订取样周期；

（4）取样点的标识能够清晰识别和永久标记；

（5）经 CCS 认可的油液分析公司提供油液分析报告，若分析结果超过标准允许的范围，船舶管理者或船东有义务及时向 CCS 报告。

4.4.4.3 为保证所有监测设备的功能正常、测量结果准确，应按批准的程序和计划进行功能试验和定期校准。试验和校准应进行记录。

4.4.4.4 应按合适的时间间隔及采样频率测量监测数据。原则上应在参考条件下进行数据测量，实际测量时如无法满足参考条件，则测量值应修正至参考条件下的数值。修正方法应与其他认可资料一起提交 CCS 批准。

4.4.4.5 监测参数的记录至少应包括如下信息：

（1）描述设备与系统的基本信息；

（2）测量位置；

（3）被测定量的单位及处理方法；

（4）日期和时间信息。

4.4.4.6 设备与系统的基准数据应在初始健康状态条件下（磨合期之后）测量或通过其他方式获得，测量时的参考条件应以文件形式予以记录。

4.4.4.7 基准数据的测量一般应在船上试验时进行，并满足如下要求：

（1）基准数据由指定人员测量；

（2）测量的基准数据应能涵盖设备与系统预期的运行状态；

（3）用于故障诊断及健康评估的基准数据测量结果有效性应进行评估；

（4）新设备或大修后的设备应在磨合期之后进行基准数据测量。

4.4.4.8 设备与系统的维护保养和/或修理应进行记录，并在趋势曲线上予以标记。设备修理后应测量相关监测参数，测得的新数据应与历史数据（修理前）进行比较以检查偏差，测量数据和偏差应予以文件记录。

4.4.4.9 状态监测系统的任何故障/缺陷都应在本章4.5.2.2规定的年度报告中予以记录，对于影响测量数据趋势分析的重大故障/缺陷应马上予以修复。如由于这些故障/缺陷导致参数测量无法按规定计划进行，则应通知CCS。

4.5 检验和试验

4.5.1 初次检验

4.5.1.1 初次检验至少应包括如下项目：

（1）确认图纸资料已审批；

（2）确认状态监测与健康评估系统已认可；

（3）确认指定的系统操作人员已按规定完成了相应的培训，并具有正确履行其职责的能力；

（4）相关系统及设备安装完成后，按批准的程序进行试验；

（5）核查视情维护计划与实施程序（如适用），确保其内容与实船的一致性；

（6）确认船上备有相关图纸资料、手册、程序及相关记录。

4.5.2 建造后检验

4.5.2.1 对于授予智能机舱功能标志的船舶，应结合船舶的年度/中间/特别检验进行检验，验证智能机舱相关系统的功能正常。

4.5.2.2 船上进行年度检验前，船东或船舶管理者应向CCS执行检验单位提交一份关于智能机舱相关系统的年度报告，报告应至少包括自上次年度检验以来的如下内容：

（1）智能机舱相关系统的维护情况记录；

（2）智能机舱相关系统的总体运行情况；

（3）被监测设备的故障/失效情况和原因分析；

（4）被监测设备的修理记录和备件更换情况。

4.5.2.3 年度检验时，除审查船东（船方）提交的年度报告外，验船师还应实船检查如下项目：

（1）检查智能机舱相关系统是否有效运行；

（2）检查智能机舱相关系统的详细工作记录；

（3）检查被监测设备与系统的修理记录，对于重要零部件的更换，其备件应满足 CCS 规范的持证要求；

（4）确认智能机舱相关系统的历史数据、趋势分析数据、滑油分析报告、振动分析报告等资料保留完整，并对部分报告内容进行抽查；

（5）确认操作人员熟悉智能机舱相关系统，并确认其执行情况；

（6）如验船师认为有必要，一些测试和分析过程需要进行实际验证；

（7）检查和确认相关仪器仪表按规定的程序和计划进行了校准；

（8）纳入视情维护的设备，其维护情况应进行确认。

第 5 章　智 能 能 效 管 理

5.1　一般要求

5.1.1　本章规定适用于申请 CCS 智能能效管理功能标志的船舶。

5.1.2　智能能效管理是指基于船舶航行状态、耗能状况的监测数据和信息，对船舶能效状况、航行及装载状态等进行评估，为船舶提供评估结果和航速优化、基于纵倾优化的最佳配载等解决方案，实现船舶能效实时监控、评估及优化，以不断提高船舶能效管理水平。

5.1.3　智能能效管理应具有如下基本功能：

（1）对船舶航行状态、能效及耗能状况进行在线监测和数据的自动采集；

（2）对船舶能效及能耗状况进行评估、报告和报警；

（3）根据分析评估结果，为能效管理提供辅助决策建议。

5.1.4　除具有 5.1.3 条规定的基本功能外，智能能效管理还可具有如下附加功能：

（1）可结合航线特点、燃油油耗、经济效益等评估结果，提供基于不同目标的航速优化方案；

（2）可根据初始装载及船舶最佳航态分析，提供基于纵倾优化的最佳配载方案。

5.1.5　上述 5.1.3、5.1.4 规定的智能能效管理功能如不适用于某些非货物运输用途船舶，设计者可与 CCS 共同协商确定智能能效管理的功能及相应要求。

5.1.6　本章有关定义与缩写如下：

（1）EEOI：系指船舶能效营运指数，即船舶单位运输功所排放的 CO_2 量；

（2）MRV：系指船舶二氧化碳排放监测、报告及核查；

（3）排放控制区（ECA）：系指要求对船舶排放采取特殊强制措施以防止、减少和控制 NO_x 或 SO_x 和颗粒物质或所有 3 种排放类型造成大气污染以及随之对人类健康和环境造成不利影响的区域；

（4）主要耗能设备：系指船舶设备中包括主机、辅机、锅炉、燃气轮机和惰性气体发生器等在内的主要能源消耗设备；

(5)运输功：系指航行距离和运输货物量的乘积。

5.2　智能能效管理功能标志

5.2.1 经申请，并经 CCS 审图和检验合格，可授予下列智能能效管理功能标志：

Ex

式中　E——代表船舶具有 5.1.3 规定的智能能效管理基本功能；

x——补充功能标志，具体采用以下小写字母表示：s 为航速优化；t 为基于纵倾优化的最佳配载。

5.2.2 申请智能能效管理功能标志的船舶应满足本章 5.1.3 条要求的基本功能要求。如还满足航速优化和/或基于纵倾优化的最佳配载的相关要求，可给予相应补充功能标志。

5.3　图纸资料

5.3.1　下列图纸资料应提交 CCS

(1)能效在线监控系统组成及其说明，应包括如下信息：

①设备组成说明；

②监测方式、参数；

③监测设备安装工艺的特别说明(如需要时)；

④能效/能耗分析评估方法；

⑤能效/能耗评估衡准(初始)设定值；

⑥输出数据/信息的种类和内容。

(2)能效在线监控系统电气系统图(包括系统供电、系统输入输出信号线路及参数列表)。

(3)轴功率测量装置(如设有)电气系统图和布置图。

(4)燃油流量计布置图。

(5)程序和计划，包括：

①数据采集/存储的程序和计划；

②相关评估结果/报告输出的程序和计划；

③监测装置的校准计划。

(6)航速优化系统的原理、功能及使用说明。

(7)基于纵倾优化的最佳配载系统的原理、功能及使用说明。

(8)能效管理系统的试验大纲。

5.4　船舶能效在线智能监控

5.4.1　一般要求

5.4.1.1 能效在线智能监控应能对船舶主要耗能设备、船舶航行状况等进行监测，进行数据的采集、传输、存储、分析,并对船舶能效和能耗等相关技术指标进行评估和报警。

5.4.1.2 应能定期进行船舶能效状况综合评估,提供能效优化和改进的辅助决策建议。

5.4.1.3 应能基于能效及能耗数据等的监测、分析和评估结果,根据需求提供相应的数据或分析评估报告。

5.4.1.4 能效在线智能监控的计算机系统应符合第Ⅰ类计算机系统要求;监测装置和系统应经 CCS 认可。

5.4.2 监测与测量

5.4.2.1 应能对主要耗能设备、轴功率测量装置(如设有)、燃油电子流量计、风速风向仪、全球卫星定位系统、计程仪、电子倾斜仪、测深仪、船舶吃水测量设备等设备的有关数据进行实时采集。

注:上述设备可基于船型、船舶推进形式等予以调整。

5.4.2.2 船舶主要耗能设备、计量设备和航行设备监测参数包括,但不限于:

(1)主要耗能设备的功率、压力、温度参数;

(2)主要耗能设备燃油消耗参数;

(3)主机轴功率参数[①];

(4)风向、风力参数;

(5)船位、航向、航速参数;

(6)对水速度参数;

(7)船舶倾斜角度;

(8)水深值;

(9)船舶吃水值。

注①:推进和/或辅助发电用发动机的输出功率允许通过替代方法获得。

5.4.2.3 考虑到船舶变形和局部振动对轴功率测量的影响,轴功率仪(如安装)的定子安装底座应焊接牢固,一般焊接在船舶强构件上,不允许焊接于船体外板。

5.4.3 数据传输及存储

5.4.3.1 系统可周期性接收设备参数数据并进行存储,接收周期可根据设备发送的最小周期和管理需求进行调整。

5.4.4 能效及能耗计算

5.4.4.1 系统应能自动计算以下能效及排放指标:

(1)EEOI;

(2)每海里油耗;

(3)每运输功油耗;

(4)每海里 CO_2 排放;

(5)每运输单位 CO_2 排放。

注:上述指标可基于船型、船舶推进形式等予以调整。

5.4.4.2 系统应能自动计算主要耗能设备的以下指标：

(1)燃油小时消耗量；

(2)燃油日消耗量；

(3)燃油航次(航段)消耗量汇总。

5.4.5 能效及能耗评估

5.4.5.1 主要耗能设备能耗实时评估

(1)根据船舶设备运行的实际情况，自动判断靠泊、机动航行、定速航行等船舶航行状态；

(2)利用船舶能耗的实时数据，根据设定的能耗评估方法和衡准进行比较分析，自动判断能耗状况，并输出评估结论。

5.4.5.2 船舶能效及排放指标评估

(1)应能自动实时监测 5.4.4.1 规定的能效及排放指标，评估指标可基于船型调整，并能与能效评估衡准进行对比分析。

(2)应能根据需求，自动生成年度、季度、月度、航次相关指标数据报告，并可按需要进行查询。

5.4.5.3 船舶能耗分布分析

(1)能够根据船舶设计参数及相关图纸资料或实船航行数据，分析各主要耗能设备的能量消耗分布比例及能量利用效率；

(2)能够输出能耗分布数据，以及能量利用效率的分析结果。

5.4.5.4 指标的超限提醒

(1)当船舶能效及能耗指标实时值超过设定限值时，系统进行报警。

5.4.6 能效管理辅助决策

5.4.6.1 可按航次或自然时段(不超过一年)进行船舶能效及能耗状况的综合评估。

5.4.6.2 应能根据综合评估结果，提出能效优化和改进的辅助决策建议。

5.4.7 能效辅助管理

5.4.7.1 MRV 所需碳排放的监测、报告：系统能够监测 MRV 要求的碳排放数据并能够产生相应的报告和满足验证要求的证据。

5.4.7.2 排放控制区(ECA)预警：系统能够根据当前船舶航次计划，在距离排放控制区一定范围内，进行剩余海里、剩余时间预警。

5.4.7.3 燃油信息管理：对加油、航行过程中的燃油更换进行管理，包括加油油品、换油前后油品的信息管理。

5.5 航速优化

5.5.1 一般要求

5.5.1.1 应能根据航次计划、燃油消耗、综合经济效益分析等,提供基于不同目标的航速优化方案。

5.5.1.2 航速优化分析应依据船舶航行数据,结合航次计划、航线特点以及船舶效率、燃油消耗评估等结果,及航行成本核算分析结果,形成航速优化方案。

5.5.1.3 基于不同目标的航速优化功能通常应包括:基于航次计划的航速优化和基于经济效益的航速优化。

5.5.1.4 航速优化的计算机系统应符合第Ⅰ类计算机系统要求。

5.5.2 基于航次计划的航速优化

5.5.2.1 应基于航次、航段管理功能,根据船舶的出发港、目的港、出发时间、预计航行里程等信息,自动计算已航行距离、已航行时间,并根据剩余航程、当前航速预报到港时间。

5.5.2.2 能根据航速、主推进设备功率和燃油消耗量等参数,自动计算当前航速下的燃油消耗率;并根据当前航速及剩余航行距离对油耗进行计算,计算已航行里程燃油消耗量和剩余航行里程所需燃油量。

5.5.2.3 根据设定的能够反映运营过程中船舶性能、效率的指标,并综合考虑天气海况等因素,评估对航速的影响。

5.5.2.4 航行过程能够根据燃油消耗率、船舶效率等分析,提供航速优化方案。

5.5.3 基于经济效益的航速优化

5.5.3.1 费用管理及效益指标评估

(1)系统应提供针对船舶营运过程中涉及的所有费用管理功能,包括运费、港口使费、燃料价格、船舶折旧、物料投入、船员工资、岸基人员工资及管理费用等;

(2)系统可对船舶营运过程中的各项费用进行核算,并建立航次效益评估指标。

5.5.3.2 应能根据效益指标评估结果,提供基于经济效益的航速优化方案。

5.6 基于纵倾优化的最佳配载

5.6.1 一般要求

5.6.1.1 基于纵倾优化的最佳配载系统应具有纵倾优化、自动优化配载功能,可用于计算各种装载工况下的最佳纵倾状态。

5.6.1.2 最佳配载系统应满足 CCS《钢质海船入级规范》第 2 篇第 2 章装载仪的相关要求。

5.6.1.3 最佳配载系统可根据初始装载及目标纵倾,通过计算机模拟自动迭代调整货物和压载水,提供基于纵倾优化的最佳节能配载方案。

5.6.1.4 基于纵倾优化的最佳配载计算机系统应符合第Ⅰ类计算机系统要求。

5.6.2 纵倾优化及配载优化要求

5.6.2.1 纵倾优化系统通常包括航行数据采集装置、纵倾性能基础数据库以及可进行纵倾寻优的分析系统。

5.6.2.2 纵倾性能数据库的构建可通过船模试验及数值计算方法，或通过实时采集船舶航行数据后由模型分析得到的系列数据组成。

5.6.2.3 通过船模试验及数值计算方法构建纵倾性能数据库，应至少覆盖装载手册所包含工况，每个工况应包括吃水、航速、纵倾要素。通过采集船舶实时航行数据构建纵倾性能数据库，应包括纵倾、吃水、航速、推进功率及转速、风速风向等运营及航行状态数据。

5.6.2.4 应至少能在装载手册所包含任意工况下进行最佳纵倾寻优计算，并输出经优化的航行浮态调整的纵倾区间。

5.6.2.5 实现基于已知目标纵倾下的装载方案自动寻优计算时，操作应简便，并具有可接受的计算效率。

5.6.2.6 自动输出最佳节能装载方案时，该方案要求应符合最佳航态目标，同时满足船体强度、完整稳性、谷物稳性、破舱稳性及初始航行系列安全指标要求。

5.6.2.7 应能根据用户需要，多次选取目标纵倾作为拟合寻优指标。

5.6.2.8 应尽可能拟合用户选取的最佳航态目标，如数据超限无法拟合应提示用户，并输出最接近目标的方案。

5.7 检验

5.7.1 初次检验

5.7.1.1 初次检验至少应包括如下项目：

(1)确认本章规定的图纸资料已审批；

(2)确认智能能效管理相关的计算机系统持有相应证书；

(3)确认系统硬件已经过认可。

5.7.1.2 下述所列设备中属于法定、船级范围的设备，除了应满足相关法定、船级检验要求外，还应按照下述要求进行检验：

(1)轴功率测量装置(如设有)

①按批准图纸和/或制造厂说明书的要求进行安装；

②见证轴功率测量装置的校核过程和结果。

(2)流量计

①核查流量计检定报告；

②按照批准图纸和/或制造厂说明书的要求进行安装。

(3)电子倾斜仪

①按照批准图纸和/或厂家说明书的要求进行安装检查；

②效用试验时对电子倾斜仪进行校准，倾斜角度输出结果进行确认。

(4)风速风向仪、测深仪、全球定位系统、计程仪、遥测四面吃水

①按批准图纸和/或厂家说明书的要求进行安装;

②对效用试验进行检验。

5.7.1.3 信号采集设备核查如下项目:

(1)输入至系统参数范围的完整性;

(2)软件系统接收端参数数据与信号采集设备发送端参数数据的一致性。

5.7.1.4 按照试验大纲进行试验及检验。

5.7.1.5 确认船上备有相关图纸资料、手册、程序及相关记录。

5.7.2 建造后检验

5.7.2.1 年度检验/中间检验/特别检验应包括如下项目:

(1)核查系统最近检验周期内的使用情况,确认系统功能正常;

(2)确认监测设备已按规定进行了校准。

5.7.2.2 授予智能能效管理功能标志的船舶,如其监测设备损坏、修理和换新,或监测手段等发生较大变化,需向 CCS 申请进行临时检验。